J. Warren Holleran

GERMAN READING GRAMMAR

BY

STANLEY L. SHARP

AND

FRIEDRICH WILHELM STROTHMANN

OF

STANFORD UNIVERSITY

Ginn and Company

BOSTON · NEW YORK · CHICAGO · LONDON · ATLANTA · DALLAS · COLUMBUS · SAN FRANCISCO

551.10

FOREWORD

It is fitting, I think, that I should speed this book on its way with my blessing. It was written with my encouragement and with some collaboration on my part; and it has been used in mimeographed form here at Stanford for the past three years (see my article "New Hope for Learners of German" in the *Monatshefte* for December, 1938), one section, in fact, having been taught by myself.

In my opinion this book stands for and exemplifies a new approach to foreign-language learning on the college level. Its novelty consists in a combination of vocabulary restriction with maturity both of subject matter and of syntax. The vocabulary which the student is expected to master, and which is relentlessly driven home by means of systematic repetition in both texts and exercises, derives exclusively from the "first thousand" words (with their families) of the Minimum Standard German Vocabulary; the syntax employed throughout follows the frequency principle and is that of "standard" German, such as might be encountered in any book or periodical of our day; the topics and stories offered as reading have been chosen and presented for the somewhat mature mind, to which they have been found to appeal.

As to the usefulness of the book as an aid to teaching, we are justified in saying that it has passed out of the experimental stage. Tests both of vocabulary and of sight reading given in three successive autumns at Stanford have proved beyond any doubt that our own first-year students learn and retain far more than those who come to us from either high schools or junior colleges. There is no question in my mind that the use of this book as a beginning text will materially accelerate the advancement of the student toward the acquirement of a reading knowledge of the German language.

BAYARD QUINCY MORGAN

STANFORD UNIVERSITY

PREFACE

THE AIM of this reading grammar is to enable the student of German, at the end of his first year of study, to read, with the exclusive aid of a dictionary, an average German text, even of a scientific nature, without losing himself in a maze of syntactical patterns which are either still entirely new to him or not yet assimilated.

In order to accomplish this purpose, we decided to do four things:

1. To strive for mastery of syntactical patterns before introducing syntactically less important forms. This explains the introduction of modals and relatives, for example, before the appearance of the plural of nouns. (See the note "To the Teacher," p. xi.) In addition, such elements as anticipative pronouns, participial phrases, particles, and the like, usually not found in first-year grammars, are explained and freely used.

2. To restrict the vocabulary to the starred stems (1018 in number) of the Minimum Standard German Vocabulary (and only 25 other words in the same collection).

3. To capitalize on the word-family principle of German, which we consider to be the best possible way of building a working vocabulary. This will account for the numerous paragraphs dealing with word formation, the exercises on compounds and derivatives, and the sections called "Building a Passive Vocabulary."

4. To give the student lively and interesting reading of a nature which will appeal to him and make him eager to do more reading.

Because of the emphasis on the complete mastery of a limited vocabulary, driven home not only by an unusually large amount of reading but also by a large number of oral exercises, this grammar may also be used by teachers who prefer an oral approach.

We are deeply indebted to all of those who have taught this grammar in mimeographed form for their many excellent suggestions, a large number of which we were able to incorporate in the final manuscript. We refer to the present members of the Stanford German Department; three who have since gone to other schools, Ernst Giesecke, Marion Nielsen, and Frances Kanzler; the staff of the San Francisco Junior College, Eric Moeller (who has also used the reading grammar in the University of California Extension Division), Annemarie Delfs, and Henry D. Soule; and Fritz Melz, who used it at the University of California.

We are especially grateful to B. Q. Morgan, who gave us permission to test our reading grammar in the department over a period of four years. He painstakingly read each page of the original manuscript and the galley proofs, and thus gave us the benefit of his long years of experience.

We appreciate the help of Friedrich von der Leyen and Kurt Lowien for their careful examination of the German text. To Helena M. Nye of Stanford we express our appreciation for her aid in the explanation of grammatical principles.

THE AUTHORS

CONTENTS

CONTENTS

TO THE TEACHER

IN COMPARISON with other German grammars now in use this grammar represents a marked departure: reading is the goal, and grammar is here introduced and explained solely as the means to this end — never as the end itself. From the outset, reading is emphasized; every feature of the book was planned and worked out with the achievement of reading ability in view.

From this combination of theory (grammar) and practice (reading) it follows that elements of grammar are introduced in a strikingly different sequence from that to which teachers of German have been accustomed. The frequency principle with regard to both grammar and vocabulary has been employed to the best knowledge and ability of the authors. To those, for example, who are surprised by the early introduction (Lesson III) of the modals and the relatively late introduction (Lesson XIX) of the future tense, let it be said that this was entirely intentional, a part of the whole plan: a count of over six thousand verbal forms found in ordinary German prose showed hundreds of occurrences of modals but only thirty-two of the future tense; a brief perusal of almost any German book will verify this count.

Not only are principles introduced in sequence according to the frequency with which they may be found in German prose but there is a concentrated effort in the German texts of this book to apply the important principles innumerable times. If this has been done well, then with respect to grammar there should be little difficulty in bridging the gap between "textbook" German and ordinary German.

Use of the frequency principle prescribed the vocabulary to be used, which, of course, meant the 1018 starred words of the Minimum Standard German Vocabulary. All the starred words will be found in the active vocabulary and an additional twenty-five words of the second thousand, which were deemed helpful. They are such words as sonst, vorher, nachher, vorbei, besuchen, and Schatten. A further requirement of good pedagogy demanded that as many words be used in as many different lessons as possible. More than 800 of the words are found in at least five different lessons, and more than 400 of these may be found in ten or more lessons.

The vocabulary is relatively small; other grammars which offer only from one fourth to one tenth the amount of reading material usually have larger vocabularies. It will be noted that this grammar offers a great amount of reading matter; roughly there are more than 33,000 running words in the German texts. In size this is the equivalent of four or five stories the length of Heyse's *L'Arrabbiata.*

The number of words introduced into each lesson is constant. (In Lessons IX and X fewer words are added in order to compensate for the memory work involved in learning the principal parts of a number of strong verbs.)

As a result of the relatively small vocabulary it is possible for the student to direct a great deal of his attention to syntactical difficulties. Hence it was possible to offer as nearly normal and average German as one might ever expect to find in a first-year text.

A very important feature of this grammar is the attention devoted to word formation and the word-family principle. Paragraphs on prefixes and suffixes, verb-noun pairs, compounds, and the like, together with accompanying exercises, enable the student to acquire a passive vocabulary of between 2000 and 3000 words.

In response to the request that the authors indicate how they think this new type of grammar should be taught, the following suggestions are offered:

We are firmly convinced that a solid foundation is indispensable for a really satisfactory reading knowledge of any foreign language. Thus in teaching this grammar in mimeographed form we have attempted to remember the adage that "haste makes waste," and we have proceeded slowly enough for our students to assimilate the new knowledge consisting of vocabulary, grammar, syntax, compounds, derivatives, and so on, and to complete all the exercises. We have allowed the students a week for each lesson after the first two or three lessons.

Our plan has been as follows:

First day. Cover the material assigned in the old lesson and have a short vocabulary quiz; then begin work on the new lesson, working on correct pronunciation of the new vocabulary and devoting a portion of the time to Text A.

Assignment. Study Text A and the grammar presented in the new lesson. (The grammar has already been presented inductively in class in connection with Text A.)

Second day. Devote a considerable part of the hour to the new grammar, analyzing and explaining it. Translate Text A and begin Text B.

Assignment. Read and translate a large part of Text B.

Third day. Read and translate Text B.

Assignment. Finish reading and translating Text B and answer the questions of Exercise I.

Fourth day. Complete reading and translation of Text B and work on the exercises.

Assignment. Study the vocabulary, reread Texts A and B, and prepare some of the exercises, especially Exercise II.

Fifth day. Retranslate the most difficult sentences from the texts, and work on exercises, especially Exercises II and V.

Short vocabulary quizzes at the end of each lesson will prove highly profitable. They should cover all the vocabulary items in all the lessons which have been studied, with special emphasis on the most recent vocabularies.

There are more than ample exercises. The inclusion of the large number of sentences to be translated from English into German was for the benefit of those teachers who will wish to use them.

The translation of compounds and derivatives (Exercise V) is a class exercise which will develop within the student a feeling for this type of recognition. No doubt teachers will have to help out in many cases.

Text A has three primary functions: to illustrate principles of grammar; to repeat words which have been introduced in previous lessons; and to introduce new words which are used again in Text B.

Text B affords further illustrations of grammatical rules; principles introduced in earlier lessons are freely and widely used; and vocabulary units previously used are repeated. But a sincere effort is made in Text B to give the student reading material in natural, normal German. The aim, of course, is to bridge the gap between artificial "grammar" German (Text A of earlier lessons) and the type of German the student will actually encounter in advanced reading.

We wish to make acknowledgment for permission to use the plan on page 199, which is adapted from a drawing in Storm's *Psyche* (edited by Eiserhardt and Pettengill, published by the Oxford University Press).

THE AUTHORS

GERMAN READING GRAMMAR

PRONUNCIATION

STRESS OR ACCENT

Simple German words generally accent the stem or first syllable. Compounds usually accent the first component.

VOWEL LENGTH

Accented vowels are long when doubled (**aa**, **ee**, **oo**), when followed by an **h** belonging to the same syllable, and usually when followed by a single consonant. In most other cases they are short.

Unaccented vowels are generally short.

VOWEL QUALITY

German sounds are not identical with English sounds. Their correct pronunciation can be learned only through the ear, that is, by imitation. The following comparisons are only approximations and are simply given for reference use. (Note that German vowels may be either long or short.)

Long **a** resembles the *a* in *father*: Vater, Haar, Jahr.
Short **a** resembles the *a* in *artistic*: dann, Klasse, alt.
Long **e** resembles the first element of the *a* in *bake*: geben, gehen, mehr.
Short **e** resembles the *e* in *pet*: kennen, Bett, Ecke.
Unaccented **e** resembles the last *a* in English *Anna*: Ecke, Klasse, fragen, Vater.
Long **i** resembles the *ee* in *fee*: viel, lieben, ihm. (Long **i** is never doubled; instead **e** is used as the lengthening sign.)
Short **i** resembles the *i* in *sin*: Gesicht, hinter, mit.
Long **o** resembles the *o* in *obey* or the first element of the *o* in *hope*: wohnen, so, oder.
Short **o** resembles the *o* in *forty*: hoffen, wollen, kosten.
Long **u** resembles the *oo* in *pool*: tun, zu, nun.
Short **u** resembles the *u* in *put*: jung, unter, und.

VOWELS WITH UMLAUT

Long **ä** resembles the *ai* in *fair*: Mädchen, ſpät, erzählen. (Many Germans pronounce long ä like German long e.)

Short **ä** is like German short e (Bett): Hälfte, Geſchäft, hält.

Long **ö** is formed by pronouncing German long e (mehr) with lips rounded: mögen, ſchön, hören.

Short **ö** is formed by pronouncing German short e with lips rounded: können, Köln.

Long **ü** is formed by pronouncing German long i (ihm) with lips rounded: über, natürlich, Frühling.

Short **ü** is formed by pronouncing German short i with lips rounded: müſſen, dünn, Stück.

DIPHTHONGS

au resembles *ou* in *house*: auf, Haus, kaum.

ei and **ai** resemble the *ei* in *height*: ein, allein, leiſe, Kaiſer.

eu and **äu** resemble *oy* in *boy*: heute, Europa, Fräulein.

CONSONANTS

b initial or medial between vowels is like English *b*: bei, Abend. At the end of a syllable it is pronounced like English *p*: ob, Erbſe.

c is usually like English *k*.

ck is like English *ck*: Stück, Blick.

ch has two sounds. Following a, o, u and au it is a back sound and is like the *ch* in Scotch *loch*. It is formed by expelling the air between the back of the tongue and the soft palate: acht, doch, Buch, auch. In all other cases it is a front sound and can best be formed by pronouncing *hew* with a loud or sharp whisper: ich, dicht, mancher.

chſ (chs) when an integral part of the stem is pronounced like English *ks* or *x* as in *fox*: wachſen, sechs.

d initial or medial is like English *d*: danken, finden. When final, it is like English *t*: Feld, Wand.

f is like English *f*: finden, ſchlafen.

g initial or between vowels is like English *g* in *game*: gut, fragen. When final or before voiceless consonants like t, ſt, it is like English *k*: weg, Tag, fragt. However, in the suffix -ig it is pronounced like the German front ch: auswendig, hungrig. Also -ng is pronounced like English *ng* in *ring*, *sing* (not like *ng* in *finger*): Frühling, lang. In many parts of Germany the final g is pronounced like ch: Tag, Krieg.

h initial is like English *h*. It maintains this pronunciation in derivatives and compounds: halten, behalten, Hausherr. In most other cases it is silent and is used as a sign of length: mehr, ehrlich, erfahren, gehen.

j is like *y* in *yes*: Jahr, jung, ja.

k is like English *k*: kaufen, kein. Note kn in Knabe.

l resembles English *l* but is pronounced farther forward. The tip of the tongue touches the back of the upper teeth: lieben, leben, glauben, holen.

m is like English *m*: muß, kaum.

n is like English *n*: neben, ſchlafen.

ng. See *g*.

p is like English *p*: Preis, Papier. Note pf in Pfund.

q occurs rarely, and then only in the combination qu. It is then pronounced like English *kv*.

r has two pronunciations, the trilled r and the uvular r. The trilled r is usually easier to learn; it is produced by the vibration of the tip of the tongue against the upper gums: rot, Herr, brauchen.

ſ is either voiced like the *s* in *capitalism* or voiceless as in *sea*. It is voiced initially before vowels, between vowels, and also between *m*, *n*, *l*, *r* and a vowel. In all other positions it is voiceless. Sand, ſo, dieſer, Hänſel, Elſe, Erbſe, lieſt, Luſt, Knoſpe. The capital form of ſ is S.

s stands only at the end of words and at the end of the first part of compounds and derivatives. It is always voiceless. In most cases it is a spelling variation of ſ, required in all cases where ſ would stand in final position: das, was, dieſes; Häuschen (from Haus); Weisheit (from weiſe); lies (from leſen); das Haus (genitive, des Hauſes).

ſſ is always voiceless. It can be used only between two vowels of which the first one is short: Waſſer, müſſen, laſſen.

ß is a spelling variation of ſſ and is also always voiceless. It is used between vowels if the first one is long, after a short vowel when no other vowel follows, and always in final position instead of ſſ: Größe, ſtoßen, beißen, reißen; mußt (from müſſen); laßt (from laſſen); aß (from eſſen); naß.

ſch is like English *sh* with lips more protruded: ſchlafen, Schnee.

ſp and ſt when initial are pronounced as if spelled ſchp and ſcht: ſpät, ſpielen, ſtill, Stück.

t is like English *t*: Tag, hinter, rot.

tz is like English *ts* in *fits*: ſitzen, Katze.

v is like English *f* except in words of foreign origin: Vater, vergeſſen, viel; but November.

w is like English *v*: wann, Waſſer, wie.

x occurs rarely. It is like English *x* in *tax*.

z is like English *ts* in *fits*: zu, zwiſchen, Zeit.

GLOTTAL STOP

Before an initial accented vowel the glottis is closed and suddenly reopened. The sound thus produced is called the glottal stop. It can best be heard in a whispered sentence such as:

Eine alte Eule ſitzt unter einer alten Ulme.

CAPITALIZATION

All nouns and words used as nouns are capitalized.

SYLLABICATION

A single consonant (including ch and ſch) is carried over to the next line: mei=nen, ge=ben; so is ſt: be=ſte. Only the last of two or more consonants goes to the following line: fin=den, hung=rig, bekom=men. Compounds are divided into their component parts: Haus=herr, aus=arbeiten.

PRONUNCIATION EXERCISE

German Print

Small Letters: a, b, c, d, e, f, g, h, i, j, k, l, m, n, o, p, q, r, s, t, u, v, w, x, y, z.

Capital Letters: A, B, C, D, E, F, G, H, I, J, K, L, M, N, O, P, Q, R, S, T, U, V, W, X, Y, Z.

Pronounce the following word pairs very carefully until you can pronounce long and short ü and long and short ö well:

Biene, Bühne	miſſen, müſſen	ſehnen, Söhnen	Werther,* Wörter
dienen, Dünen	Binde, Bünde	Beete, böte	Recke, Röcke
miete, mühte	Bitte, Bütte	heben, höben	Becken, Böcken
ſieden, Süden	ſticken, Stücken	Räte, Röte	kennen, können

Pronounce the following words:

friſch	immer	ſchlafen	mit	Hälfte
liegen	jeder	wiſſen	Preis	Ecke
Wand	alt	Woche	recht	ehrlich
wach	bringen	Frau	auch	Erbſe
viel	Deutſch	Fräulein	dicht	etwas
bei	dünn	gehen	doch	zeigen
Geſicht	eſſen	Haus	über	Zeit
Held	ohne	heute	Bühne	zu

* **th** is pronounced like **t**. The English *th* sound does not occur in German.

INTRODUCTION TO LESSON I

GRAMMAR

1. Infinitive, Stem, and Present Tense. Most German infinitives end in -en, but a few end in -n. The stem of a verb is the infinitive minus the ending -en or -n. The present tense is formed by adding for each person the proper ending to the stem. Thus hundreds of German verbs which are regular in the present tense are conjugated as follows:

ich sage	I say	wir sagen	we say
du sagst	you say	ihr sagt	you say
er, sie, es sagt	he, she, it says	sie sagen	they say
		Sie sagen	you say

ich denke	I think	wir denken	we think
du denkst	you think	ihr denkt	you think
er, sie, es denkt	he, she, it thinks	sie denken	they think
		Sie denken	you think

2. Haben, sein. The three most frequently used German verbs are irregular; they are:

haben	to have	sein	to be	werden	to become

In the present tense haben and sein are conjugated as follows:

ich habe	I have	wir haben	we have
du hast	you have	ihr habt	you have
er, sie, es hat	he, she, it has	sie haben	they have
		Sie haben	you have

ich bin	I am	wir sind	we are
du bist	you are	ihr seid	you are
er, sie, es ist	he, she, it is	sie sind	they are
		Sie sind	you are

3. Conventional Sie. German has three ways of expressing English *you*. Du (*singular*) and ihr (*plural*) are used in addressing relatives, intimate friends, and young children. The so-called polite form Sie is both singular and plural. It is always capitalized and always takes the same ending as the third person plural.

EXERCISE

Conjugate in the present tense:

lachen	to laugh	hören	to hear
hoffen	to hope	verstehen	to understand
fragen	to ask	zeigen	to show
schreiben	to write	gehen	to go, walk

LESSON I

TEXT A*

Frank hat Papier. — Frank schreibt auf ein Stück Papier. — Ich habe kein Papier. — Wer hat das Papier? — Hat Frank Papier? — Ich höre, Frank ist nicht alt. — Alt ist das Fräulein nicht. — Mehr sage ich natürlich nicht. — Das Fräulein ist nicht alt. — Das Mädchen ist schön. — Herr Jones versteht das Mädchen nicht. — Wer ist Herr Meyer? — Verstehst du das Fräulein?

Natürlich hört er nun nichts. — Dann verstehst du das Mädchen nicht. — Nun lacht das Mädchen. — Sie verstehen das Mädchen nicht. — Wer lacht? — Neben Frank sitzt Anna. — Das ist kein Wunder. — Haben sie ein Stück Papier? — Versteht Herr Schmidt das Mädchen? — Sitzt Anna neben Frank?

„Anna ist einfach schön", sagt Frank. „Einfach und schön, sagst du?" fragt Hans. „Einfach schön, sage ich, nicht einfach und schön."

VOCABULARY†

aber but, however
alle *all*
alles everything
alt *old*
auch also, too; either; even
auf on, upon; *up*
beobachten to observe, watch
berichten to report
dann *then*
das the; *that*
denken to *think*
Deutsch German
ein a, *an*
einfach simple, simply
finden to *find*
fragen to ask
Fräulein Miss
 das Fräulein the young lady
gehen to *go*; walk
haben to *have*
Herr Mr.
 der Herr the gentleman
hoffen to *hope*
hören to *hear*
kein no, not any
lachen to *laugh*
das Mädchen the girl
mehr *more*

---

* Sentences in Text A in the early lessons are generally disconnected in thought.

† All accents have been intentionally omitted in the vocabulary which forms a part of each lesson. Accents are indicated in the main vocabulary at the end of the book. The student should try from the start to imitate the teacher's pronunciation, who will read the new words aloud in class.

meinen to think; say; *mean*
natürlich *naturally*
neben next to, beside
nicht *not*
nichts nothing
nun *now*
oder *or*
das Papier the *paper*
sagen to *say*
schön beautiful, handsome; fine
schreiben to write
schwer difficult; heavy
sein to be
sitzen to *sit*
so *so*; thus
das Stück the piece
und *and*
verstehen to understand
wer who
wie as; how
wieder again
das Wunder the *wonder*
zeigen to show

TEXT B*

John und Nancy

John[1] sitzt neben Nancy.[1] Herr Jones sagt natürlich nicht John und Nancy, er sagt Herr Miller und Fräulein Wells. Aber wir sagen einfach John und Nancy und berichten: Nancy sitzt neben John. Sie haben „Abnormal Psychology". John versteht nichts. Kein Wunder, er ist normal. Er beobachtet Nancy und denkt: „Das Mädchen versteht alles. Ist sie intelligent, oder ist sie nicht normal?" Nancy versteht auch nichts,[2] aber sie zeigt es nicht.

Es klingelt.[3] Nancy und John gehen hinaus.[4] Sie haben nun Deutsch. „Ich hoffe, Deutsch ist nicht so schwer wie Psychologie", meint John. „Schwer?" fragt Nancy. „Wie meinen Sie das? Ich finde, Psychologie ist nicht schwer." John sagt nichts mehr.

John sitzt wieder neben Nancy. „Fräulein Wells," sagt Herr Jones, „sagen Sie ‚i'!" — „i, i, i", sagt Nancy. „Nun machen Sie den Mund rund[5] und sagen Sie wieder ‚i'!" — „ü, ü, ü", sagt Nancy nun. John lacht, aber dann sagt er auch „i" und „ü". „Komisch!"[6] denkt er, „ich sage ‚i' und es klingt wie[7] ‚ü'. Ich bin nicht normal!"

Alle sagen „i" und „ü". John hört es nicht, er beobachtet wieder Nancy. „Das Mädchen ist schön", denkt er. „Ich frage sie,[8] wie alt sie ist." „Wie alt sind Sie?" schreibt er auf ein Stück Papier. „Ich bin achtzehn (18)", schreibt Nancy. „Das ist schön," schreibt John, „ich bin auch achtzehn."

---

* The superior figures in Text B refer to the notes following.

NOTES. 1. The names *John* and *Nancy* are used because the action takes place in America. 2. verſteht . . . nichts does not understand anything, either. 3. Es klingelt The bell rings. 4. hinaus out. 5. machen . . . rund round your lips (make the mouth round). 6. Komiſch strange. 7. klingt wie sounds like. 8. ſie her.

GRAMMAR

4. English Progressive and Emphatic Forms. German has no progressive form. Both *I am laughing* and *I laugh* are expressed by ich lache; *he is writing* and *he writes* by er ſchreibt. The emphatic form is also lacking; *I do hope* is simply ich hoffe. Thus, ich lache may mean *I laugh, I am laughing*, and *I do laugh.*

5. Connecting e. If the stem of a verb ends in d or t, the endings ſt and t are changed to eſt and et for obvious phonetic reasons.* Hence,

du findeſt	du beobachteſt
er findet	er beobachtet
ihr findet	ihr beobachtet

6. Verb-Second Position. In declarative sentences the *inflected* verb is the second element of the sentence. The first element may be a single word, a group of words forming one element, or even a dependent clause. The subject with its modifiers is frequently the first element, but by no means always. (If not first, it is generally third.) Examples:

Frank **hat** das Papier.	Frank has the paper.
Das Papier **hat** Frank.	Frank has the paper.
Nun **lacht** Anna.	Now Anna is laughing.
Wenn du „ü" ſagſt, **lache** ich.	When you say "ü" I laugh.

7. Conjunctions. Conjunctions like und and aber are simply links joining two sentences or main clauses. They are not integral parts of the following clause and therefore are not considered to be the first element. Exclamatory expressions such as Kein Wunder and also ja (*yes*) and nein (*no*) are considered to be sentences in themselves, are set off by commas, and do not alter the word order of the following sentence.

* There are very few exceptions to this rule. The important ones will be taken up later.

8. Verb-First Position. In all types of questions the *inflected* verb takes the same position as it does in English:

Wer **hat** das Papier?	Who has the paper?
Haben Sie ein Stück Papier?	Have you a piece of paper?

As illustrated by the last example the inflected verb is the first sentence element in questions that may be answered by Yes or No.

EXERCISES

I

Answer in German the following questions, following Text B as closely as possible: 1. Wer sitzt neben Nancy? 2. Sagt Herr Jones Fräulein Wells und Herr Miller? Ja (yes)*, Herr Jones . . . 3. Was (what) berichten wir? 4. Was haben John und Nancy? 5. Wer versteht nichts? 6. Wer versteht auch nichts? 7. Wer ist ein Mädchen? 8. Was haben John und Nancy nun? 9. Wer sagt nichts mehr? 10. Wer sagt „i"? 11. Wer sagt „ü"? 12. Wer lacht? 13. Sagen alle „i" und „ü"? Ja, alle . . . 14. Wer beobachtet Nancy? 15. Ist Nancy schön? Ja, . . . 16. Wie alt ist Nancy?

II

Translate into German: 1. John goes out. 2. Nancy does not understand anything (understands nothing).* 3. She observes John again. 4. She is a girl. 5. She has German now. 6. Now he has German. 7. Nancy says German is not hard. 8. No wonder, she is a girl. 9. Nancy is beautiful. 10. John is eighteen. 11. He hears the girl. 12. Who has the paper? 13. Who is writing?

III

Conjugate:

sein	denken	finden
haben	beobachten	meinen
lachen	verstehen	sagen

IV

Supply the missing endings:

du geh_____	du sag_____	sie beobacht_____
ihr schreib_____	sie (she) mein_____	du denk_____
wir sitz_____	Sie (you) hoff_____	ihr beobacht_____

* Words or remarks in parentheses are to be used in translation.

LESSON II

TEXT A

Anna fährt allein nach Berlin. — Warum fährst du nicht allein nach Hamburg? — Herr Meyer wird alt. — Du wirst wieder jung. — Ich bin nicht mehr so jung wie du. — Schläfst du schon? Oder schläfst du noch? — Bist du nun wach? — Warum atmest du so schwer? — Meyer liest die Zeitung. — Warum liest du das Buch? — Hier hast du das Buch. — Der Bleistift ist rot. — Auch das Buch ist rot.

Es ist natürlich alt. — Frank rechnet gut. — Er sieht nichts. — Er läuft gut. — Ich habe keine Frau. — Hat er noch so viel Geld? — Frank denkt nur an Anna. — Wer ist zufrieden?

VOCABULARY

allein *alone*; but
an *on*; at; near
atmen to breathe
bleiben to stay, remain
der Bleistift the pencil
brauchen to need; use
bringen to *bring*; take
das Buch the *book*
dicht *thick*; close
fahren (ä) to ride, drive, go
die Frau the woman; wife
  Frau Mrs.
für *for*
das Geld the money
das Glas the *glass*
gut *good*; well
das Haar the *hair*
hier *here*
holen to fetch, bring
die Jugend the youth
jung *young*
lang (lange) *long*
laufen (ä) to run
legen to *lay*, place
leise soft(ly), gentle, gently
lesen (ie) to read
man one
die Mark the mark (coin)
nach to; toward; after
noch still, yet
nur only
rechnen to figure
die Reise the trip
rot *red*
schlafen (ä) to *sleep*
schon already
sehen (ie) to *see*
tun to *do*
über *over*; above; about
das Urteil the judgment, opinion
versuchen to try, attempt
viel much
  viele many
wach *awake*

warum why
das Wasser the *water*
werden (i) to become
zahlen to pay
die Zeitung the newspaper
zufrieden satisfied, contented
zurück back
zwar to be sure

IDIOMS

denken an to think of
nicht mehr no longer

TEXT B

Herr und Frau Meyer

Gustav Meyer ist zufrieden. Natürlich! Warum nicht? Seine[1] Zahnbürste[2] wird nicht rot, sein[1] Haar ist noch dicht, und sein Auto läuft auch noch gut. Außerdem raucht er eine Zigarre[3] und liest die Zeitung. Mehr braucht er nicht, um zufrieden zu[4] sein.

„Siehst du, Frau," sagt Meyer, „hier hast du es! ‚Nach Berlin für nur achtzehn (18) Mark!'" Aber Frau Meyer schläft schon, sie atmet schwer, und Meyer fährt allein nach Berlin. Er bleibt nicht lange. Frau Meyer wird wieder wach und holt Gustav zurück. „Fünfhundert (500) Mark," liest Meyer nun, „fünfhundert Mark zahlen wir für ein Urteil über die weltbekannte Zahnpasta[5] Odontoschein."[6] „Hm," sagt Frau Meyer, „fünfhundert Mark? Das ist viel Geld." Sie rechnet. „Gustav, das ist eine Reise nach Neuyork." „Hm", sagt auch Herr Meyer, holt Bleistift und Papier und schreibt. Zwar braucht er kein Odontoschein. Er hat ein Gebiß,[7] und das legt er abends[8] in ein Glas Wasser. Aber für fünfhundert Mark tut man viel. Meyer denkt, er schreibt, verbessert,[9] schreibt, verbessert wieder. Dann liest er zufrieden:

„Bist du jung? — Odontoschein bewahrt[10] die Jugend.
Bist du alt? — Odontoschein bringt sie[11] zurück."

„Bringt sie zurück", sagt leise Frau Meyer und denkt zurück an ihre[12] Jugend. „Gustav," meint sie, „Gustav, die Zahnpasta[13] versuche ich auch."

NOTES. 1. sein, seine his. 2. Zahnbürste toothbrush. 3. Außerdem . . . Zigarre Besides, he is smoking a cigar. 4. um . . . zu in order to. 5. weltbekannte Zahnpasta world-renowned toothpaste. 6. A fictitious name. 7. Gebiß a set of false teeth. 8. abends in the evening. 9. verbessert corrects. 10. bewahrt preserves. 11. sie it. 12. ihre her. 13. die Zahnpasta that toothpaste.

GRAMMAR

9. Gender of Nouns. German nouns are masculine, feminine, or neuter. In the first lesson only neuter nouns were introduced: das Stück, das Papier. In this lesson additional neuter nouns are used; a few feminines: die Frau, die Jugend, die Mark, die Reise; and one masculine noun: der Bleistift. The definite article in the nominative case for masculine nouns is der; for feminine nouns, die; and for neuter nouns, das. The article should be learned together with the noun. Note that even inanimate objects are masculine, feminine, or neuter.

10. Verbs with Vowel Change. In the English verb *to do* there is a vowel change from the first person singular, *I do*, to the third person singular, *he does*. Many German verbs show a vowel change in the second and third persons of the singular:

ich sehe	ich schlafe	ich fahre
du siehst	du schläfst	du fährst
er sieht	er schläft	er fährt

Vowel changes will be indicated in the vocabulary as the verbs are introduced.

11. Werden. The third most frequently used verb is werden (*to become*). It is irregular in the second and third persons of the singular:

ich werde	wir werden
du wirst	ihr werdet
er wird	sie werden

12. Irregular Ending of Second Person Singular. Verbs whose stems end in an *s*-sound use the third person singular form in the second person singular also:

du liest — du sitzt — du reist

13. Connecting e. It would be impossible to pronounce the second and third persons singular and second person plural of some verbs like atmen and rechnen, where the stems end in a consonant plus m or n, unless some vowel were inserted. In these cases an e is inserted between the stem and the ending:

ich atme	ich rechne
du atmest	du rechnest
er atmet	er rechnet
wir atmen	wir rechnen
ihr atmet	ihr rechnet
sie atmen	sie rechnen

EXERCISES

I

Answer in German: 1. Wer ist zufrieden? 2. Wie ist Meyers Haar? 3. Wie läuft sein Auto? 4. Wer raucht eine Zigarre? 5. Was liest Herr Meyer? 6. Wer schläft schon? 7. Wie atmet Frau Meyer? 8. Wer fährt nach Berlin? 9. Wer wird wieder wach? 10. Was holt Herr Meyer? 11. Warum braucht Meyer keine Zahnpasta? (He has a set of false teeth.) 12. Was tut nun Herr Meyer? 13. Was bewahrt die Jugend? 14. Was bringt Odontoschein zurück? 15. Was tut Frau Meyer?

II

Translate into German: 1. Gustav travels to Berlin. 2. Who is getting old? 3. Mr. Meyer is reading the newspaper. 4. Is he sleeping now? 5. Meyer runs and breathes heavily. 6. Do you see Mrs. Meyer? 7. He gets pencil and paper. 8. Mr. Meyer brings Mrs. Meyer back. 9. His (Sein) hair is still thick. 10. She does not remain long.

III

Translate into English:

schön	gehen	holen
alles	verstehen	man
neben	nach	gut
schwer	warum	zahlen
wie	noch	nur

IV

Translate into German:

to hope	to be	to show	to report
to hear	again	to observe	already
nothing	to say	to fetch	to write

V

Conjugate in the present indicative:

werden	haben	sehen	lesen
sein	schlafen	holen	atmen

VI

Find the subject and predicate in each sentence of Texts A and B.

LESSON III

TEXT A

Darf ich heute abend gehen? — Willst du schlafen? — Du darfst nicht wieder kommen. — Warum können wir nicht bleiben? — Ich weiß, es ist schon spät, aber ich darf noch nicht gehen. — Du sollst schlafen.

Mußt du immer lachen? — Darf ich fragen, wie alt Sie sind? — Ich will alles vergessen. — Ich kann es beweisen. — Ich mag das Kleid nicht. — Natürlich kostet das Papier viel zuviel. — Ich brauche ein Stück Papier. — Ich kann den Bleistift nicht finden. — Anna mag das Kleid nicht, aber ich finde es schön. — Ist das Kleid rot?

Wollt ihr die Zeitung lesen? — Meyer hat das Geld schon. — Heute muß ich hier bleiben. — Kann Hans gut rechnen? — Du mußt es versuchen. — Ich habe nichts zu berichten.

VOCABULARY

auswendig (learn *or* know) by heart
bei at; with
bekommen to get, receive
bestimmt definitely
das Bett the *bed*
beweisen to prove
da there (*cf.* § 22)
dünn *thin*
dürfen (*cf.* § 15)
erfahren (ä) to find out, learn
fast almost
die Gans the *goose*
gar (*cf.* Idioms)
gebrauchen to use
gewinnen to *win*
glauben to believe
heute today
immer always
interessant *interesting*
das Kleid the dress
kommen to *come*
können (*cf.* § 15)
kosten to *cost*
leider unfortunately
mögen (*cf.* § 15)
müssen (*cf.* § 15)
neidisch jealous, envious
  neidisch auf envious of
nein *no*
ob whether; *if*
der Preis the *prize*; *price*
reden to talk, speak
der Schnee the *snow*
sollen (*cf.* § 15)
spät late
still *still*, quiet
übrigens by the way
Uhr o'clock
  die Uhr the clock, watch
um at; around; about

vergessen (i) to *forget*
die Wand the wall
warten to wait
was *what*
weiß *white*
wenn *when*, whenever; if
wissen (*cf.* § 19) to know
die Woche the *week*
wohnen to dwell, live
wollen (*cf.* § 15)
zu *to*; *too*
zwischen between

IDIOMS

gar (*strengthens or emphasizes*)
  gar nichts nothing at all
heute abend this evening
noch nicht not yet
recht haben to be right; er hat recht he is right

TEXT B

Schmidts bei Fischers

Bei Schmidts. Herr Schmidt: „Ich weiß schon, du willst wissen, ob Meyer die fünfhundert (500) Mark bekommt. Da[1] mußt du noch warten. Um acht (8) Uhr soll er es erfahren." Frau Schmidt: „Ich höre, er hat das Geld schon." Herr Schmidt: „Nein, nein, er hat es noch nicht, das weiß ich bestimmt." Frau Schmidt: „Aber Frau Meyer hat schon ein Reisekleid. Sie sagt, es kostet hundert (100) Mark." Herr Schmidt: „Das beweist ja[1] gar nichts. Übrigens gehen wir um sieben (7) zu Fischers. Du weißt doch,[1] Fischers wohnen neben Meyers, und die Wand zwischen Meyers und Fischers ist so dünn, man braucht nur still zu sein, dann kann man bei Fischers alles hören, was Meyers sagen." Frau Schmidt: „Das kann ja interessant werden, und ich brauche nicht so viel zu reden. Du weißt, ich mag Frau Fischer nicht." * * *

Bei Meyers. Frau Meyer: „Gustav, wie spät ist es denn[1]?" Herr Meyer: „Es ist nun sieben (7), sieben Uhr dreißig (7:30) Konzert, und acht Uhr (8:00) Odontoschein-Programm."

Bei Fischers. Herr Fischer: „Meyer weiß schon, was Frau Meyer will. Er kann das Programm heute auswendig. Das kann man hören."

Bei Meyers. „Gustav, Frau Schmidt ist neidisch auf das Reisekleid." Herr Meyer: „Die Gans ist immer neidisch."

Bei Fischers. „So, eine Gans bin ich. Und das muß man anhören",[2] sagt Frau Schmidt.

Bei Meyers. „Was meinst du, Frau, bekommen wir das Geld? Ich glaube nicht." — „Natürlich bekommen wir das Geld. Du weißt, Gustav, ich habe immer recht."

Bei Fischers. „Frau Meyer muß jede[3] Woche eine Tube Zahnpasta[4] gebrauchen. Ihre Zähne sollen[5] fast weiß sein." — „Weiß oder nicht weiß, die Jugend kommt leider nicht zurück — nicht mehr, wenn man so alt ist."

Bei Meyers. „Also,[1] Frau, es ist acht Uhr (8:00). Still!"

Der Ansager[6]: „Guten Abend, meine Damen und Herren.[7] Wenn Sie heute abend zu Bett gehen, dürfen Sie nicht vergessen, Ihre Zähne mit Odontoschein zu putzen.[8] Odontoschein ist gut für jung und alt. Das weiß auch Herr Meyer, Herr Gustav Meyer. Er gebraucht Odontoschein schon achtzehn (18) Jahre.[9] Seine Zähne[10] sind weiß wie Schnee."

Bei Fischers. „Ha-ha-ha-ha! ‚Weiß wie Schnee!'"

Der Ansager[6]: „Herr Meyer, darf ich gratulieren?[11] Sie gewinnen den Preis. Sie haben recht. ‚Sind Sie jung? Odontoschein bewahrt die Jugend; sind Sie alt? Odontoschein bringt sie zurück.'"

NOTES. 1. The words ja, da, doch, denn, and also are particles (cf. § 22). 2. anhören listen to. 3. jede every. 4. eine Tube Zahnpasta a tube of toothpaste. 5. Ihre Zähne sollen Her teeth are said to be. 6. Der Ansager the announcer. 7. Guten . . . Herren Good evening, ladies and gentlemen. 8. Ihre . . . putzen to brush your teeth with Odontoschein. 9. Jahre years. 10. Seine Zähne his teeth. 11. gratulieren congratulate.

GRAMMAR

14. Modal Auxiliaries. As shown by the sentences *I can read* (ich kann lesen), *you may go* (Sie dürfen gehen), English and German have some verbal forms which indicate whether the action expressed by the following infinitive is possible, necessary, permissible, and so on. These forms are called modal auxiliaries. However, the English modals are defective; they have no infinitives, no participles, and sometimes no past tense. The German modals are complete verbs, and the forms missing in English have to be paraphrased:

Herr Meyer sagt, du sollst still sein. Mr. Meyer says you are to be quiet.
Ich durfte essen (*past tense*). I was allowed to eat.
Ich hoffe, heute gehen zu dürfen. I hope to be allowed to go today.

15. Meanings of Modals. The modals and their most common meanings are:

dürfen* to be allowed to, may (*idea of permission*)
können to be able to, can (*idea of ability, possibility*)
mögen† to desire to, like (*idea of inclination*)
müssen to be compelled to, must, have to (*idea of necessity*)
sollen to be to, to be said to (*idea of obligation or hearsay*)
wollen to want to, intend to, claim to (*idea of will, desire, or claim*)

Examples:

Darf ich gehen? May I go?
Ich kann gut sehen. I can see well.
Ich mag das Kleid nicht mehr sehen. I do not want to see the dress any more.
Ich muß heute gehen. I must go today.
Ich muß heute nicht gehen. I do not have to go today.
Er soll es heute erfahren. He is to find it out today.
Ich will das Kleid sehen. I want to see the dress.

16. Omission of Dependent Infinitive. After modals the dependent infinitive is frequently omitted when it can be readily supplied from the context:

Ich kann es nicht (tun *understood*). I cannot do it.
Ich will heute abend in die Oper (gehen *understood*). I want to go to the opera this evening.

17. Conjugation of Modals in the Present Tense

	dürfen	**können**	**mögen**	**müssen**	**sollen**	**wollen**
ich	darf	kann	mag	muß	soll	will
du	darfst	kannst	magst	mußt	sollst	willst
er	darf	kann	mag	muß	soll	will
wir	dürfen	können	mögen	müssen	sollen	wollen
ihr	dürft	könnt	mögt	müßt	sollt	wollt
sie	dürfen	können	mögen	müssen	sollen	wollen

* Dürfen in connection with negatives means *may not, cannot, must not*:

Du darfst nicht lachen. You must not laugh.
Wir dürfen nichts sagen. We cannot say anything.

† Mögen is used mainly in the subjunctive. See later lessons.

Note that **können, mögen,** and **wollen** are also used as independent verbs:

Können Sie Deutsch? Do you know German?

Meyer kann das Programm auswendig. Meyer knows the program by heart.

Er weiß, was er will. He knows what he wants.

Ich mag Frau Fischer nicht. I do not like Mrs. Fischer.

As can be seen by the examples above, **können** means *to know* when used independently.

18. Dependent Infinitive after Modals. The infinitive dependent upon a modal auxiliary stands at or near the end of the clause or sentence. Note that this infinitive does not take **zu.**

Das kann man hören. One can hear that.

Er will heute nicht gehen. He does not want to go today.

19. Wissen. The verb **wissen** is not a modal, but is conjugated like one:

ich weiß	wir wissen
du weißt	ihr wißt
er weiß	sie wissen

20. Nominative and Accusative Cases. The subject of a sentence and the predicate nominative (*John is my friend*) are always in the nominative case. The direct object is always in the accusative case. The accusative case is also governed by certain prepositions which will be discussed later. The nominative and accusative of the definite and indefinite articles are as follows:

	Masculine	Feminine	Neuter
Nom.	der	die	das
	ein	eine	ein
Acc.	den	die	das
	einen	eine	ein

21. Present Tense. The present tense is used more in German than in English. It is more frequently used to express future time:

Ich gehe bestimmt. I am definitely going.

It is always used where English uses the present perfect to denote what has been *and still is*:

> Er gebraucht es schon achtzehn Jahre. He has been using it (for) eighteen years.

(In this usage schon is idiomatic and might be said to be the equivalent of English *for*.) Finally, the historical present is used much more frequently in German than in English. This will be seen in later lessons.

22. Particles. A few short German words (also, da, denn, doch, ja, noch, schon, wohl, and the like) cause the learner much difficulty. These words are sometimes used with their literal meanings:

> Ich weiß es schon, I know it already.

Very often, however, they are used as particles, modifying or qualifying an entire sentence with almost imperceptible shades of meaning and feeling. When so used, they are subjective, indicating the speaker's attitude or feeling, adding, for example, a note of surprise or emphasis. Since their presence constitutes one of the main differences between idiomatic German and German that is merely grammatically correct, they will be used freely in this book. The student will not be expected to use them in writing or speaking German, since their proper use is difficult. When the words listed above are used with their literal meanings, they should be translated; but when such words are used as particles, they should not be translated literally into English and are usually best left out.

EXERCISES

I

Answer in German: 1. Wer hat die fünfhundert (500) Mark noch nicht? 2. Was hat Frau Meyer schon? 3. Was kostet das Reisekleid? 4. Wann (when) gehen Schmidts zu Fischers? 5. Wo (where) wohnen Meyers? 6. Wie dünn ist die Wand zwischen Meyers und Fischers? 7. Was kann man bei Fischers hören? 8. Wer mag Frau Fischer nicht? 9. Wann (when) kommt das Odontoschein-Programm? 10. Wer kann heute das Programm auswendig? 11. Wer ist neidisch auf Frau Meyers

Reisekleid? 12. Wer sagt, „Frau Fischer ist eine Gans"? 13. Wer hat immer recht? 14. Sind Meyers Zähne weiß? Ja, . . . 15. Wer lacht und zeigt seine Zähne? 16. Wer gewinnt den Preis?

II

Translate into German: 1. I must go now. 2. He knows the program by heart. 3. I know you are beautiful. 4. Why are you not * allowed to read the newspaper? 5.Do you see the snow? 6. Naturally you may go. 7. I do not * want to forget Anna. 8. The trip costs too much. 9. That (die) goose is always jealous. 10. He already has a glass. 11. She is to find it out today. 12. Do you want the pencil?

III

Translate into English:

bekommen	dicht	übrigens
beweisen	fahren	versuchen
tun	leider	werden
brauchen	reden	man

IV

Translate into German:

alone	the dress	the piece
to think	to read	satisfied
simple	red	back

V

Underline each modal auxiliary in Text A and Text B.

VI

Conjugate in the present tense:

Ich muß gehen	ich will es heute abend erfahren
ich darf es nicht vergessen	ich kann den Preis gewinnen

* When nicht negates an entire clause, it stands as near the end of the clause as possible:

Er hat das Geld noch nicht. He hasn't the money yet.

Er kann heute nicht kommen. He cannot come today.

When nicht negates one particular element, it usually precedes that element:

Ich bin nicht neidisch auf Frau Meyers Kleid. I am not envious of Mrs. Meyer's dress.

Man kann nicht immer arbeiten. One cannot always work.

LESSON IV

TEXT A

Im Frühling arbeitet Kurzhals immer auf dem Feld. — Es ist schon Frühling und ihr habt immer noch Schnee! — Hier bringe ich Ihnen eine Gans. — Nun, Herr Meyer, was haben Sie zu berichten? Leider nichts, gar nichts. — Warum antwortest du mir nicht? — Ich kann es dir nicht sagen. — Ich kann dich nicht verstehen. — Du mußt den Apfel mit mir teilen. — Wohnst du nun in Berlin? — Ich bleibe bei dir. — Willst du mit mir oder mit ihm gehen? — Ich sehe dich gar nicht mehr. — In diesem Bett kann ich nicht schlafen. — Hier hast du ein Glas Wasser, das tut dir gut. — Die Frau gibt dem Fräulein ein Glas Wasser. Das Fräulein dankt ihr. Sie sagt: „Ich danke Ihnen."

Frank und Anna kommen aus der Klasse. — Du mußt nicht alles glauben. Einem Mädchen kann man immer glauben. Ich kann es dir beweisen. — Es steht in der Zeitung. — Sie ist nicht schön, aber sie ist intelligent. — Können Sie Deutsch? — Frau Meyers Kleid ist rot, das weiß ich bestimmt. — Frau Schmidt redet viel zuviel. — Sie ist mir zu alt. — Atmet sie immer so schwer? — Ich weiß nicht, was sie tut. — Was tust du mit dem Geld? — Seit dem Krieg habe ich kein Geld. — Er nimmt mir alles, was ich habe. — Ich kann ihn nicht vergessen. — Ich mag ihn nicht. — Das ist mir recht.

VOCABULARY

der Abend the *evening*
also therefore
antworten (*w. dat.*) to *answer*
der Apfel the *apple*
die Arbeit the work
  arbeiten to work
aus *out* of, from; of
außerdem moreover, besides
beißen to *bite*
danken (*w. dat.*) to *thank*
ehrlich honest
die Erbse (*pl.* die Erbsen) the pea (the peas)
die Erde the *earth*; ground
erzählen to relate, *tell*
das Feld the *field*
frisch *fresh*
der Frühling (the) spring
ganz whole, entire(ly)
geben (i) to *give*
gerade straight; just
gern gladly, willingly

das Geschäft the business, deal; store
die Geschichte the story; history
gleich *like*, same; immediately
halb *half*
die Hälfte the *half*
der Herbst (the) autumn
der Hof the court; farm
jemand somebody, someone
die Kartoffel (*pl.* die Kartoffeln) the potato
kaufen to buy
die Klasse the *class*
der Krieg the war
kurz short, shortly
machen to *make*; do
mit with; along
nehmen (nimmst, nimmt) to take
oft *often*
ohne without
pflanzen to *plant*
recht *right* (*cf.* Idioms)
riechen to smell
riechen nach to smell of
seit for; since
seitdem since that time
stehen to *stand*; to be
der Teil the share, the part
teilen to divide, share
unter *under*, below
verlieren to lose
von of; from
vor before, in front of
wachsen (ä) to grow
werfen (i) to throw

IDIOMS

es ist mir ganz gleich it is all the same to me
es ist mir recht it is all right with me
glauben an to believe in (*w. acc.*)
immer noch still
noch immer still
gern (*plus verb*) to like to . . .
ich esse gern I like to eat
ich schlafe gern I like to sleep
ich kaufe gern I like to buy

TEXT B

Eine Geschichte vom Teufel[1]

Ich weiß, ich weiß, Sie glauben nicht an den Teufel. Aber ich brauche eine Geschichte ohne Adjektiv-Endungen,[2] und da kommt mir der Teufel gerade recht. Die Adjektive, die[3] auf den Teufel passen,[4] kann man, wie Sie ja[5] wissen, in der Klasse nicht gebrauchen. Außerdem stehen sie nicht im *Minimum Standard German Vocabulary.* Es ist mir also ganz gleich, ob Sie an den Teufel glauben oder nicht, wenn ich nur meine[6] Geschichte erzählen kann. Dem Teufel ist es übrigens auch gleich. Wenn er jemand holt, sagt er nicht: „Glauben Sie an den Teufel? Nein? Dann kann ich Sie leider auch nicht holen!" Er holt den Kerl[7] einfach.

Der Teufel ist übrigens gar nicht so intelligent, wie man oft meint. Kurz vor dem Krieg kommt er am Abend frisch aus der Hölle[8] zu Kurzhals auf den Hof. Kurzhals riecht natürlich gleich, wer da vor ihm steht. Wie Sie wissen, riecht der Teufel immer nach Schwefel.[9] „Kurzhals," sagt er, „ich will ein Geschäft mit dir machen. Ich weiß, du willst ein Feld kaufen. Nun, ich gebe dir das Geld, und du gibst mir dann im Herbst einen Teil von der Ernte."[10] — „Hm," meint Kurzhals, „und ich soll die Arbeit tun." — „Natürlich!" antwortet der Teufel. „Ich gebe das Kapital, und du tust die Arbeit. Das ist doch[5] immer so." — „Leider!" meint Kurzhals und nimmt das Geld. „Gut!" sagt der Teufel, „aber wie wollen wir teilen, Kurzhals? Jeder[11] bekommt die Hälfte, meinst du? Nein, das paßt[4] mir nicht. Das ist mir zu ehrlich. Ich spekuliere gern. Wir wollen würfeln.[12] Wenn du gewinnst, bekommst du das, was über der Erde wächst; und wenn du verlierst, bekommst du das, was unter der Erde wächst." Kurzhals ist es recht. (Er weiß schon[5], was er tut.) Sie würfeln. Natürlich gewinnt der Teufel, er wirft elf (11) und Kurzhals nur drei (3). Der Teufel lacht und geht, und Kurzhals kauft das Feld.

Er pflanzt Kartoffeln. Und als[13] der Teufel im Herbst wiederkommt, gibt ihm Kurzhals einen Kartoffelapfel.[14] „Hier!" sagt er, „das ist für dich und die Kartoffeln sind für mich." Der Teufel beißt in den Apfel. „Pfui Teufel!" sagt er. „Kurzhals, von nun an gibst du mir das, was unter der Erde wächst!" „Das ist mir auch recht!" antwortet Kurzhals und pflanzt im Frühling Erbsen. Und als der Teufel nach der Ernte wiederkommt, hat Kurzhals die Erbsen, und der Teufel bekommt nichts. „Mit dir will ich nichts mehr zu tun haben!" meint er und fährt zur Hölle. Seitdem hat Kurzhals das Feld.

NOTES. 1. Teufel devil. 2. Adjektiv-Endungen adjective endings. 3. Die Adjektive, die the adjectives which. 4. passen suit, fit, describe. 5. A particle. 6. meine my. 7. Kerl fellow. 8. Hölle hell. 9. Schwefel sulphur. 10. Ernte harvest, crop. 11. Jeder each one. 12. würfeln throw dice. 13. als when. 14. Kartoffelapfel potato berry (the real fruit containing the seed).

GRAMMAR

23. The Dative Case. German uses a case, the dative, which is distinguished from the nominative and accusative cases by special forms.

I. USE

a. The dative is used where English, in order to express the idea, uses prepositional phrases with *to*, *for*, *from*, or *with*. The most important usage of this type is the indirect object, where English may or may not express the preposition. Examples:

Er gibt es mir. He gives it to me.
Er gibt mir ein Kleid. He gives me a dress (a dress to me).
Er nimmt es mir. He takes it from me.
Das iſt mir zu ſchwer. That is too hard for me.

b. The dative is used as the sole object of several verbs, such as antworten and danken:

Ich kann dir nicht antworten. I cannot answer you.
Ich danke Ihnen. (I) thank you.

Other such verbs will be so designated in the vocabulary as they are introduced. Glauben used without the preposition an takes the dative:

Ich glaube ihm nicht. I do not believe him.

c. The dative is governed by some adjectives, such as intereſſant and recht:

Das iſt mir intereſſant. That is interesting to me.
Es iſt ihm recht. It is all right with him.

d. The dative is governed by the prepositions

aus   außer   bei   mit   nach   ſeit   von   zu

e. Compare § 28.

II. FORMS

Masc.	**Fem.**	**Neut.**
dem Hof(e)	der Frau	dem Feld(e)
einem Hof(e)	einer Frau	einem Feld(e)

Masculine and neuter nouns of one syllable may add an -e in the dative singular. Feminine nouns are not changed.

24. Contractions. The following prepositions and definite articles are frequently contracted:

an dem to am	von dem to vom	auf das to aufs
in dem to im	zu dem to zum	in das to ins
bei dem to beim	an das to ans	zu der to zur

25. Personal Pronouns. (Note that the personal pronouns in the nominative case have already been learned.)

SINGULAR

	First Person	Second Person	Third Person
NOM.	ich	du (Sie)	er, sie, es
DAT.	mir	dir (Ihnen)	ihm, ihr, ihm
ACC.	mich	dich (Sie)	ihn, sie, es

PLURAL

NOM.	wir	ihr (Sie)	sie
DAT.	uns	euch (Ihnen)	ihnen
ACC.	uns	euch (Sie)	sie

26. Agreement. The personal pronoun of the third person must agree in gender and number with the noun to which it refers. English *it* may be er, sie, or es in the nominative, or it may be ihn, sie, or es in the accusative. Thus:

Er (*we know the speaker is referring to snow,* der Schnee) ist weiß. It is white.

Ich kaufe sie (die Gans). I am buying it.

27. Verb-Last Position. In dependent or subordinate clauses the inflected verb is usually the *last* element of that clause:

Wenn die Wand dünn **ist**, kann ich alles hören. If the wall is thin, I can hear everything.

Frau Meyer weiß, was sie **will**. Mrs. Meyer knows what she wants.

Wenn Sie heute abend zu Bett **gehen**, . . . When you go to bed to-night, . . .

EXERCISES

I

Answer in German: 1. Wo (where) kann man die Adjektive, die auf den Teufel passen, nicht gebrauchen? 2. Wer ist gar nicht so intelligent, wie man oft meint? 3. Ist es Ihnen gleich, wenn der Teufel Sie holt? 4. Wann (when) kommt der Teufel zu Kurzhals? 5. Wer riecht immer nach Schwefel? 6. Warum kommt der Teufel zu Kurzhals? (He wants to make a deal with him.) 7. Was will Kurzhals kaufen? 8. Wer gibt das Kapital, und wer tut die Arbeit? 9. Wer wirft elf? 10. Was pflanzt Kurzhals? 11. Wann (when) kommt der Teufel wieder? 12. Wann pflanzt Kurzhals Erbsen? 13. Wann kommt der Teufel wieder? 14. Mit wem (whom) will der Teufel nichts mehr zu tun haben? 15. Was hat Kurzhals immer noch?

II

Translate into German: 1. We do not want to give them any money (not . . . any = kein). 2. He sees me. 3. What are they doing with the pencil? 4. Do you want to go with her? 5. I can give you * nothing today. 6. Karl, (I) thank you. 7. Mrs. Schmidt, we thank you. 8. It is all right with me. 9. The wall is thin; we can hear you (*pl. familiar*). Can you hear us? 10. He is just coming out of the class. 11. The devil comes again after the harvest (die Ernte). 12. He is bringing us the paper. 13. You may give him the money. 14. They need him. 15. Who gets the prize? You get it.

III

Translate:

weiß	jung	schon	die Zeitung	alt
fast	die Jugend	schön	gebrauchen	immer
leise	laufen	viel	der Bleistift	zwar

IV

Translate:

to come	to show	the hair	to win	to breathe
always	the wall	more	to ask	but
no	to sit	jealous	to stay	to be sure

V

Learn the prepositions which take the dative; learn also the table of personal pronouns.

---

* Compare § 149, *c*. In general the dative object precedes the accusative object unless the latter is a pronoun.

VI

Contract the following:

zu dem	von dem	an das
zu der	an dem	in das
in dem	bei dem	auf das

VII

Conjugate in the present tense:

beißen pflanzen erzählen nehmen geben verlieren wachsen

VIII

Underscore in your text the inflected verbs in Text B and analyze the position of each.

LESSON V

TEXT A

Unsere Zeitung liegt vor dem Hause. — Das Buch ist für meinen Mann, und die Zeitung ist für mich. — Ich lege das Buch in die Ecke. — Wo ist dein Pferd? — Ein solches Pferd bekomme ich so leicht nicht wieder. — Er beißt in seinen Apfel. — Er wirft den Apfel auf das Feld. — Sie spielt oft auf unserem Felde. — Kartoffeln wachsen in der Erde, Erbsen wachsen über der Erde. — Kurz vor dem Krieg kommt der Teufel zu Kurzhals. — Hans läuft in den Wald. — Ohne ihn können wir nicht gehen. — Um die Ecke kommt mein Freund. — Euer Haus ist schön. — Er sitzt neben ihr. — In jenem Haus wohnt mein Freund.

VOCABULARY

arm poor
daß *that* (*conj.*)
dauern to last
denn for (*conj.*) (*cf.* § 22)
dieser *this*
doch yet, however, but (*cf.* § 22)
die Ecke the corner
eng narrow
essen (i) to *eat*
etwas something; somewhat
der Freund the *friend*
gefallen (ä) to please (*w. dat.*)
der Gefallen the favor
gehören (*w. dat.*) to belong to
genug *enough*
das Gesicht the face
glücklich happy
halten (ä) (du hältst, er hält) to *hold*
das Haus the *house*
der Held the hero
hinter *behind*
hungrig *hungry*
in *in*; into
ja yes
das Jahr the *year*
jeder each, every
jener that
kaum scarcely
kennen to know (by acquaintance)
lassen (ä) to *let*
leicht easy; *light*
lernen to *learn*
lieben to *love*
liegen to *lie*, be situated
mancher *many* a
der Mann the *man*; husband
nah close, near by
das Pferd the horse
solcher *such*
spielen to play
der Strumpf the stocking
der Student the *student*
studieren to *study*
verschwinden to disappear

vielleicht perhaps
der Wald the forest
wann *when*
der Weg the *way*, road, path
weinen to weep, cry
welcher *which*, what
wo where
wohin whither, to what place
die Zeit the time

IDIOMS

es geht mir gut I am well
es geht ihm gut he is well
nach Hause gehen, kommen to go home, come home
um zu in order to

TEXT B

Der Student aus dem Paradies[1]

Es ist gar nicht so einfach, eine Geschichte für unser Buch zu schreiben, wie Sie vielleicht glauben. Wenn die Geschichte zu schwer ist, dann wirft der Student das Buch in die Ecke und sagt: „Ich hoffe, Herr Donnerwetter fragt nichts über den Dativ. Die Geschichte in der Dativ-Lektion[2] ist so schwer, man kann sie einfach nicht verstehen, auch wenn man eine ganze Woche über seinem Buch sitzt." Wenn die Geschichte aber zu leicht ist, dann denkt er: „Hm, das kann ich schon!" und geht einfach ins Bett. Und im Bett lernt er den Dativ natürlich auch[3] nicht.

Und dann: Der Held, den[4] man für jede Geschichte braucht, muß jemand sein, an den man glauben oder den man lieben kann. Aber nicht jeder Held gefällt jedem Leser,[5] und es ist schwer, es jedem recht zu machen.

Der Teufel gefällt mir gar nicht mehr. Den Teufel, das sehe ich nun, kann ich nicht mehr gebrauchen. Denn jemand, der[4] immer nach Schwefel[6] riecht, ist sozusagen kein Held. Ich hoffe also, Sie verstehen mich, wenn ich nichts mehr mit ihm zu tun haben will und den Leser gleich mit mir ins Paradies nehme.

Zwar ist Joseph, der Held dieser Geschichte, noch nicht im Paradies. Aber er studiert in Paris Theologie und man kann also sagen, daß er dem Paradies schon nahe ist. Aber, aber! Der Weg zum Paradies ist eng und gerade; und ob das Haus, in dem[7] Joseph gerade verschwindet, noch auf diesem Weg liegt, das weiß ich nicht.

„Grüß Gott!"[8] sagt unser Held, und sieht gleich, daß die Frau allein ist und ihr Mann auf dem Felde sein muß. „Ich komme aus Paris und habe eine lange Reise hinter mir. Haben Sie vielleicht etwas zu essen für mich, gute Frau? Ich bin ein armer Student." Die Frau hört schwer. „Was," meint sie, „Sie kommen aus dem Paradies? Da bin ich aber glücklich. Da kennen Sie vielleicht auch Hans, meinen ersten[9] Mann. Er ist schon drei Jahre tot,[10] aber ich kann ihn noch nicht vergessen. Er war[11] so gut und noch so jung!" — „Meinen Sie vielleicht den Hans Meyer?" fragt unser Student. „Das ist mein bester Freund im Paradies!" — „Ja, ja," weint die Frau, „das ist er! Ich hoffe, es geht ihm gut, meinem Mann." — „Leider nicht, gute Frau. Hans bekommt nicht genug zu essen, und oft ist er so hungrig, daß er kaum seine Harfe[12] spielen kann. Kaufen kann er auch nichts, denn er hat kein Geld." — „Guter Freund," meint da die Frau und weint noch mehr, „in meinem Bett habe ich einen Strumpf mit hundert (100) Mark. Vielleicht tun Sie mir den Gefallen und bringen das Geld meinem Mann." — „Aber ja!" sagt Joseph, „ich habe zwar nicht gern so viel Geld bei mir. Aber was tut man nicht für seinen Freund?" Er nimmt Strumpf und Geld und verschwindet.

Es dauert nicht lang, da kommt der Mann nach Hause. Die Frau erzählt ihm alles. Es gefällt ihm gar nicht, daß der Strumpf mit dem Geld auf dem Wege zum Paradies ist. Er sagt nichts, holt sein Pferd, und nach kurzer Zeit sieht er einen Mann am Wege sitzen. Es ist Joseph, unser Freund, der mit dem Strumpf ins Paradies will. Aber der Mann sieht nicht den Strumpf mit dem Geld, er sieht nur ein ehrliches Gesicht und fragt: „Haben Sie vielleicht einen Mann mit einem Strumpf gesehen?"[13] — „Ja, natürlich!" antwortet Joseph. „Er ist da im Walde!" — „Hier, halten Sie mein Pferd!" sagt der Mann und läuft in den Wald. Und Joseph, sein ehrliches Gesicht, der Strumpf und das Geld verschwinden mit dem Pferde.

Nach kurzer Zeit kommt der Mann zurück, ohne den Strumpf und ohne das Pferd. „Anna," sagt er, „du kannst den Mann doch nicht zu Fuß[14] ins Paradies gehen lassen! Ich habe ihm mein Pferd gegeben."[15]

NOTES. 1. Paradies paradise. 2. Lektion lesson. 3. auch either. 4. der, den who, whom. 5. Leser reader. 6. Schwefel sulphur. 7. dem which. 8. South German greeting. 9. ersten first. 10. Er . . . tot He has been dead for three years. 11. war was. 12. Harfe harp. 13. Haben . . . gesehen have you seen a man with a stocking? 14. zu Fuß on foot. 15. Ich . . . gegeben I gave him my horse.

GRAMMAR

28. Prepositions with Dative or Accusative. An, auf, hinter; in, neben, über; unter, vor, and zwischen govern the dative or accusative according to the following rule:

If the place expressed in the prepositional phrase is reached through the action of the verb, the preposition requires the accusative; conversely, if the entire action of the verb occurs at the place indicated by the preposition, the dative must be used.

DATIVE	ACCUSATIVE
Anna ist in dem Hause.	Anna geht in das Haus.
Das Buch liegt in der Ecke.	Er wirft das Buch in die Ecke.
Er schwimmt in dem Wasser.	Er springt in das Wasser.
(He swims in the water.)	(He jumps into the water.)

29. Prepositions with the Accusative. The following prepositions always govern the accusative: durch (*through*), für, gegen (*against*), ohne, and um. Also bis (*to, till, until*) and wider (*against*).

30. Possessive Adjectives: ein-Words. The German possessive adjectives and their English equivalents are:

mein	my	unser	our
dein	your	euer	your
sein	his	ihr	their
ihr	her		
sein	its (one's)	Ihr	your

These words and kein take the same endings as the indefinite article ein, eine, ein, and therefore are frequently called the ein-words. (Note that the er of unser and euer belongs to the stem and is not an ending.) Examples:

Ein (mein, dein, unser) Buch ist interessant.
Eine (meine, deine) Gans kostet in diesem Jahre viel.
Meine (deine, unsere) Zeitung ist interessant.
Ich sehe ein (mein, dein, unser) Buch.
Du hast einen (meinen, deinen, unseren) Bleistift.

31. Pronominal Adjectives. The pronominal adjectives dieser, jeder, jener, mancher, solcher, and welcher have endings very similar to those of the definite article and therefore are usually called the der-words.

	Masculine	Feminine	Neuter
NOM.	dieser	diese	dieses (dies)
	jener	jene	jenes
DAT.	diesem	dieser	diesem
	jenem	jener	jenem
ACC.	diesen	diese	dieses (dies)
	jenen	jene	jenes

32. Pronominal Adjectives as Pronouns. When used as pronouns dieser (diese, dieses) means *this one, the one*; jener (jene, jenes) means *that one, the other*; jeder (jede, jedes) means *each one, every one.*

Dieser also means *the latter*, and jener *the former*:

Hans liegt im Bett und Fritz studiert; dieser schreibt und jener schläft.

33. Predicate Adjectives. These never take an ending.

Sie ist alt. Der Weg ist eng.

34. Strong Adjective Endings. The endings of the pronominal adjectives (dieser, diese, dieses) are called strong endings. Attributive adjectives take strong endings:

a. When no der-word or ein-word precedes them.

Guter Freund! Liebes Kind!

b. When a preceding ein-word shows no ending.

Ich bin ein armer Student. Er hat ein ehrliches Gesicht.

EXERCISES

I

Answer in German: 1. Für welches Buch ist es nicht so einfach, eine Geschichte zu schreiben? 2. Wohin wirft der Student das Buch? 3. Wo liegt es nun? 4. Was sagt der Student, wenn die Geschichte zu leicht ist? 5. Wo lernt man den Dativ nicht? 6. Was muß in jeder Geschichte sein? 7. Wo studiert Joseph? 8. Wie ist der Weg zum Paradies? 9. Was sieht

Joseph gleich? 10. Was will Joseph von der Frau? (He wants something to eat.) 11. Wer kann Hans nicht vergessen? 12. Warum kann Hans nichts kaufen? 13. Wo hat die Frau den Strumpf mit ihrem Geld? 14. Wem (to whom) soll Joseph das Geld bringen? (He is to take it to his friend.) 15. Wer kommt nach kurzer Zeit nach Hause? 16. Was holt der Mann? 17. Wer sitzt am Wege? 18. Wann kommt der Mann zurück?

II

Translate into German: 1. I am a poor student. 2. Do you want to come into the house? 3. He knows (*use* kennen) every girl in this class. 4. Which book may I read? 5. Mr. Donnerwetter, may I throw my book into the corner? 6. This story is too hard for me. 7. Is he staying in (the) bed today? 8. The pencil is lying on your book. 9. I must go to bed. 10. He is already sitting on the horse. 11. The goose swims (schwimmt) in the water. 12. He comes home without his horse.

III

Translate into English:

also	gerade	aber	stehen
außerdem	erzählen	wachsen	alles
gleich	der Frühling	jemand	auswendig
weiß	ohne	kurz	rechnen

IV

Translate into German:

the evening	the war	to throw
honest	to take	thick
the business	to smell	almost
to buy	to lose	only

V

Conjugate:

essen	lassen	spielen
halten	lernen	können
kennen	lieben	müssen

VI

Supply the definite article in the following sentences:

1. Er kann _____ Geld nicht finden.
2. Er will _____ Frau nichts geben.
3. Sie wirft _____ Apfel in _____ Ecke.
4. Nach _____ Arbeit muß ich immer schlafen.
5. Es liegt auf _____ Buch.
6. Gehen Sie in _____ Haus?
7. Der Held in _____ Geschichte ist glücklich.
8. Die Gans spielt mit _____ Kartoffel.

VII

Supply the indefinite article in sentences 3, 5, 6, and 8 of Exercise VI.

VIII

Explain the difference between

Er läuft auf das Feld.	Er läuft auf dem Feld.
Er fällt auf den Weg.	Er fällt auf dem Wege.

IX

Learn the prepositions which govern the dative or accusative; learn those that take only the accusative. Learn the possessive adjectives.

LESSON VI

TEXT A

Ich höre, daß Frau Meyer einen Hut kaufen will. Sie hat ihn schon. Das ist nicht möglich! Die Farbe ihres Hutes gefällt mir nicht. Ihr alter Hut ist grün, aber ihr neuer Hut ist nicht grün, sondern blau. Der Hut, den Herr Meyer trägt, ist nicht blau und auch nicht grün, er hat sozusagen keine Farbe mehr.

Joseph ist ein Held, den jeder lieben muß. Das Haus, in dem Joseph gerade verschwindet, liegt nicht auf dem Weg ins Paradies. Siehst du die Frau, die da vor dem Hause steht? Es ist keine Frau, es ist Joseph, der mit dem Strumpf ins Paradies will.

Ich weiß nicht, ob ich Zeit habe. — Obgleich sie fast kein Geld hat, hat sie immer genug zu essen. — Während ich schlafe, darfst du nur ganz leise reden. — Weil die Erbsen schon etwas alt sind, will er sie (them) nicht essen. — Eine Geschichte, in der der Held das Mädchen bekommt, gefällt ihm. — Wer viel wissen will, muß auch viel studieren. — Ich weiß nicht, was er nun will. — Wer nichts verdient, kann auch nichts kaufen. — Wer nicht für mich ist, ist gegen (against) mich.

VOCABULARY

als than; when; as
die Art the manner; sort
außer outside (of)
behaupten to affirm, assert
bezahlen to pay for
blau *blue*
daher therefore
der Erfolg the success
erwarten to await; expect
das Fach the subject; drawer
der Fall the case
die Farbe the color
der Feind the enemy
die Gefahr the danger
grün *green*
heilig *holy*
helfen (i) (*w. dat.*) to *help*
der Hut the *hat*
je . . . desto the . . . the
das Kind the child
los loose
-los -less
  schlaflos sleepless
die Lösung the solution
der Markt the *market*
der Mensch the human being, person
möglich possible

die Mutter the *mother*
nämlich *namely*, you see
neu *new*
die Not the *need*; distress
obgleich although
scheinen to *shine*; seem
die Schuld the guilt, blame
schuld(ig) guilty (to blame)
sondern but
sonst otherwise
sprechen (i) to speak
die Straße the *street*
suchen to *seek*
der Tag the *day*
tragen (ä) to bear, carry; wear
treffen (i) to hit; meet
trotz in spite of
der Trotz the spite; haughtiness; obstinacy
verdienen to earn
verkaufen to sell
während while; during
wechseln to change
weil because, since
die Weise the manner, way
das Wort the *word*
das Wörterbuch the dictionary
die Zukunft the future

IDIOMS

es gibt there is, there are
immer wieder again and again
ohne zu arbeiten without working
ohne zu sagen without saying
mit gutem Recht rightly

TEXT B

Vielleicht studieren Sie Deutsch, um später Goethe und Schiller in ihrer Muttersprache zu lesen. Vielleicht wollen Sie eine Reise nach Europa machen und lernen Deutsch, um in Deutschland nicht verhungern zu müssen. Vielleicht wollen Sie Biologie oder Soziologie studieren und brauchen daher die Kenntnis der Sprache, um ein wissenschaftliches[1] Buch lesen zu können. In diesem Fall dürfen Sie natürlich nicht erwarten, in unserem Buch Information über Ihr Fach zu finden, denn wir müssen zufrieden sein, wenn Sie mit Hilfe eines Wörterbuches nach einem Jahre ein Buch über Soziologie oder Biologie allein lesen können.

Wir geben Ihnen daher heute einen Text, der Ihnen zeigt, was Sie in einem Buch dieser Art erwarten können.

Arbeitslosigkeit und Maschine

Die Arbeitslosigkeit als soziales Problem ist ein Kind unserer Zeit. Man darf mit gutem Recht behaupten, daß die Zukunft unserer Zivilisation von der Frage abhängt[2], ob wir für dieses Problem eine Lösung finden oder nicht.

All unsere Not, so hört man immer wieder, kommt von der Maschine. Sie allein soll schuld sein, wenn heute so mancher Arbeiter Arbeit sucht und keine Arbeit findet; wenn jemand, der arbeiten will und auch arbeiten kann, nicht arbeiten darf. Die Maschine, so scheint es, ist eine Gefahr für unsere Zivilisation. Denn sie nimmt uns ein heiliges Recht, das Recht auf Arbeit.

Aber die Maschine ist nicht nur ein Feind des Arbeitnehmers, den sie auf die Straße wirft und arbeitslos macht, sie ist auch ein Feind des Arbeitgebers.

Obgleich mancher Arbeitgeber seinem Arbeiter nicht mehr bezahlen will, als er muß, weiß doch jeder: je mehr der Arbeiter verdient, desto mehr kann er auch kaufen. Und jemand, der gar nichts verdient, kann auch nichts kaufen. Ein Arbeiter ohne Arbeit ist sozusagen ein Käufer ohne Geld.

Und was hilft dem Arbeitgeber ein Mann, der ein neues Auto braucht, wenn dieser Mann das Auto nicht kaufen kann? Was hilft ihm eine Frau, die ein neues Kleid braucht, wenn sie das Kleid nicht bezahlen kann? Das Unglück dieser Frau ist auch das Unglück des Arbeitgebers. Der Arbeitgeber muß verkaufen, wenn er verdienen will. Und daher ist die Maschine auch für ihn eine Gefahr. Eine Maschine leistet[3] nämlich an einem Tage oder in einer Woche mehr Arbeit als ein Arbeiter in einem Jahr. Aber! Während der Arbeiter ein ganzes Jahr arbeiten kann, ohne den Markt zu erschöpfen,[4] erschöpft[4] die Maschine den Markt vielleicht in einer Woche. Kein Arbeitgeber aber kann eine Maschine gebrauchen, die in jedem Jahre nur eine Woche läuft und den Rest des Jahres stillsteht. Eine Maschine kostet Geld, kostet Geld auch wenn sie nicht läuft.

Die Erschöpfung[4] des Marktes also trifft Arbeitnehmer und Arbeitgeber gleich schwer, und die Verhinderung[5] dieser Erschöpfung ist das Problem unserer Zeit.

Natürlich gibt es mehr als einen (1) Weg zur Lösung dieses Problems. Wenn Herr Meyer kein Auto kaufen kann, das zehntausend (10,000) Mark kostet, dann kann er vielleicht ein Auto kaufen, das dreitausend (3000) Mark kostet. Mit der Senkung[6] des Preises für ein bestimmtes Produkt wächst natürlich die Fähigkeit[7] des Marktes, dieses Produkt aufzunehmen. Die Senkung des Preises ist also ein Weg zur Lösung des Problems.

Aber auch Frau Meyer wollen wir nicht vergessen. Ihr alter Hut ist noch ganz gut. Außer ihrer Freundin sieht kein Mensch, daß er schon ein Jahr alt ist. Aber Frau Meyers Hut ist grün, und der Hut ihrer Freundin ist blau, und blau ist die Farbe des Jahres. Und Frau Meyer muß daher auch einen Hut haben, der blau ist. Ohne es zu wissen tut sie gerade das, was der Hutfabrikant[8] will. Der Hutfabrikant nämlich muß verkaufen, und weil er jeder Frau jedes Jahr „den Hut des Jahres" verkaufen will, wechselt er jedes Jahr die Farbe, denn sonst steht seine Maschine still.

Aber trotz allem, was wir versuchen, scheinen wir die Erschöpfung des Marktes nicht ganz verhindern[5] zu können.

Trägt die Maschine also doch die Schuld an unserer Not? Nein! Nicht die Maschine, sondern nur die Art und Weise, in der wir von der Maschine Gebrauch machen. Wir werfen noch immer ein Produkt auf den Markt, ohne zu wissen, ob der Markt dies Produkt aufnehmen kann. Es ist daher ganz natürlich, daß jeder Versuch, die Arbeitslosigkeit zu bekämpfen,[9] erfolglos bleibt. Wenn jeder Arbeiter Arbeit haben soll, wenn wir Arbeitslosigkeit in Zukunft unmöglich machen wollen, müssen wir lernen, die Produktion vom Bedarf[10] abhängig[2] zu machen und dann die Arbeit gut zu verteilen. Ein anderer Weg, die Arbeitslosigkeit mit Erfolg zu bekämpfen, existiert[11] nicht; es ist d e r Weg zur Lösung unseres Problems.

NOTES. 1. wissenschaftliches scientific. 2. abhängt, abhängig (is) dependent on. 3. leistet does, accomplishes. 4. erschöpfen, erschöpft, Erschöpfung to exhaust, exhausts, the exhaustion (to saturate, saturates, the saturation). 5. Verhinderung, verhindern the prevention, to prevent. 6. Senkung lowering. 7. Fähigkeit ability. 8. Hutfabrikant hat-manufacturer. 9. bekämpfen to combat. 10. Bedarf demand. 11. existiert exists.

BUILDING A PASSIVE VOCABULARY

An English-speaking student who knows the meaning of *to excite* is also expected to know the derivatives *excitable*, *excitability*, *excitement*, *excited*, *exciting*, *excitedly*, and so on. He is also expected to recognize compounds like *loveproof*, *love-worthy*, and *love story*, no matter whether they are spelled as one word, as two words, or with a hyphen. *Both in English and in German, derivatives and compounds constitute a large part of the vocabulary.* This is fortunate for the learner, since it is fairly easy to recognize words which are formed from familiar stems.

Derivative suffixes and prefixes will be introduced systematically later on. To assist the student to increase his vocabulary more rapidly, there will be from now on, following Text B, a section devoted to word families and new compounds used in the lesson, the more difficult of which will be translated. Note the alphabetical arrangement.

die Arbeit arbeiten to work, der Arbeiter the worker, arbeitslos unemployed, die Arbeitslosigkeit the unemployment, der Arbeitgeber the work-giver *or* employer, der Arbeitnehmer the work-taker *or* employee, die Arbeit the work

aufnehmen auf up, nehmen to take, aufnehmen to take up, absorb

Deutschland Deutsch German, Deutschland Germany

erfolglos der Erfolg the success, erfolglos unsuccessful

die Freundin der Freund the male friend, die Freundin the female friend

der Gebrauch gebrauchen to use, der Gebrauch the use

die Hilfe helfen to help, die Hilfe the help, aid

der Käufer kaufen to buy, der Käufer the buyer *or* purchaser

die Kenntnis kennen to know, die Kenntnis the knowledge

die Muttersprache die Mutter the mother, sprechen to speak, die Sprache the speech, language, die Muttersprache the mother tongue

das Recht recht right, das Recht the right

später spät late, später later

das Unglück glücklich happy, das Glück the luck, good fortune, **das Unglück** the misfortune

unmöglich möglich possible, unmöglich impossible

verhungern hungrig hungry, verhungern to starve to death

der Versuch versuchen to try, attempt, der Versuch the attempt

verteilen teilen to divide, share, verteilen to distribute

GRAMMAR

35. The Genitive Case. This case is generally used to denote possession. English uses either *the woman's hat* or *the hat of the woman*; in German this is der Hut der Frau. It might be said that the genitive article in German is equal to the apostrophe and *s* or the preposition *of* and the following article in English.

The endings of the ein=words and der=words in the genitive are:

Masculine	Feminine	Neuter
des, dieses	der, dieser	des, dieses
eines, meines	einer, meiner	eines, meines

Masculine and neuter nouns of one syllable add =es in the genitive: des Buches, des Hutes; masculine and neuter nouns of two or more syllables add =s in the genitive: des Apfels, des Papiers.

Feminine nouns remain unchanged throughout the singular.

Usually the genitive follows its governing noun:

Der Hut des Jahres ist grün. Die Farbe des Hutes ist grün.

However, if a genitive precedes its governing noun, the latter drops its definite article; the normal order is therefore der Herr des Hauses, but the order can also be des Hauses Herr. (Both mean *the master of the house.*)

Complete Table of der-Words in the Singular

	Masculine		Feminine		Neuter	
NOM.	der	dieser	die	diese	das	dieses (dies)
GEN.	des	dieses	der	dieser	des	dieses
DAT.	dem	diesem	der	dieser	dem	diesem
ACC.	den	diesen	die	diese	das	dieses (dies)

Complete Table of ein-Words in the Singular

	Masculine		Feminine		Neuter	
NOM.	ein	mein	eine	meine	ein	mein
GEN.	eines	meines	einer	meiner	eines	meines
DAT.	einem	meinem	einer	meiner	einem	meinem
ACC.	einen	meinen	eine	meine	ein	mein

36. Relative Pronouns. There are two relative pronouns in German: der, die, das and welcher, welche, welches. The first one has a complete declension and is, with the exception of the genitive, identical with the definite article. The second has no genitive.

	Masculine		Feminine		Neuter	
NOM.	der	welcher	die	welche	das	welches
GEN.	dessen	—	deren	—	dessen	—
DAT.	dem	welchem	der	welcher	dem	welchem
ACC.	den	welchen	die	welche	das	welches

A relative pronoun agrees in gender and number with its antecedent; its case depends upon its use in its own clause:

Siehst du den Mann, der da vor dem Hause steht?
Joseph ist ein Held, den jeder lieben muß.

Each form of welcher, welche, welches may be used interchangeably with the corresponding form of der, die, das, but the latter is used much more frequently:

Ein Arbeiter, welcher nichts verdient, kann nichts kaufen.

The relative pronoun is never omitted in German:

Der Hut, den ich kaufe, muß grün sein. The hat I buy must be green.

Clauses introduced by relative pronouns are set off by commas and require verb-last position. (See examples above and compare § 27.)

37. Wer and was. Wer and was when not used as interrogative pronouns are used as indefinite relative pronouns.

Wer when so used means *he who* or *whoever.* It is thus both antecedent and relative pronoun. Thus:

Wer kein Geld hat, kann nichts kaufen. He who has no money can buy nothing.

Was (*whatever*) may also combine within itself both antecedent and relative pronoun:

Was er kauft, ist schön. Whatever he buys is beautiful.

But frequently was (*that, what*) has as its antecedent a neuter pronoun (alles, nichts) or an adjective used as a noun (to be explained later):

Er zeigt mir alles, was er kauft. He shows me everything (that) he buys.

38. Conjunctions. There are two types of conjunctions, coordinating and subordinating conjunctions.

a. Co-ordinating conjunctions connect independent clauses, phrases, or single words. In this group are aber, denn, oder, und, and sondern. Sondern is used instead of aber in antitheses of the type *It is not A but B.*

Es ist nicht blau sondern grün. It is not blue but green.*

Verb-second position is used after co-ordinating conjunctions. (Cf. §§ 6 and 7.)

b. Subordinating conjunctions introduce dependent clauses. Those which have occurred so far are als, daß, ob, obgleich, während, weil, and wenn. (Five others will be introduced later.)

Verb-last position must be used in clauses introduced by subordinating conjunctions:

Ich höre, daß Frau Meyer einen Hut kaufen will.

39. The Infinitive. The infinitive is preceded by its objects and other modifiers and thus usually stands at or near the end of a clause:

Ich will Goethe in seiner Muttersprache lesen. I want to read Goethe in his mother tongue.

Ich hoffe, dich heute abend zu sehen. I hope to see you this evening.

EXERCISES

I

Answer in German: 1. Kann man Goethe in seiner Muttersprache lesen, wenn man kein Deutsch kann? 2. Wollen Sie eine Reise nach Europa machen? 3. Welches Problem ist ein Kind unserer Zeit? 4. Was ist die Maschine für unsere Zivilisation? 5. Welches Recht nimmt uns die Maschine? 6. Wer ist der Feind des Arbeitnehmers? 7. Wohin wirft die Maschine den Arbeiter? 8. Wen (whom) macht die Maschine arbeitslos? 9. Wer kann nichts kaufen? 10. Was muß der Arbeitgeber tun, wenn er verdienen will? 11. Für wen (whom) ist die Maschine eine Gefahr? 12. Wie lange kann ein Arbeiter arbeiten, ohne den Markt zu erschöpfen? 13. Wen trifft die Erschöpfung des Marktes gleich schwer? 14. Wer kann kein Auto kaufen, das zehntausend (10,000) Mark kostet? 15. Wann kann

* The statement *not A* excludes or contradicts a contrary assertion or assumption *A*, whereas the correction *but B* states the real situation. Sondern, therefore, is used only after a negation.

Meyer ein Auto kaufen? 16. Wen wollen wir nicht vergessen? 17. Wer weiß, daß Frau Meyers Hut schon ein Jahr alt ist? 18. Was ist die Farbe des Jahres? 19. Warum wechselt der Hutfabrikant jedes Jahr die Hutfarbe?

II

Translate into German: 1. I have a hat that is green. 2. He is not going because he has no time. 3. The house in which we are living is good enough for me. 4. I do not believe that he can come. 5. Although you laugh when I play, I like to play. 6. Is that * the gentleman whom you want to see? 7. What is the color of her hat? 8. Is that * the house you want to buy? 9. He who wants to eat may eat. 10. Your mother's dress is beautiful. 11. He is writing a history of the war. 12. The book of my mother is interesting. 13. The hero of this story pleases me.

III

Translate into English:

der Abend	die Art	lassen	die Zeitung
allein	obgleich	die Geschichte	der Held
atmen	pflanzen	gebrauchen	zufrieden

IV

Translate into German:

to give	enough	white
the war	to pay	blue
to hope	to prove	the child
to fetch	to sit	beautiful

V

Decline:

dieser Abend   mein Hut   eine Klasse   ein Buch

---

* The neuter forms das, dies, and es are often used to introduce a sentence regardless of the gender or number of the predicate noun:

Das ist meine Mutter. That is my mother.
Dies ist eine schöne Farbe. This is a beautiful color.

VI

Change all nouns in the following sentences to the corresponding pronouns, thus: Die Frau hilft dem Mann. Sie hilft ihm. (Cf. § 26.) 1. Frank hat das Papier. 2. Frank sitzt neben Anna. 3. Hans beobachtet Marie. 4. Meyer liest die Zeitung. 5. Die Wand ist dünn. 6. Die Gans ist immer neidisch. 7. Sie glauben nicht an den Teufel. 8. Wenn ich die Geschichte erzählen kann. 9. Er wirft den Apfel. 10. Man kann die Geschichte einfach nicht verstehen. 11. Frau Meyer will den Hut kaufen.

VII

Supply the proper relative pronouns: 1. Das ist eine Farbe, ----- mir gefällt. 2. Er ist der Mann, ----- wir seit einer Woche suchen. 3. Ist das die Straße, in ----- Sie wohnen? 4. Heute ist der Tag, an ----- er kommt. 5. Ich liebe die Art nicht, in ----- er mit ihr spricht. 6. Hier ist das Kind, ----- Mutter leider kein Geld mehr hat. 7. Die Geschichte, ----- ich Ihnen erzählen will, gefällt Karl und Otto. 8. Der Bleistift, mit ----- ich schreibe, ist grün. 9. Das Bett, in ----- er schläft, ist viel zu kurz. 10. Glücklich (ist) der Mann, ----- Frau nicht zuviel redet. 11. Glücklich (ist) die Frau, ----- Mann nicht zuviel redet. 12. Ist das die Gans, ----- Sie uns verkaufen wollen? 13. Hier ist das Buch, ----- ich gerade lese.

VIII

Find the inflected verb in each clause **in Text B** and explain its position.

IX

List the verbs that govern the **dative.**

LESSON VII

TEXT A

Ich weiß nicht, was ich unserer guten Mutter schenken soll. Sie hat alles, was sie braucht. — Im Frühling muß ich ihr einen Hut kaufen. — Außer ihrer Freundin sieht kein Mensch, daß Frau Meyer einen alten Hut trägt. — Ich suche schon den ganzen Tag, aber ich kann den grünen Rock nicht finden. — Ich kann nicht mehr warten. Es dauert mir zu lang. — Das Gesicht ihrer alten Mutter kann man einfach nicht vergessen.

Frank trifft Anna jeden Tag in der Klasse. Sie wirft ihm einen Blick zu, der alles sagt. — Er kann es kaum glauben. — Magst du sie nicht mehr? — Kennst du mich nicht mehr? — Hast du einen roten oder einen grünen Bleistift für mich? Nein? Dann muß ich mir einen kaufen. — Siehst du den weißen Schnee vor unserem Haus? Ich spiele gern in frischem Schnee.

Der gute, alte Mann verdient nichts mehr. — Kurzhals hat nun einen kleinen Hof. — Seit wann hast du das schöne Pferd? — Kurzhals hat ein schönes Pferd. — Der Held dieser langen Geschichte gefällt mir nicht. — Obgleich die Wand dünn ist, kann ich nicht verstehen, was sie sagen. Sie sprechen viel zu leise. — Ich hoffe, deine Uhr geht richtig.

Wollen Sie nicht Platz nehmen? — Siehst du das kleine Schiffchen, das gerade abstoßen will? — Wann stoßen wir ab? — Ich darf noch nicht einsteigen.

„Ich steige in das kleine Schiffchen ein, nehme Platz, und wer sitzt da vor mir?" — „Wie soll ich das wissen, ein schönes Mädchen?" — „Nein, meine Mutter!"

VOCABULARY

ab *off*; down
ander *other*, different
  anders different
der Augenblick the moment
die Bank the *bench*
begegnen (*w. dat.*) to meet, encounter
besser *better*
bis to, up to; until
blicken to look, glance
damit so that
das Dorf the town, village
ehe before
der Enkel the grandson
der Fisch the *fish*
fortsetzen to continue

früh early
führen to lead, guide
die Gegenwart the presence; present time
grüßen to *greet*
der Hafen the harbor, port
hell bright, light
her (*cf.* § 40)
hin (*cf.* § 40)
hindern to *hinder*, prevent
jetzt now
klein small, little
das Land the *land*; country
das Meer the ocean, sea
morgen *tomorrow*
  der Morgen the *morning*
der Name the *name*
nennen to *name*, call
der Platz the *place* (*cf.* Idioms)
plötzlich suddenly
reizen to irritate; charm
richtig correct, accurate
der Rock the coat; skirt
schenken to make a present of
schieben to *shove*, push
das Schiff the *ship*
schlank slender
schnell fast, quick(ly)
schwarz black
die Seite the *side*; page
die Sonne the *sun*
springen to *spring*, jump
steigen to climb
stoßen (ö) to push, thrust
treten (trittst, tritt) to step, walk
weder . . . noch neither . . . nor
weit far, distant
der Wind the *wind*, breeze

IDIOMS

auf Wiedersehen good-by
noch einmal again
Platz nehmen (Platz *is like a separable prefix*) to sit down
stehenbleiben (stehen *is a separable prefix*) to stop
warten auf to wait for

TEXT B

„L'Arrabbiata"[1] — Eine Liebesgeschichte

„Heilige Maria, unser Padre[2] ist aber heute früh auf!" sagt eine alte Frau zu ihrer kleinen Enkelin, als der Pfarrer[2] eines italienischen[3] Fischerdorfes schon vor Sonnenaufgang zum Hafen herunterkommt und in ein kleines Boot[4] steigt, das auf ihn wartet. Dann grüßt sie zum Schiffchen hinüber, das gerade abstoßen will. Antonio aber, der Fischer, springt noch einmal ans Land zurück und hilft einem schlanken, jungen Mädchen mit schwarzem Haar und lieblichem, frischem Gesicht ins Boot.

„Guten Tag, Laurella," grüßt sie der Pfarrer, „willst du mit nach Capri?" — „Wenn ich darf, Padre." — „Da mußt du den Antonio fragen," meint der Pfarrer, „ihm gehört das Boot." — „Hier ist ein halber Carlin",[5] sagt Laurella, ohne den jungen Schiffer anzusehen. „Nimmst du mich mit für einen halben Carlin?" — „Du kannst das Geld besser brauchen als ich", antwortet der junge Fischer und legt seinen Rock auf die Bank, damit das Mädchen besser sitzen kann. Aber Laurella schiebt den Rock wortlos auf die Seite und nimmt, ohne dem Schiffer noch einen Blick zuzuwerfen, neben dem Pfarrer Platz.

Die trotzige Art des Mädchens reizt den Fischer. „'L'Arrabbiata', wie sie im Dorf jeder nennt, ist der richtige Name für sie", denkt er und sieht nicht gerade freundlich auf den Pfarrer, dem Laurella jetzt ihre ganze Aufmerksamkeit[6] schenkt. Immer wieder versucht er, an etwas anderes zu denken. Aber weder das stille Blau des Wassers, mit dem der leichte Morgenwind leise spielt, noch die unbeschreibliche Schönheit der Silhouette des Vesuvs[7] läßt ihn die Gegenwart des schönen Mädchens vergessen, dem seine ganze Liebe gehört.

Im Hafen von Capri trägt Antonio den Pfarrer ans Land, Laurella aber watet[8] schnell hinüber, ehe Antonio sie holen kann. Der Padre dankt dem jungen Fischer mit freundlichem Gruß, und auch Laurella sagt „Auf Wiedersehen!" „Du weißt, daß ich heute zurückfahre", meint Antonio, ohne Laurella anzusehen. „Ich warte auf dich bis zum Ave Maria.[9] Wenn du dann nicht kommst, ist es mir gleich." Laurella geht und steigt die enge Straße nach Anacapri hinauf. Nach kurzer Zeit bleibt sie stehen, wie[10] um Atem zu holen, und sieht zurück. Ihr Blick begegnet dem Antonios, aber nur für einen Augenblick. Dann setzt sie ihren Weg fort.

Schon lange vor dem Ave Maria sitzt Antonio vor der Fischerschenke,[11] nicht weit von seinem Boot. Alle fünf Minuten[12] springt er auf, tritt in die helle Sonne hinaus und blickt über den Weg, der von Anacapri zum Hafen herunterführt. Er sucht lange ohne Erfolg. Kurz nach dem Ave Maria aber, als Antonio, unglücklich über den Trotz des Mädchens, das Warten aufgeben will, steht Laurella plötzlich vor ihm. Und ehe sie es hindern kann, trägt Antonio sie wie ein Kind ins Boot. Einen Augenblick später gleitet[13] das kleine Schiff aufs stille Meer hinaus.

[Fortsetzung folgt. To be continued.]

NOTES. 1. [Paul Heyse (1830–1914), winner of the Nobel Prize in literature in 1910, is the author of this charming story, which we have attempted to retell, in spite of obvious difficulties, in the hope that you will want to read the story later in the author's words. *L'Arrabbiata* is Italian; it means "Fury" or "Spitfire."]

2. *Padre* (Italian) and Pfarrer (German), titles for clergymen. 3. italienischen Italian. 4. Boot boat. 5. Carlin Italian coin. 6. Aufmerksamkeit attention. 7. Vesuv Vesuvius. 8. watet wades. 9. Ave Maria a prayer which is offered shortly after sunset. 10. wie as if. 11. Fischerschenke fishermen's tavern. 12. Alle fünf Minuten every five minutes. 13. gleitet glides.

BUILDING THE PASSIVE VOCABULARY

abstoßen ab off, stoßen to push, shove, abstoßen to shove off
der Atem atmen to breathe, der Atem the breath
der Blick blicken to look, glance, der Blick the look, glance
die Enkelin der Enkel the grandson, grandchild, die Enkelin the granddaughter
der Fischer der Fisch the fish, der Fischer the fisherman, das Dorf the village, das Fischerdorf the fishing village
freundlich der Freund the friend, freundlich friendly, kind, pleasant(ly)
der Gruß grüßen to greet, der Gruß the greeting
lieblich lieben to love, lieblich lovely
das Schiffchen das Schiff the ship, boat, das Schiffchen the little ship, boat
die Schönheit schön beautiful, die Schönheit the beauty
der Sonnenaufgang die Sonne the sun, auf up, -gang *from* gehen to go, der Sonnenaufgang sunrise
später spät late, später later
unbeschreiblich schreiben to write, beschreiben to describe, unbeschreiblich indescribable
wortlos das Wort the word, -los -less, without, wortlos silently, without saying a word

GRAMMAR

40. Hin and her. These two prefixes are used a great deal. They may at first seem superfluous to an American; but they have very definite meanings. Hin means away from the speaker or scene of action; her means toward the speaker or scene of action. They are frequently compounded with adverbs and prepositions. Thus, if the speaker says, Willst du herauffahren? the listener can know immediately that the speaker is located above him; the her tells him so.

41. Separable Compounds. Many adverbs and prepositions can be joined as prefixes to almost every German verb to form compounds. In most of these compounds (in all that will be used for some time) the prefix is stressed or emphasized; the verb is not stressed: **abspringen, aufspringen, herabspringen, hinabspringen, heraufspringen, hinaufspringen**, and so on. In, when prefixed to a verb, takes the form ein (einsteigen); auf, when prefixed to a verb, assumes the meaning *up* (aufstehen *to stand up*); unter when so compounded means *down* (herunterkommen *to come down*).

All compounds whose prefixes are stressed are called separable compounds for the following reason: when such a compound is inflected in the present tense, and also, as we shall see later, in the imperative and in the simple past tense, the prefix is separated from its verb and stands at the end of its clause: Er fährt heute zurück. You cannot read a normal German text unless you remember this rule: you must learn to look at the end of a clause, recognize the separable prefix, and associate it with the verb.

In clauses with verb-last position the entire inflected compound stands at the end and is written as one word:

Du weißt, daß ich heute zurückfahre.

Infinitives and, as we shall see later, participles of separable compounds are written as one word:

Ich will zurückfahren.
Ich weiß, daß du zurückfahren mußt.

The sign zu of the infinitive is placed between the prefix and the verb:

Ich hoffe, heute hinauf**zu**fahren.

42. Weak Endings. An adjective or adjectives preceded by a der-word (cf. § 31) or a declined form of an ein-word (cf. § 30) takes a so-called "weak" ending. The weak endings are:

	Masculine	Feminine	Neuter
Nom.	e	e	e
Gen.	en	en	en
Dat.	en	en	en
Acc.	en	e	e

Examples:

der alte Mann	die gute Frau	das schöne Kind
des guten Mannes	der guten Frau	des schönen Kindes
dem guten, alten Manne	der schönen, jungen Frau	dem guten Kinde
den guten, alten Mann	die schöne Frau	das kleine Kind

43. The Interrogative Pronoun wer. This is declined as follows:

NOM.	wer	who
GEN.	wessen	whose (of whom)
DAT.	wem	whom (to whom)
ACC.	wen	whom

Examples:

Wer springt noch einmal ans Land zurück?
Wessen Gegenwart kann Antonio nicht vergessen?
Wem gehört seine ganze Liebe?
Wen trägt Antonio ans Land?

EXERCISES

I

Answer in German: 1. Wer ist heute früh auf? 2. Mit wem spricht die alte Frau? 3. Wann kommt der Pfarrer zum Hafen herunter? 4. Was wartet auf ihn? 5. Wer springt noch einmal ans Land zurück? 6. Wie ist das Gesicht des jungen Mädchens? 7. Wer grüßt sie? 8. Wohin fährt der Padre? 9. Wem gehört das Schiffchen? 10. Wer kann das Geld besser brauchen als Antonio? 11. Warum legt Antonio seinen Rock auf die Bank? 12. Wohin schiebt Laurella den Rock? 13. Neben wem nimmt sie Platz? 14. Was reizt den Fischer? 15. Wie nennt man Laurella im Dorf? 16. Wem schenkt Laurella ihre ganze Aufmerksamkeit? 17. Wessen Gegenwart kann Antonio nicht vergessen? 18. Wem gehört seine ganze Liebe? 19. Wen trägt Antonio im Hafen von Capri ans Land? 20. Wie lange will Antonio in Capri warten? 21. Wessen Blick begegnet dem Laurellas? 22. Wann sitzt Antonio vor der Fischerschenke? 23. Wer will das Warten aufgeben? 24. Wer steht plötzlich vor ihm?

II

Translate into German: 1. Before he comes back, she jumps back into the house. 2. We must now shove off. 3. He steps out into the bright sun. 4. You know that I cannot go up with you. 5. The old man goes down (hinunter) the street. 6. The young girl is slender and has a lovely face. 7. I cannot understand the haughtiness of this beautiful girl. 8. He wants to stand up. 9. How long have you been studying German? (Cf. § 21.) 10. It is all the same to me.

III

Translate the following words into English:

nur	berichten	unglücklich
nun	beobachten	die Schuld
jetzt	bekommen	der Schnee
jemand	lachen	schon
jener	mit	kennen

IV

Translate into German:

the earth	to last
to eat	honest
something	to grow
yes	while
scarcely	to change
to lose	again
to understand	to know
why	to know by acquaintance

V

Conjugate in the present tense:

stehenbleiben	wollen	abstoßen	holen
aufgeben	fahren	heraufkommen	reden

VI

Find all the separable prefixes in Text B. Find the subject and direct object (where there is a direct object) in each clause in Text B.

VII

Decline:

ein kleiner Hof	unser schönes Haus
der alte Mann	diese arme Frau
ein gutes Buch	meine liebe Frau

LESSON VIII

TEXT A

„Komm schnell, wir haben nicht viel Zeit. Bis zum Hafen ist es ein langer Weg, und das Schiff wartet nicht auf uns. Steig ein, wir stoßen gleich ab." — „Guten Tag, Frau Fischer, wollen Sie auch nach Köln?" — „Ja, ich will mir einen neuen Hut kaufen. Frau Meyer ist auch hier, sie will sich ein neues Kleid kaufen. Aber kommen Sie, wir gehen besser hinunter, es ist mir zu heiß hier in der Sonne."

„Kann ich bei Ihnen arbeiten? Ich muß mir Geld für meine Reise nach Deutschland verdienen." — „Ich suche zwar einen Arbeiter. Aber Sie nehme ich nicht. Ich hole mir jemand, der Frau und Kind hat und das Geld besser brauchen kann als Sie!"

„So, jetzt ist es Zeit für dich, ins Bett zu gehen, mein Kind. Hol mir noch die Zeitung und dann verschwinde und laß mich allein! Ich muß noch arbeiten." — „Arbeite dich nur nicht tot!"

„Wer geht denn da gerade hinaus?" — „Herr Meyer! Er fragt, ob wir in diesem Herbst Kartoffeln von ihm kaufen wollen." — „Ich kaufe nichts von Meyer. Bei ihm kostet alles mehr als im Geschäft."

„Du mußt dich einfach zwingen, etwas zu essen, auch wenn du nicht hungrig bist. Wer dich sieht, muß glauben, du bekommst bei uns nicht genug zu essen. So! du magst keine Erbsen! Erbsen sind dir nicht gut genug? Laß mich das nicht wieder hören! In diesem Hause ißt jeder das, was Mutter und ich auch essen!"

Ich kann mich von dir nicht trennen. — Rettet euch! — Kannst du dich retten? — Ja, aber ich fürchte mich. — Fürchtest du dich nicht? — Folge mir!

Er ist die treibende Kraft hinter allem. — „Das Mädchen ist einfach reizend!" — „Sie gefällt dir also?" — „Und wie! Sie hat so ein gewinnendes Lächeln (smile). Ich kenne sie zwar noch nicht lange, aber sie scheint mir intelligent zu sein." — „Intelligent oder nicht, das ist mir gleich. Wenn sie nur schön ist!"

VOCABULARY

das Auge the *eye*
das Bild the picture
binden to *bind*, tie
bitten (um) beg (for), ask (for)
das Blut the *blood*
der Boden the ground; *bottom*; floor
brechen (i) to *break*
derselbe the same
durch *through*
einander one *another*, each other
das Ende the *end*, close
ernst serious, *earnest*
das Fenster the window
fern *far*, distant
fließen to *flow*, run
folgen (*w. dat.*) to *follow*
fürchten (*refl.*) to *fear*
die Hand the *hand*
hart *hard*
heben to lift, raise
heiß *hot*
das Herz the *heart*
innen within
der Kopf the head
die Kraft the force, power, strength
küssen to *kiss*
die Macht the power, *might*
der Mond the *moon*
die Nacht the *night*
öffnen to *open*
retten to save
der Rücken the back
schlagen (ä) to beat, strike
schreien to *cry*; shout
selber *self*
sinken to *sink*
stellen to place, put
strecken to *stretch*; extend
stürzen to rush; tumble; throw
tief *deep*
töten to kill
treiben to *drive*; put in motion
trennen to separate
das Tuch the cloth; kerchief
die Tür the *door*
der Vater the *father*
verbergen (i) to hide, conceal
verwandeln to transform, change
wenden to turn
ziehen to pull, draw; to move
zusammen together
zwingen to force, compel

IDIOMS

halten für to take to be, to consider to be
liebhaben to be fond of (lieb *is a separable prefix*)
sich fürchten vor to be afraid of
was geht es dich an? what is that to you?
es geht Sie nichts an that is none of your business

TEXT B

Fortsetzung von „L'Arrabbiata"

Laurella und Antonio wechseln lange Zeit kein Wort miteinander. Laurella sitzt vorn im Boot und wendet Antonio fast den Rücken zu, sodaß er sie nur von der Seite sehen kann. Ihr Gesicht ist ernst, und ihr Blick verliert sich in weiter Ferne. Vor ihrem inneren Auge steht ein Bild aus ihrer Kindheit: der betrunkene[1] Vater, der mit harter Hand die Mutter schlägt, sich dann plötzlich verwandelt und die Mutter vom Boden aufhebt, um sie heiß und wild zu küssen. Und dieses Bild folgt Laurella Tag und Nacht, läßt sie auch jetzt nicht los, stellt sich trennend zwischen sie und Antonio, zwingt sie, ihre Liebe zu ihm zu verbergen.

Antonio weiß nichts von der Not des Mädchens, hält ihre Furcht für Trotz, weiß nicht, daß sie ihn liebt. Seine ganze Kraft zusammennehmend, treibt er das Schiffchen mit schnellem Schlag ins offene Meer hinaus.

Dann läßt er die Ruder[2] sinken. Sie sind allein auf weitem Meere. Stille liegt über der blauen Tiefe.

„Es muß endlich heraus", bricht Antonio los. „Weißt du nicht, daß ich dich liebe? Hast du kein Herz, daß du nicht siehst, wie unglücklich du mich machst? Meinst du, daß ich es ansehen will, wenn du einen anderen nimmst?" — „Was geht es dich an?" sagt Laurella trotzig. — „Ich lasse mich nicht länger von solch einem Trotzkopf unglücklich machen. Weißt du, daß du hier in meiner Macht bist und tun mußt, was ich will?" — „Töte mich, wenn du willst!" trotzt Laurella. Antonio weiß nicht mehr, was er sagt und tut. „Du mußt mit mir ins Wasser, das Meer hat Platz für dich und mich!" schreit er und streckt seine Hand nach ihr aus. Aber im selben Augenblick zieht er die Hand zurück: aus einer tiefen Bißwunde[3] fließt Blut. „Muß ich tun, was du willst? Laß sehen, ob ich in deiner Macht bin!" Ehe Antonio es hindern kann, springt Laurella ins Wasser und verschwindet in der Tiefe. Doch sie kommt gleich wieder herauf und schwimmt[4] dem Lande zu. Antonio steht wie versteinert.[5] Dann stürzt er nach den Rudern und ist im Augenblick an ihrer Seite. „Vergib mir, Laurella!" bittet er. „Nein, du sollst mir nicht vergeben, nur dich retten und wieder einsteigen. Du kannst nicht bis ans Land schwimmen,[4] es ist zu weit. Und denk an deine Mutter!"

Ohne zu antworten, schwimmt Laurella ans Schiffchen heran. Antonio hilft ihr auf ihren alten Sitz. Dann sieht sie, daß er blutet, tritt zu ihm und bindet ihr weißes Kopftuch um die Wunde. Keiner[6] spricht mehr ein Wort.

Schlaflos liegt Antonio auf seinem Bett. Der Mond scheint durch das Fenster. Da hört er einen leichten Tritt vor seiner Tür. Er steht auf und öffnet. Laurella steht vor ihm.

„Wenn du mich noch liebhast, dann nimm mich und behalte mich. Ich liebe dich, liebe dich schon seit langem. Aber bis heute habe ich dagegen gekämpft.[7] Nun will ich anders werden. Nun will ich dich auch küssen, und du weißt, Laurella küßt keinen[8] als den, den sie zum Manne will."

Sie küßt ihn, dann macht sie sich los und sagt: „Gute Nacht, geh nun schlafen, und geh jetzt nicht mit mir, denn ich fürchte mich nicht, vor keinem, nur vor dir."

NOTES. 1. betrunkene drunken. 2. die Ruder the oars. 3. Bißwunde wound caused from a bite. 4. schwimmt, schwimmen swims, swim. 5. wie versteinert as if turned to stone. 6. Keiner neither. 7. habe. . . . gekämpft I have fought against it. 8. keinen no one.

BUILDING A PASSIVE VOCABULARY

ansehen an on, at, sehen to see, look, ansehen to look on *or* at, watch
behalten halten to hold, behalten to keep
bluten das Blut the blood, bluten to bleed
endlich das Ende the end, endlich finally
die Ferne fern far, distant, die Ferne the distance
inner innen within, inside, inner inner
die Kindheit das Kind the child, die Kindheit (the) childhood
das Kopftuch der Kopf the head, das Tuch the cloth, das Kopftuch the scarf
länger lang long, länger longer
die Liebe lieben to love, die Liebe (the) love
offen öffnen to open, offen open
schlaflos schlafen to sleep, der Schlaf (the) sleep, -los -less *or* without, schlaflos sleepless(ly)
der Sitz sitzen to sit, der Sitz the seat
die Stille still still, quiet, die Stille (the) stillness
die Tiefe tief deep, die Tiefe the depth(s)
tot töten to kill, tot dead
der Tritt treten to step, der Tritt the step
trotzen, trotzig der Trotz the defiance, trotzen to defy, trotzig defiant(ly)
unglücklich das Glück the luck, good fortune, happiness, glücklich happy, unglücklich unhappy
vergib (*imperative of* vergeben) geben to give, vergeben to forgive
vorn vor in front of, vorn in front (*adverb*)

GRAMMAR

44. Reflexive Pronouns. When the subject and the object of a verb are one and the same person or thing, English uses reflexive pronouns for the object: He pities *himself*; the heat made *itself* felt. German has no special reflexive pronoun for the first and second persons singular and plural, but uses the personal pronouns:

DAT.	mir	dir	uns	euch
ACC.	mich	dich	uns	euch

Examples:

Ich kaufe mir ein Auto.	Ich mache mich schön.
Du kaufst dir ein Auto.	Du machst dich schön.
Wir kaufen uns ein Auto.	Wir machen uns schön.
Ihr kauft euch ein Auto.	Ihr macht euch schön.

The reflexive pronoun for all genders and both numbers of the third person (including the polite Sie form, which is really the third person verb form) is sich in both the dative and the accusative case. Examples:

Kauft er sich ein Auto?	Er macht sich schön.
Kauft sie sich ein Auto?	Sie macht sich schön.
Kaufen sie sich ein Auto?	Sie machen sich schön.
Kaufen Sie sich ein Auto?	Sie machen sich schön.

NOTE. Almost all verbs are sometimes used with a reflexive dative or accusative pronoun object. Frequently this reflexive object need not be translated into English:

sich umdrehen: Er dreht sich um.	He turns around.
sich wenden: Er wendet sich.	He turns.

45. Reflexive Verbs. An analysis of *I enjoyed the visit* and *I enjoyed myself* shows that the reflexive of *to enjoy oneself* is not a real object, but simply belongs to the speech pattern. German has a few such verbs, too; and since the reflexive pronoun in such cases is no real object, it must not be translated.

sich fürchten: Ich fürchte mich nicht. I am not afraid.
Ich fürchte mich vor dir. I am afraid of you.

46. The Imperative in the Second Person. The most frequently used patterns to express a command in the second person are:

a. Singular familiar:

sage! bring(e)! fall(e) nicht! gib!

As in English, the pronoun is not expressed. The ending -e is frequently dropped, especially in the case of irregular verbs. Only verbs like geben (ich gebe, du gibst) (cf. § 10), which change the stem vowel e to i or ie, show a vowel change in the imperative. These verbs never take an ending:

brich!	hilf!	sprich!	verbirg!
iß!	lies!	triff!	vergiß!
gib!	nimm!	tritt!	wirf!

b. Plural familiar:

sagt! bringt! fallt nicht! gebt!

The pronoun is not expressed.

c. Polite form:

sagen Sie! bringen Sie! fallen Sie nicht! geben Sie!

Here the pronoun is always expressed, and it follows the verb. Observe the verb-first position.

Note the imperative forms of sein and werden.

Singular Familiar	Plural Familiar	Polite Form
sei!	seid!	seien Sie!
werde!	werdet!	werden Sie!

Note also the imperative forms of verbs with a separable prefix.

geh nicht hinaus! geht nicht hinaus! gehen Sie nicht hinaus!

47. Word Formation. Agent nouns in -er. The suffix -er is added to verb stems, as in English, to form agent nouns denoting:

a. Persons:

der Arbeiter der Läufer der Leser der Käufer

b. Instruments:

der Hörer (receiver) der Fernsprecher (telephone)

In some cases there is an umlaut, as can be seen in der Läufer and der Käufer.

48. Word Formation. Feminine nouns in -in. Many masculine nouns add the suffix -in to form corresponding feminines:

der Held, die Heldin
der Enkel, die Enkelin
der Freund, die Freundin

49. Word Formation. Adjectives in -end. The suffix -end is added to verb stems to form adjectives. These correspond to the English -ing adjectives:

a crying child ein schreiendes Kind
the sleeping girl das schlafende Mädchen
the rising sun die aufgehende Sonne
the sinking ship das untergehende Schiff

Such adjectives are treated like other adjectives: they take strong or weak endings; they may be used as predicate adjectives, as in das Mädchen ist reizend; and they may be used as adverbs, as in Er blickt suchend über den Weg.

EXERCISES

I

Answer in German: 1. Wo sitzt Laurella im Schiffchen? 2. Wen kann Antonio nur von der Seite sehen? 3. Wessen Gesicht ist ernst? 4. Welches Bild steht vor Laurellas innerem Auge? 5. Wer verwandelt sich plötzlich? 6. Was verbirgt Laurella vor Antonio? 7. Was weiß Antonio noch nicht? 8. Wer nimmt seine ganze Kraft **zusammen**, um das Schiffchen ins offene Meer hinauszutreiben? 9. Was liegt über der blauen Tiefe? 10. Wer macht Antonio unglücklich? 11. Nach wem streckt Antonio die Hand aus? 12. Was fließt aus der Bißwunde? 13. Was tut Laurella, ehe Antonio es hindern kann? 14. Wer soll sich retten? 15. Warum kann Laurella nicht bis ans Land schwimmen? 16. An wen soll Laurella denken? 17. Wem hilft Antonio ins Schiffchen? 18. Was bindet Laurella um die Wunde? 19. Wie liegt Antonio auf seinem Bett? 20. Wen will Laurella zum Manne haben? 21. Vor wem fürchtet sich Laurella?

II

Translate and be sure to write all three forms for the second person: 1. Do not forget me. 2. Are you afraid? 3. He suddenly changes (*use* ſich verwandeln). 4. Save yourself (yourselves). 5. Do not ask me why I am going. 6. You must ask her before she disappears. 7. Can you come? 8. Won't you sit down? 9. I am writing him a long letter (Brief, *masc.*). 10. Have you no money?

III

Translate into English:

aber	zurück	wiſſen
zeigen	zufrieden	beſtimmt
einfach	holen	ehrlich
auswendig	ſchlagen	der Krieg
ſchieben	leider	ohne
beobachten	die Wand	ſpielen

IV

Translate into German:

to hope	to pay	to prove	to take
to laugh	to do	today	happy
difficult	to forget	to bite	easy
to breathe	white	straight	to let
already	almost	to share	old

V

Translate the following compounds and derivatives:

gefahrlos	die Haustür	der Kopfarbeiter
zuſammenbinden	die Haarfarbe	die Feindin
farblos	der Marktplatz	der Machthaber
die Windſtille	vaterlos	der Langſchläfer
die Hausfrau	das Handtuch	der Verdiener
der Augenblickserfolg	der Arbeitgeber	das Glasauge
	der Handarbeiter	

ein weinendes, ſchreiendes, ſchlafendes, ſpielendes Kind

der Uhrzeiger (hand of clock *or* watch)

VI

Give the three imperative forms for each of the following verbs:

arbeiten ſich nicht fürchten tragen vergeſſen
binden retten werfen ſpringen
ſprechen ſich retten laſſen ſein
folgen eſſen leſen nachdenken

VII

Conjugate in the present tense:

ſich retten ſich verbergen
ſich fürchten ſich verwandeln
ſich vor dem Winter fürchten

VIII

Translate into English: 1. Es geht ihr gut. 2. Wann fährſt du nach Hauſe? 3. Denkt an euren alten Vater! 4. Herr Schmidt hat noch immer viel Geld, aber Herr Braun hat gar kein Geld.

IX

Explain the difference between

Er tötet ſich and Er tötet ihn

LESSON IX

TEXT A

„Guten Tag, Frau Meyer. Nun, wie steht es mit Ihrer Reise nach Deutschland?" — „Ach, ich kann in diesem Jahre nicht fahren. Mein Onkel ist schon seit August arbeitslos und kann mir das Geld für die Reise nicht geben." — „Ach, arbeitslos ist er? Nicht möglich! Ja, ja, so ein Krieg bringt doch viel Not ins Land." — „Ja, und außerdem erwartet seine Frau im Frühling ein Kind und rechnet bestimmt auf meine Hilfe." — „So, sie erwartet im Frühling ein Kind? Das ist ja interessant. Was macht denn Fritz?" — „Fritz studiert in Berlin Psychopathologie. Er will Psychiater (psychiatrist) oder so etwas werden. Mir gefällt das gar nicht. Ich behaupte, er stürzt sich ins Unglück. Am Ende ist er selber (himself) nicht mehr normal."

Wolf ist auch arbeitslos, aber er hat nicht weit von seinem Hause ein kleines Feld. Gut ist der Boden zwar nicht, aber Kartoffeln oder Erbsen kann er schon pflanzen. Er bekommt einen guten Preis, und auf diese Art und Weise kann er sich helfen. Auf jeden Fall braucht er nicht zu hungern.

Dein Rock ist schon wieder ganz weiß auf dem Rücken. Wie oft muß man dir denn sagen, daß du dich nicht mit dem Rücken gegen eine Wand stellen sollst?

Der Mond scheint so hell, man kann auf der Bank im Hof fast die Zeitung lesen.

VOCABULARY

ach ah! oh! alas!
der Charakter the *character*
gegen against, toward
das Gegenteil the opposite
hassen to *hate*
leben to *live*
der Onkel the *uncle*
sogar even
die Tochter the *daughter*
die Vergangenheit the past
vorbei past, *by*; gone
wirklich real, really, genuine
wünschen to *wish*, desire

IDIOMS

am Ende in the long run; after all
auf jeden Fall at any rate
so etwas something of the kind
was die Zeit angeht as far as the time (tense) is concerned
wie steht es mit how about
zum Beispiel for example

TEXT B

Der zerbrochene Krug[1]

Alle Zukunft muß Gegenwart, alle Gegenwart Vergangenheit werden. Man kann daher auch in einer Grammatik[2] leider nicht immer nur die Gegenwart gebrauchen. Die Sprache ist, was die Zeit angeht, ganz wie das Leben: Ein Verb hat wie der Mensch, von dem es uns etwas berichtet, oft eine Vergangenheit und oft eine Zukunft. Und wie im Leben ist die Zukunft immer besser als die Vergangenheit. Die Zukunft im Deutschen ist nämlich leicht, die Vergangenheit schwer, und wenn Sie die Grammatik dieser Lektion[3] verstehen wollen, müssen Sie in der kommenden Woche wirklich arbeiten. Damit Sie aber das Buch nicht wieder wie beim Dativ in die Ecke werfen, gebrauchen wir ein kleines Vokabularium. Und wir hoffen, Sie vergeben es uns, wenn wir wieder eine Liebesgeschichte erzählen. Mit dem Vokabularium für e i n e (1) Liebesgeschichte kann man nämlich auch hundert (100) erzählen.

Hildegard, die Heldin unserer neuen Liebesgeschichte, ist also, ganz wie in „L'Arrabbiata", wieder jung, schön und schlank, kurz,[4] wieder ein Mädchen, welches das Herz jedes jungen Mannes schneller schlagen läßt.[5] Auch Paul, der Held, und Erich, sein Feind, sind für die Schwarz-Weiß-Technik[6] einer einfachen Liebesgeschichte gut zu gebrauchen. Paul ist ganz der junge Mann, wie ein Mädchen ihn sich wünscht: etwas älter als Hildegard natürlich, aber doch noch jung. Sein dichtes, schwarzes Haar, seine frische Gesichtsfarbe, seine jugendliche Kraft, sein männlicher Charakter, sein gutes Herz, seine ernste, ehrliche, gerade und einfache Art öffnen ihm die Tür jedes Hauses, in dem eine Mutter auf einen Mann für ihre Tochter wartet. Von Erich, seinem Feinde, berichten wir nur, daß er Stück für Stück das Gegenteil Pauls war. Paul zum Beispiel war fünfundzwanzig (25), Erich zweiundfünfzig (52). — „War", denn auf dieser armen Erde ist leider nichts von Dauer. Hildegard und Paul sind jetzt schon lange im Paradies, und für Erich wollen wir das Beste hoffen.

Auch für den Leser hoffen wir das Beste. Denn da Held und Heldin nicht mehr sind, müssen wir, wie wir schon sagten, die Geschichte ihrer Liebe leider in der Vergangenheit erzählen:

Als Hildegards Onkel aus dem Leben ging — er fiel aus seinem kleinen Schiff ins Wasser und kam nicht, wie Laurella, gleich wieder herauf — zog

Hildegard mit ihrer Mutter von Hamburg nach Bacharach am Rhein und in das Haus des Onkels.

Es dauerte keine Woche, da wußte jeder junge Mann im Dorf, daß Hildegard in diesem Hause wohnte und daß am ganzen Rhein kein Mädchen so schön wie sie zu finden[7] war. Wenn sie in ihrem reizenden grünen Kleidchen durch die enge Straße des kleinen Dorfes zum Markte ging, dann öffnete sich hier ein Fenster und dort eine Tür. Und der junge Schmidt oder Schulz grüßte sie mit einem freundlichen „Guten Morgen" oder „Guten Abend." Und Schmidt und Schulz brauchten Hildegard nur anzusehen, dann liebten sie sie schon und vergaßen die arme Maria. Maria Müller aber weinte, und es dauerte nicht lange, da sagte sie: „Hildegard ist an allem schuld." Dann sagte es auch Mutter Müller, dann sagte es auch Vater Müller, und endlich sagte es das ganze Dorf. Nur Paul sagte nichts. Und das bewies dem Dorf, daß er keinen guten Charakter hatte.

Hildegard, in ihrer Unschuld, wußte natürlich von all dem nichts und blieb freundlich gegen alle. Wer mit ihr sprach, mußte sie lieben, er konnte nicht anders. Der junge Müller vergab ihr zuerst[8] und sagte: „Ich weiß nicht, was ihr gegen Hildegard habt. Sie ist so schön — und bestimmt unschuldig." Dann sagte es auch Vater Müller. Dann meinte es auch Mutter Müller. Und als die Tochter sah, daß ihr Freund keinen Erfolg bei Hildegard hatte, da meinte sie es auch, und endlich sagte es das ganze Dorf. Nur Paul sagte nichts. Und das bewies wieder, daß er keinen guten Charakter hatte.

Wenn er ihr auf der Straße begegnete, dann sah er zu Boden und ging ohne Gruß vorbei. Frau Müller behauptete sogar, daß er Hildegard haßte. Und wirklich brauchte Paul Hildegard nur von fern zu sehen, dann stieg ihm schon das Blut in den Kopf,[9] daß er ganz rot im Gesicht wurde — so ärgerte[10] er sich. Denn warum soll ein junger Mann sonst rot werden, wenn er ein junges Mädchen sieht?

[Fortsetzung folgt. To be continued.]

NOTES. 1. Der zerbrochene Krug *The Broken Pitcher*; the story was written by Heinrich Zschokke. 2. Grammatik grammar. 3. Lektion lesson. 4. kurz in short. 5. läßt causes, makes. 6. Schwarz-Weiß-Technik light-and-shadow technique (black and white, that is, the hero with good qualities, the villain with bad ones). 7. zu finden to be found. 8. zuerst first. 9. stieg . . . Kopf the blood rushed to his head. 10. sich ärgern to be angry.

BUILDING A PASSIVE VOCABULARY

älter alt old, älter older
von Dauer dauern to last, continue, von Dauer of duration, lasting, everlasting
freundlich der Freund the friend, freundlich friendly
jugendlich die Jugend the youth, jugendlich youthful
das Kleidchen das Kleid the dress, das Kleidchen the little dress
das Leben leben to live, das Leben (the) life
männlich der Mann the man, männlich manly
schneller schnell fast, schneller faster
die Unschuld die Schuld guilt, blame, die Unschuld innocence
vergab (*past of* vergeben) geben to give, vergeben (*w. dat.*) to forgive

GRAMMAR: PAST TENSE

50. Weak and Strong Verbs. Both English and German verbs fall roughly into two large groups:

a. Those that have no vowel change in the past and past participle, like *play*, *played*, *played* (German spielen, spielte, gespielt). These are called "weak" verbs.

b. Those that do show a vowel change in the past and past participle like *eat*, *ate*, *eaten*; *sing*, *sang*, *sung* (German essen, aß, gegessen and singen, sang, gesungen). These are called "strong" verbs.

51. Weak Verbs. The principal parts — that is, the infinitive, past, and past participle — of this class of verbs are quite easy to learn; they follow the scheme:

spielen, spielte, gespielt to play
lachen, lachte, gelacht to laugh

In the past tense they add -te to the stem:

spielte **lachte** **küßte** **legte**

The past participle is formed by prefixing ge- and adding -t to the stem:

gespielt **gelacht** **geküßt** **gelegt**

Since the endings -te (in the past) and -t (in the past participle) are characteristic features of weak verbs, they must in all cases be clearly discernible. Hence in the past there is a connecting e between stems ending in -d or -t and all personal endings (ich antwortete, du antwortetest, and so on), and in the past participle (geantwortet). For similar reasons an extra e is found in verbs like atmen and rechnen (ich atmete, ich rechnete, geatmet, gerechnet). (Cf. §§ 5 and 13.)

52. Conjugation of Past Tense of Weak Verbs

ich lachte	spielte	antwortete
du lachtest	spieltest	antwortetest
er lachte	spielte	antwortete
wir lachten	spielten	antworteten
ihr lachtet	spieltet	antwortetet
sie lachten	spielten	antworteten

53. Strong Verbs. Even those students who want only a reading knowledge of German must learn the principal parts of strong verbs. To the principal parts given in English grammars it is necessary to add and to learn in German:

a. The third person singular of the present of verbs which have a vowel change in the present (cf. § 10). (Since one learns faster and easier when following a rhythmical pattern, the third person singular is given even when it shows no vowel change.)

b. The auxiliary verb used to form compound tenses. This auxiliary in English is always *to have* (*I have eaten*, *he has spoken*); in German the auxiliary verb is either haben or sein. (The rule stating which verbs require haben and which take sein will be given in a later lesson.)

Thus the principal parts of schreiben (which has as its auxiliary haben) and fallen (whose auxiliary is sein) are:

schreiben	schrieb	hat geschrieben	schreibt	to write
fallen	fiel	ist gefallen	fällt	to fall

54. Conjugation of Past Tense of Strong Verbs. The endings of strong verbs in the *past* are the same as those of the modal auxiliaries in the *present* tense:

ich	sprach	ging	schrieb
du	sprachst	gingst	schriebst
er	sprach	ging	schrieb
wir	sprachen	gingen	schrieben
ihr	spracht	gingt	schriebt
sie	sprachen	gingen	schrieben

In order that the second person familiar plural ending -t may be heard, a connecting vowel e is used where verb stems end in -d or -t (cf. § 5): ihr fandet, ihr bandet.

55. Mixed Weak Verbs. There are only about a dozen verbs in this group, four of which are modal auxiliaries. All these verbs have a vowel in the past and past participle which is different from that of the infinitive. The endings are those of the weak verbs:

müssen, mußte (*no umlaut*), gemußt, muß to be obliged to
können, konnte, gekonnt, kann to be able to
wissen, wußte, gewußt, weiß to know
kennen, kannte, gekannt, kennt to know by acquaintance

56. Conjugation of Past Tense of Mixed Weak Verbs können, kennen, and wissen

ich	konnte	kannte	wußte
du	konntest	kanntest	wußtest
er	konnte	kannte	wußte
wir	konnten	kannten	wußten
ihr	konntet	kanntet	wußtet
sie	konnten	kannten	wußten

57. Conjugation of haben, sein, and werden in the Past

ich	hatte	war	wurde
du	hattest	warst	wurdest
er	hatte	war	wurde
wir	hatten	waren	wurden
ihr	hattet	wart	wurdet
sie	hatten	waren	wurden

58. Word Order. The same rules of word order which apply to the present tense hold for the past tense. In questions the inflected verb takes the same position as in English; in declarative sentences it is the second element; and in dependent clauses it is last. Separable prefixes stand at the end of main clauses:

Er kam nicht gleich wieder herauf.
Er ging ohne Gruß vorbei.

Again the infinitive stands at or near the end of a clause:

Er wollte es ihm nicht sagen.

59. Progressive Form. Remember that German has no progressive or emphatic forms. This is true of all tenses. Thus ich lachte expresses *I laughed*, *I was laughing*, or *I did laugh*; ich ging may be translated, depending on the context, as *I went*, *I was going*, and *I did go*.

Learn the principal parts of the following verbs as a part of this lesson. (It should be considerably easier to memorize principal parts in future lessons if these are learned well, since most of the types are found below.)

Infinitive	Past	Pres. Perfect	3d Sing. Pres.	Meaning
schreiben	schrieb	hat geschrieben	schreibt	to write
bleiben	blieb	ist geblieben	bleibt	to stay, remain
beweisen	bewies	hat bewiesen*	beweist	to prove
schreien	schrie	hat geschrieen	schreit	to cry
steigen	stieg	ist gestiegen	steigt	to climb
fließen	floß	ist geflossen	fließt	to flow
riechen	roch	hat gerochen	riecht	to smell
schieben	schōb †	hat geschōben	schiebt	to shove
verlieren	verlōr	hat verlōren*	verliert	to lose
ziehen	zōg	hat gezōgen	zieht	to pull
ziehen	zōg	ist gezōgen	zieht	to move, go
sinken	sank	ist gesunken	sinkt	to sink
finden	fand	hat gefunden	findet	to find
binden	band	hat gebunden	bindet	to bind, tie

* The absence of the ge- prefix will be explained in a later lesson.
† As an aid to memorization, vowel length is indicated.

sprechen	sprāch	hat gesprochen	spricht	to speak
sēhen	sāh	hat gesēhen	sieht	to see
vergessen	vergāß	hat vergessen*	vergißt	to forget
fallen	fiel	ist gefallen	fällt	to fall
kommen	kām	ist gekommen	kommt	to come
gēhen	ging	ist gegangen	geht	to go
sein	wār	ist gewēsen	ist	to be
werden	wurde	ist geworden	wird	to become
hāben	hatte	hat gehābt	hat	to have
dürfen	durfte	hat gedurft	darf	to be permitted to
können	konnte	hat gekonnt	kann	to be able to
mōgen	mochte	hat gemocht	māg	to like to
müssen	mußte	hat gemußt	muß	to have to
sollen	sollte	hat gesollt	soll	to be to, be said to, *etc.*
wollen	wollte	hat gewollt	will	to want to
wissen	wußte	hat gewußt	weiß	to know

EXERCISES

I

Answer in German: 1. Was ist besser, die Zukunft oder die Vergangenheit? 2. Ist die Zukunft im Deutschen leicht oder schwer? 3. Wann müssen Sie schwer arbeiten? 4. Was erzählen wir wieder? 5. Wer ist Hildegard? 6. War Hildegard alt? 7. War sie jung? 8. Wer ist der Held unserer Geschichte? 9. Wie ist Pauls Herz? 10. Wer hat ein gutes Herz? 11. Wer war Stück für Stück das Gegenteil Pauls? 12. Was ist auf dieser Erde von Dauer? 13. Wo sind Hildegard und Paul schon lange? 14. Für wen wollen wir das Beste hoffen? 15. Wer ging aus dem Leben? 16. Wohin zog Hildegard mit ihrer Mutter? 17. Wie lange dauerte es, ehe jeder junge Mann im Dorf wußte, daß Hildegard in dem Hause wohnte? 18. Was war die Farbe ihres Kleidchens? 19. Wie grüßte sie der junge Schmidt oder Schulz? 20. Wen vergaß der junge Schmidt, als er Hilde-

* The absence of the ge- prefix will be explained in a later lesson.

gard sah? 21. Wer weinte dann? 22. Wer sagte nichts? 23. Was bewies das? 24. Gegen wen blieb Hildegard freundlich? 25. Wer mußte Hildegard lieben? 26. Wer vergab Hildegard zuerst? 27. Was tat Paul, wenn er Hildegard sah? 28. Was behauptete Frau Müller? 29. Was stieg dem Paul in den Kopf? 30. Wie wurde er dann im Gesicht?

II

Translate into German: 1. He does not know me. 2. I did not know him. 3. What did you have against her? 4. He fell into the water. 5. He stayed with (bei) me. 6. She was not there. 7. Karl threw (warf) an apple into the sea. 8. I could not help the man. 9. I had to stay with (bei) them. 10. When I came, he was there. 11. We were speaking with an old woman. 12. It was not on the little bench. 13. I had the newspaper in my hand.

III

Translate into English:

ehrlich	teilen	plötzlich
erwarten	übrigens	ohne
laufen	das Wort	neidisch
das Papier	vielleicht	die Straße
sollen	schon	auch

IV

Translate into German:

to take	to thank	deep
red	then	the place
possible	naturally	to hate
to lead	next to	hot
to use	hard	always
the danger	to see	to belong to

V

Translate into English:

er will nach Hause gehen
du hast recht
er blieb stehen
das war ja gar nichts
wollen Sie nicht Platz nehmen?

VI

Conjugate in the past tense:

ziehen lachen sagen sein haben
gehen schreiben wissen können binden

VII

Give the infinitive of each of the verbs used in the last four paragraphs of Text B in this lesson.

VIII

Read the last three paragraphs of Text B in the present tense, changing the inflected verb wherever necessary.

LESSON X

TEXT A

Der Pfarrer[1] von Bacharach war ein alter, feiner Mann, den im Dorfe jeder liebte und auf dessen Urteil man sehr viel gab (prized highly). Er war nämlich nicht nur ein guter Pfarrer, der seine Bibel fast auswendig konnte, er war vor allem (above all) ein guter Mensch. Man konnte mit jedem Problem zu ihm gehen und sich sagen: Wenn es für mein Problem eine Lösung gibt, weiß unser Pfarrer sie bestimmt. Wenn jemand in Not war und Hilfe brauchte, teilte der Pfarrer mit ihm sein letztes Geld und trennte sich, wenn nötig, von seinem besten Rock. Kurz, er war dem Dorf wirklich ein Vater, das Dorf ihm eine große Familie. Und als Vater hatte er eine Seite, vor der sich jeder fürchtete und die man besser nicht kennenlernte: Wer unrecht tat, brauchte nicht zu versuchen, es vor dem Pfarrer zu verbergen. Der Pfarrer erfuhr es doch und zwang jeden, sein Unrecht wiedergutzumachen (make amends for).

NOTE. 1. Pfarrer priest, Father.

VOCABULARY

besuchen to visit
böse angry, bad
dienen (*w. dat.*) to serve
einzig only, sole; unique; single
erst first, at first, not until
ewig eternal
fein *fine*; excellent
fressen to eat (*of animals*)
(der) Gott *God*
der Himmel the sky; heaven
irgend (ein) any; some
kalt *cold*
die Kirche the *church*
die Krone the *crown*
letzt *last*
der Löwe the lion
das Mal the time (instance)
meist *most*; usually
der Mund the *mouth*
der Mut the courage
niemand nobody, no one
nötig necessary
das Schaf the *sheep*
schließen to close; lock; conclude
schweigen to be silent
sehr very
der Stein the *stone*, rock
der Tisch the table
die Vernunft the reason (mind)
versprechen to promise
warm *warm*
das Weib the woman; *wife*
wirken to *work*; effect

IDIOMS

bitten um to ask for (*cf.* § 67)
fragen nach to ask for (*cf.* § 67)
im Gegenteil on the contrary
kennenlernen to make the acquaintance of
nach und nach little by little
zum ersten Mal for the first time

TEXT B

Der zerbrochene Krug, Teil II

Der Pfarrer[1] des Dorfes, der schon so alt war, daß er kaum noch hören konnte und nur verstand, was er verstehen wollte, tat sein Bestes, den hartherzigen Paul zur Vernunft zu bringen. Er sprach in der Kirche ernst und lang über den Text: „Es ist nicht gut, daß der Mensch allein ist; ein gutes Weib ist ihres Mannes Krone, und ein Weib, das schweigen kann, ist eine Gabe Gottes." Aber obgleich er mit dem schönen Wort schloß: „Liebet euch untereinander!"[2] blieb Pauls Herz hart wie Stein. Er sah zwar nach der Bank hinüber, auf der Hildegard saß, und Hildegard sah auch zu ihm hinüber. Aber was der gute Pfarrer sagte, half trotzdem nichts. Im Gegenteil.

Auf dem Jahrmarkt in Oberwesel, den Hildegard mit ihrer Mutter im Spätherbst jenes Jahres besuchte, folgte Paul der armen Hildegard von Stand zu Stand, grüßte dieses Mädchen, redete mit jenem, wechselte aber mit Hildegard nicht ein einziges Wort — aus Trotz. „Um sie neidisch zu machen", meinte Frau Müller, die auch auf dem Markt war.

Auf diesem Jahrmarkte nun sah Hildegard d e n Krug.[3] Nicht irgendeinen Krug, sondern d e n Krug. Denn von ihm haben wir noch viel zu berichten. Dieser Krug war aus feinem, durchscheinendem Porzellan, fast so dünn wie Papier, mit einem Bild auf jeder Seite. Das Bild auf der einen (1) Seite zeigte Adam und Eva im Paradies. Und der Apfel, zu dem Eva hinaufblickte, wirkte in seinem hellen Rot so natürlich, daß der guten Hildegard das Wasser im Mund zusammenlief[4] und sie zum ersten Mal verstand, warum Eva da hineinbeißen mußte. Außerdem stand da ein Löwe ganz zufrieden neben einem Schaf, das sich gar nicht fürchtete. Man konnte sehen, der Löwe wußte selber noch nicht, daß er das Schaf einen Augenblick später fressen sollte. Das Bild auf der anderen Seite zeigte die Mutter Gottes mit dem Christuskind und dem Heiligen Joseph.

Als Hildegard diesen Krug sah, konnte sie ihr Auge lange Zeit nicht abwenden. Sie vergaß sogar, daß Paul dicht hinter ihr stand und sie beobachtete. Endlich nahm sie all ihren Mut zusammen und fragte den Verkäufer nach dem Preise. „Hundert (100) Mark", antwortete dieser kaltblütig. Da schwieg Hildegard und ging, denn soviel Geld hatte sie nicht. Paul aber blieb.

Als niemand mehr von Bacharach auf dem Markte war, warf er dem Verkäufer hundert (100) Mark auf den Tisch, ließ den Krug in eine Schachtel[5] legen und ging dann durch den tiefen Schnee allein nach Bacharach zurück.

Nicht weit vom Dorfe begegnete er dem alten August, dem Diener Erichs. August war ein ganz guter Mensch, aber nicht sehr intelligent. „August," sagte Paul zu ihm, „ich gebe dir eine Mark, wenn du diese Schachtel in das Haus Hildegards trägst und sie da liegen läßt. Wenn dich jemand sieht und fragt, von wem diese Schachtel kommt, so erzähle ihm irgendeine Geschichte, aber sage auf keinen Fall, daß sie von mir kommt!" August nahm erst die Mark und dann die Schachtel und versprach, alles richtig zu machen.

Er wollte gerade im Hause Hildegards verschwinden, da fiel er fast über Erich. Erich nämlich, sein Herr — es wird Zeit, daß der Leser ihn kennenlernt — war Junggeselle[6] in jenem Alter, in dem ein Mann das ewige „Jawohl" seines Dieners nicht mehr hören will und eine Frau sucht, die „Gern, Männchen" sagen soll (und dann meist einfach „Nein!" sagt). Und da Erich Geld und eine gute Stellung hatte, sah es Hildegards Mutter sehr gern, daß er sie, die Mutter, manchmal besuchte, ihr oft etwas schenkte und nebenbei[7] mit der Tochter über das schöne Wort „Liebet euch untereinander!" sprach.

Erich also, um auf den Krug zurückzukommen, kam gerade aus dem Hause, als August, sein Diener, hineinwollte. „August," fragte Erich, „was trägst du da?" — „Eine Schachtel für Hildegard, Herr", antwortete August. „Aber ich darf nicht sagen, von wem sie kommt, sonst ist mir Paul böse." — „Es ist gut, daß du schweigen kannst, August. Aber es ist schon spät. Gib mir die Schachtel! Ich kann sie Hildegard morgen geben, denn ich muß wieder zu ihrer Mutter."

So kam die Schachtel mit dem Krug an Erich. Erich nahm sie mit nach Hause, öffnete sie, sah den Krug und sagte „Aha!" Er brachte Krug und Schachtel am folgenden Morgen zu Hildegard und sprach: „Diesen Krug und mein liebendes Herz lege ich zu Ihren Füßen."[8] Hildegard aber wandte sich um und sagte: „Ich darf weder Ihr Herz noch Ihren Krug nehmen." Dann lief sie weinend hinaus. Da nahm die Mutter den Krug und versprach, ihre Tochter zu überreden, das Herz zu nehmen.

[Fortsetzung folgt]

NOTES. 1. Pfarrer priest, Father. 2. Liebet . . . untereinander love one another. 3. Krug pitcher. 4. daß . . . zusammenlief that Hildegard's mouth watered. 5. Schachtel (paper) box. 6. Junggeselle (a) bachelor. 7. nebenbei incidentally. 8. Füßen feet.

BUILDING A PASSIVE VOCABULARY

das Alter alt old, das Alter age
durchscheinend durch through, scheinen to shine, durchscheinend translucent
endlich das Ende the end, endlich final(ly)
der Fall (*cf.* Idioms, Lesson IX)
die Gabe geben to give, die Gabe the gift
gefährlich die Gefahr the danger, gefährlich dangerous
hartherzig hart hard, das Herz the heart, hartherzig hardhearted
jawohl ja yes, jawohl yes, sir!
kaltblütig kalt cold, das Blut the blood, kaltblütig cold-blooded(ly)
manchmal mancher many a, das Mal the time, manchmal sometimes
trotzdem der Trotz the spite, defiance, trotz (*preposition*) in spite of, trotzdem in spite of it, nevertheless
überreden* über over, above, reden to talk, speak, überreden to persuade.

GRAMMAR

60. Word Formation. The prefix un= is added to adjectives and nouns to reverse the meaning:

interessant	ehrlich	glücklich	die Schuld
uninteressant	unehrlich	unglücklich	die Unschuld

61. Word Formation. The suffixes =chen and =lein are added to nouns to form neuter diminutives. Usually these diminutives have an umlaut if the vowel is capable of change. Frequently they express affection rather than smallness. Examples are:

das Bett	das Bettchen	das Glas	das Gläschen
der Kopf	das Köpfchen	die Mutter	das Mütterlein
das Buch	das Büchlein	das Herz	das Herzchen

* This is a verb with über as an inseparable prefix. The accent is on reden.

62. Word Formation. Infinitives are used as neuter nouns which correspond roughly to English forms in *-ing* (*Running is good exercise*) or the infinitive with *to* (*To read is profitable*):

Er hat ein gewinnendes Lachen.
Ich versuchte, ihn zum Lachen zu bringen.
Geben ist besser als Nehmen.

63. Word Formation. The suffix -ung added to verb stems forms feminine nouns corresponding in most cases to English derivatives ending in *-ing*, *-tion*, and *-ment*:

Die Atmung breathing
die Behauptung assertion
die Bezahlung payment

64. Lassen. This verb is usually used like the modal auxiliaries. As with the modals, the infinitive dependent upon lassen does not take zu. In this use it has two meanings:

a. To let, allow.

Laß sie kommen! Let them come.

b. To cause, have (someone do).

Er ließ den Doktor kommen. He had the doctor come, *or* He sent for the doctor.

The dependent infinitive frequently has a passive meaning:

a. Sie ließ sich nicht überreden. She did not allow herself to be persuaded.
b. Er ließ den Krug in eine Schachtel legen. He had the pitcher put in a box.

65. Wann, als, and wenn. All three words mean *when*.
Wann is used only in direct and indirect questions:

Wann darf ich gehen?
Ich weiß nicht, wann er nach Hause kommt.

Als is a subordinating conjunction and indicates one single action or time in the past:

Erich kam aus dem Haus, als August hineinwollte.
Als ich ein Kind war, spielte ich gern auf dem Felde.

Wenn is used in all other cases. It also means *whenever* and *if*:

Wenn er ihr auf der Straße (begegnet) begegnete, (sieht) sah er zu Boden.
Wenn das Kleid nicht zu viel kostet, kaufe ich es.

66. Kennen and wissen. Both words mean *to know.*
Kennen means *to be acquainted with a person or a thing*:

Ich kenne deinen Onkel.
Kennen Sie dieses Buch?

Wissen means *to know something as a fact*:

Ich weiß, daß er Geld hat.
Antonio wußte nicht, daß sie ihn liebte.

67. Fragen and bitten. Both words mean *to ask.*
Fragen means *to ask for information*:

Er fragte sie: „Wie alt sind Sie?"
Er fragte mich nach meiner Mutter.

Bitten means *to ask for a gift or favor*:

„Geh nicht mit mir!" bat Laurella.
Er bat seinen Vater um Geld.

Learn the principal parts of the following verbs as a part of this lesson. (The verbs in small type were learned in the previous lesson; they are repeated as an aid to learning the new verbs.)

schreiben	schrieb	hat geschrieben	schreibt	to write
schweigen	schwieg	hat geschwiegen	schweigt	to be silent
fließen	floß	ist geflossen	fließt	to flow
schließen	schloß	hat geschlossen	schließt	to close
sinken	sank	ist gesunken	sinkt	to sink
springen	sprang	ist gesprungen	springt	to jump
zwingen	zwang	hat gezwungen	zwingt	to force
sprechen	sprāch	hat gesprochen	spricht	to speak
versprechen	versprāch	hat versprochen*	verspricht	to promise
brechen	brāch	hat gebrochen	bricht	to break
treffen	trāf	hat getroffen	trifft	to meet
helfen	half	hat geholfen	hilft	to help

* The absence of the ge- will be explained in a later lesson.

werfen	warf	hat geworfen	wirft	to throw
nēhmen	nāhm	hat genommen	nimmt	to take
sēhen	sāh	hat gesēhen	sieht	to see
gēben	gāb	hat gegēben	gībt	to give
lēsen	lās	hat gelēsen	liest	to read
trēten	trāt	ist getrēten	tritt	to step
sitzen	sāß	hat gesessen	sitzt	to sit
bitten	bāt	hat gebēten	bittet	to ask
fāhren	fūhr	ist gefāhren	fährt	to ride
erfāhren	erfūhr	hat erfāhren*	erfährt	to find out
trāgen	trūg	hat getrāgen	trägt	to carry
fallen	fiel	ist gefallen	fällt	to fall
lassen	ließ	hat gelassen	läßt	to let
schlāfen	schlief	hat geschlāfen	schläft	to sleep
laufen	lief	ist gelaufen	läuft	to run
stēhen	stand	hat gestanden	stēht	to stand
verstēhen	verstand	hat verstanden*	verstēht	to understand
tūn	tāt	hat getān	tūt	to do
bringen	brachte	hat gebracht	bringt	to bring
denken	dachte	hat gedacht	denkt	to think
wenden	{ wendete { wandte	hat { gewendet hat { gewandt	wendet	to turn

EXERCISES

I

Answer in German: 1. Wen versuchte der Pfarrer, zur Vernunft zu bringen? 2. Wo sprach er ernst und lange? 3. Wer soll nicht allein sein? 4. Was ist die Krone eines Mannes? 5. Wie blieb Pauls Herz? 6. Wohin sah er? 7. Zu wem sah Hildegard hinüber? 8. Wo war der Jahrmarkt? 9. Wann besuchte Hildegard den Jahrmarkt? 10. Wem folgte Paul von Stand zu Stand? 11. Mit wem wechselte Paul kein Wort? 12. Wer war auch auf dem Markt? 13. Was sah Hildegard auf dem Jahrmarkt? 14. Was war auf jeder Seite des Kruges? 15. Wie wirkte der Apfel? 16. Was verstand Hildegard zum ersten Mal? 17. Wie war der Löwe? 18. Wen vergaß Hildegard, als sie den Krug sah? 19. Wem gab Paul hundert Mark? 20. Wo begegnete Paul dem Diener Erichs? 21. Was

* The absence of the ge- will be explained in a later lesson.

sollte August mit der Schachtel tun? 22. Wem schenkte Erich oft etwas? 23. Mit wem sprach er über den Text „Liebet euch untereinander"? 24. Woher kam Erich, als August ins Haus gehen wollte? 25. Was nahm Erich mit nach Hause? 26. Was sagte Erich, als er Hildegard die Schachtel brachte? 27. Was tat Hildegard? 28. Wie lief sie hinaus? 29. Was versprach Hildegards Mutter?

II

Translate into German: 1. He needed them, but they did not want to come. 2. She brought us a beautiful book. 3. He did not know that you are my uncle. 4. Where were they sitting in the church? 5. She ran around the corner. 6. She asked him (*use accusative*) for a glass [of]* water. 7. He asked, "How old are you?" 8. When I came home, my mother was sleeping. 9. When may I see them? 10. Whenever I see the moon, I think of you. 11. She took it away (ab) from him (cf. § 23). 12. When he said that, you were silent. 13. I know what you were thinking. 14. I was reading a book. 15. Why did you go into the forest? 16. I do not know your mother.

III

Translate into English:

die Arbeit — stoßen — das Urteil
behaupten — eng — zwischen
die Jugend — nennen — die Vergangenheit
der Enkel — das Wörterbuch — die Zukunft
nein — erfahren — ziehen
der Platz — plötzlich — grüßen

IV

Translate into German:

the wall — the head — the hand
slender — happy — hot
fast — to cost — the bed
nothing — against — the hat
new — the corner — early
or — short — to find

* English words in brackets are not to be translated.

V

Translate into English the following compounds and derivatives:

das Äpfelchen, das Vaterland, unmöglich, die Stellung, die Wasserkraft, die Pferdekraft, die Pflanzung, der Wochentag; wir hatten einen Wortwechsel miteinander; ungerade, die Erwartung, taghell, das Kindlein, der Uhrmacher, ungleich; ich bin sprachlos; das Fräulein, die Sonnenuhr, die Trennung, schneeweiß, die Wendung, der Reiseführer, das Papiergeld, undeutsch, der Notfall, die Muttersprache, das Mutterherz, das Muttergottesbild; die Menschwerdung Gottes war ein Wunder; das Hänschen, das Häuschen, der Markttag, ein herzloser Mensch, die Erzählung, der Marktpreis, der Herbstmorgen, das Gänslein, der Geschäftsmann, die Meinung, die Glastür, die Arbeitsteilung, die Verwandlung, unbestimmt, ungern, die Führung, unheilig, unrichtig, das Händchen, unnatürlich, das Wäldchen, das Schifflein, unschön, unweit, die Begegnung, unwissend, das Herzchen; rede nicht beim Essen! das Hütchen, die Beobachtung, das Stückchen; er fiel beim Einsteigen ins Wasser; die Fortsetzung, die Wanduhr

VI

Conjugate in the past tense:

sein	bringen	leben	fahren	binden
haben	denken	nehmen	bitten	führen

VII

Give the infinitive of each of the verbs used in the first three paragraphs of Text B.

VIII

Read the last six paragraphs of Text B in the present tense, changing the inflected verb wherever necessary.

IX

Review the principal parts of the verbs learned in Lesson IX.

LESSON XI

TEXT A

Du bist nicht sehr höflich, Kind. Du sollst „Danke schön" sagen, wenn dir Onkel Kurt einen Apfel gibt. — Ein modernes Hotel muß in jedem Zimmer (room) fließendes warmes und kaltes Wasser haben. — „Das Schiff sinkt! Frau Meyer, wollen Sie sich nicht retten?" — „Nein, ich bleibe bei Gustav und gehe mit ihm unter." — Ich kaufe meine Butter jetzt bei Schmidts. Meyers Butter riecht oft nicht gut. — Du findest Frau Meyer schön? Ich nicht. Sie hat doch solch einen großen Mund. — Schon streckte der Einbrecher die Hand nach dem Strumpf aus, in dem Frau Meyer ihr Geld verborgen hielt, schon lächelte er siegesfroh, als Herr Pinkerton, der Meisterdetektiv aus Neuyork, mit einem Revolverschuß seinem Leben ein Ende machte. — Jeden Morgen trieb August das einzige Schaf der Familie erst auf das Feld und dann in den Wald. — Wir wurden zwischen drei (3) und vier (4) Uhr wach. — Er wandte seinen Blick zum Himmel. — Der Tod (death) ist nur eine Verwandlung, ein Schlaf, aus dem man nicht wieder aufwacht. — Während ich am Bette der Mutter blieb, holte mein Vater den Arzt.

VOCABULARY

der Arm the *arm*
der Arzt the physician
der Brunnen the well, fountain
die Brust the *breast*; chest
die Butter the *butter*
deutlich clear, plain
(der) Dienstag *Tuesday*
(der) Donnerstag Thursday
drücken to press, squeeze
eigen *own*
das Eis the *ice*
erinnern an to remind of
  sich erinnern an to remember
die Familie the *family*
das Faß the barrel, cask
fertig ready; finished
fest firm, solid, *fast*
froh glad, happy, joyful
gegenüber (*w. dat.*) opposite
gewöhnlich usual, customary
groß *great*, large; tall
heiraten to marry
klar *clear*, plain
der Kuchen the *cake*
lächeln to smile
langsam slow(ly)
laut *loud*, noisy
der Meister the *master*; champion
(der) Mittwoch Wednesday
nicken to nod

nie, niemals *never*
die Pflicht the duty
rufen to call, shout
die Sache the thing, affair
schicken to send
schießen to *shoot*
der Schmerz the pain, grief
der Sieg the victory
sogleich immediately, at once
(der) Sonntag *Sunday*
statt (anstatt) *instead* of
die Stunde the hour, lesson
trauen to marry (unite in marriage); trust
trösten to console
der Wein the *wine*
wenig few
  ein wenig a little
wild *wild*
der Winter the *winter*
zittern to tremble

IDIOMS

danke schön thank you; much obliged
halten von to think of
morgen früh tomorrow morning
so geht es im Leben such is life

TEXT B

Der zerbrochene Krug, Teil III

[Schluß]

Um sich an den Geber zu gewöhnen, mußte die arme Hildegard nun jeden Morgen mit dem Krug zum Brunnen gehen und Wasser holen. Aber es half nichts. Es wurde Winter, es wurde Frühling, und Erichs Herz lag noch immer zu Hildegards Füßen.[1] Doch das Mädchen ließ sich nicht überreden,[2] es aufzuheben.

Der gute Pfarrer wechselte am Sonntag seinen Text und sprach ernst und lange über das Wort: „Die Fügungen des Himmels sind wunderbar."[3]

Und wirklich verlor Hildegard am folgenden Tage am Brunnen ein Hutband, ein schönes blaues, das man im ganzen Dorfe kannte. Paul, der es fand, kannte es auch. Aber statt es Hildegard zurückzugeben, band er es um seinen eigenen Hut. Und das bewies wieder, daß er keinen guten Charakter hatte. Denn wenn man ein Mädchen nicht liebt, trägt man auch nicht ihr Hutband. Und daß Paul Hildegard haßte, das wußte man im Dorfe ja. (Frau Müller behauptete es immer noch.)

Erich wußte es auch. Nur nicht mehr so bestimmt wie früher. „Die Sache kann nicht so weitergehen!" sagte er zu sich selber und ging noch am selben Abend zur Mutter Hildegards.

Die Mutter wußte natürlich schon alles. (Kein Wunder! Frau Müller wohnte ihr gerade gegenüber, in dem kleinen Häuschen auf der anderen Seite der Straße.) Aber das hinderte sie nicht, sich die ganze Geschichte von Paul und dem Hutband noch einmal erzählen zu lassen. „Sie haben recht," meinte sie, als Erich fertig war, „die Sache kann nicht so weitergehen. Hildegard muß heiraten, und zwar sogleich. Natürlich kann man sie nicht zwingen, aber was halten Sie von folgendem Plan? Ich schicke Hildegard am kommenden Donnerstag mit irgend einem Geschenk zum Pfarrer. Der Pfarrer — ich will morgen früh mit ihm reden — soll sie dann in väterlicher Weise an ihre Kindespflicht erinnern und ihr klarmachen, daß sie als meine Tochter zu tun hat, was ich für richtig halte. Sie gehen eine halbe Stunde später als Hildegard zum Pfarrer. Und der gute alte Mann kann euch dann, solange ihr Herzchen noch weich[4] ist, gleich trauen."

Die arme Hildegard wußte von all dem nichts und ging am Dienstag wie sonst zum Brunnen, um Wasser zu holen. „Guten Morgen", sagte da jemand zu ihr. Hildegard wandte sich um und wurde blutrot im Gesicht. Es war Paul, und noch immer trug er ihr Band um seinen Hut. „Warum tragen Sie mein Band?" fragte Hildegard trotzig und stellte den Krug auf den Boden. „Ich gab es Ihnen nicht. Geben Sie es mir zurück!"

Paul nahm den Hut ab, sah auf das Band, sah auf Hildegard, sah wieder auf das Band und sagte leise: „Liebe Hildegard, laß mir das Band!" Hildegard sah erst auf Paul, dann auf das Band und dann wieder auf Paul. Ihr Blick verlor sich ganz in seinem Blick. Und so kam es, daß sie sich versprach[5] und „Nein!" sagte, obgleich sie „Ja!" sagen wollte. Da ärgerte sich[6] Paul wieder, aber diesmal wurde er weiß im Gesicht und schrie in wildem Schmerz: „Da hast du das Band!" Und er warf Hut und Band so unglücklich auf den Krug, daß der schöne Krug zerbrach und Hildegard weinend nach Hause lief.

Doch die Mutter weinte nicht, als Hildegard mit dem zerbrochenen Krug nach Hause kam, sondern tröstete ihre Tochter und meinte: „So geht es im Leben. Versprich mir, mein Kind, das nächste Mal, wenn dich ein Mann um Band oder Herz bittet, dann sagst du ‚Ja!'" Das versprach Hildegard gern. Nur dachte sie an Paul, während ihre Mutter an Erich dachte.

Und die Mutter ging am nächsten Morgen, Mittwoch, wieder zum Pfarrer. Der gute alte Mann war wie immer sehr freundlich, nickte zu allem, was die Mutter sagte, und versprach, sein Bestes zu tun.

Der Donnerstag kam, und Hildegard ging, ein Bild der Unschuld, mit einem großen Kuchen zum Pfarrer. Erich, der hinter seinem Fenster stand und wartete, sah sie vorbeigehen, zog schnell seinen besten Rock an und ging auch zum Pfarrer — siegesfroh lächelnd.

Aber die Fügungen Gottes sind wirklich wunderbar. Gerade an diesem Donnerstag kam Paul der Gedanke, dem Pfarrer ein kleines Fäßchen Wein zu bringen. Und Wein und Kuchen trafen sich am Brunnen, erfuhren, daß sie denselben Weg hatten, und gingen zusammen weiter. Und da Wein zu Kuchen und Kuchen zu Wein gehört, nahm Paul schweigend Hildegards Hand. Hildegard zitterte ein wenig. Aber nur ein wenig, denn sie dachte an ihr Versprechen, nie wieder nein zu sagen. Und dieser Gedanke gab ihr Kraft.

Der Pfarrer war wie immer sehr freundlich, nickte wieder mit dem Kopf und sprach noch einmal ernst und väterlich über das schöne Wort: „Liebet euch untereinander!" Da schmolz[7] das Eis um Pauls Herz wie Butter vor der Sonne, und auch Hildegards Herzchen wurde sehr, sehr weich. „Ach!" rief sie, „ich liebe ihn ja schon lange, aber er haßt mich." — „Ich hasse dich nicht!" rief Paul. „Ich liebe dich! Aber ich hatte nicht den Mut, es dir zu sagen. Du warst so kalt und unfreundlich gegen mich. Wie konnte ich wissen, daß du mich liebst?"

Da sank Hildegard an Pauls Brust, und Paul drückte sie leise, doch fest an sich. Sie vergaßen alles um sich her. Fast ohne es zu wissen, folgten sie dem Pfarrer in die Kirche und sagten laut und deutlich „Ja!"

Vor der Kirche aber stand Erich in seinem besten Rock und wartete. Als er Hildegard am Arme Pauls aus der Kirche kommen sah, da wußte er alles. Er hob sein Herz, das noch immer zu Hildegards Füßen lag, nun selber auf. Es schlug nur sehr, sehr langsam.

NOTES. 1. Füßen feet. 2. überreden be persuaded. 3. Die . . . wunderbar The ways (methods) of heaven are wonderful. 4. weich soft. 5. sich versprach made a mistake. 6. ärgerte sich became angry. 7. schmolz melted.

BUILDING A PASSIVE VOCABULARY

anziehen an on, ziehen to draw, pull, anziehen to put on, dress
früher früh early, früher earlier, formerly, before
der Gedanke denken to think, der Gedanke the thought
das Geschenk schenken to give, das Geschenk the gift
sich gewöhnen an gewöhnlich usual, customary, sich gewöhnen an to become accustomed to

lieb lieben to love, die Liebe love, lieb dear
nächst nah near, nächst (*superlative form*) nearest, next
siegesfroh der Sieg the victory, froh glad, happy, siegesfroh happy (in anticipation of victory)
trotzig der Trotz defiance, trotzig defiantly
weiter weit far, distant, weiter farther, *here* on
zerbrach (*from* zerbrechen) brechen to break, zerbrechen to break to pieces, smash

GRAMMAR

68. Word Formation: Noun-Verb Pairs. Just as in English there are such noun-verb pairs as *the work* and *to work*, so in German there are a great many nouns corresponding to verbs (or vice versa):

die Arbeit, arbeiten   das Blut, bluten   der Teil, teilen

The German feminines frequently end in -e:

die Liebe, lieben   die Reise, reisen

English has a few, German a great many, nouns whose stem vowels differ from that of the infinitive:

the shot, to shoot   the song, to sing

der Biß, beißen   das Band (tie, bond, ribbon), binden   der Tritt, treten

69. Word Formation: Adjectives in -lich. The suffix -lich is added to *nouns* and forms adjectives which either correspond to English adjectives ending in *-ly* or *-like* or mean *typical of*. (They mostly have the umlaut.)

der Tag, täglich   der Vater, väterlich
die Nacht, nächtlich   der Feind, feindlich
der Mann, männlich   die Mutter, mütterlich

70. Word Formation: Adjectives in -lich and -bar. The suffixes -lich or -bar are added to *verb* stems to form adjectives which correspond to English adjectives ending in *-able* (*-ible*):

questionable fraglich   usable brauchbar   edible eßbar
unbelievable unglaublich   readable lesbar   lovable lieblich

71. Adverbs from Adjectives. Adjectives in their uninflected forms, that is, the forms given in the vocabulary, are used as adverbs:

Er war ernst (*predicate adjective*). Er redete ernst (*adverb*).
Das Essen war gut (good). Wir aßen gut (well).
Er war sehr freundlich. Er sprach sehr freundlich.

Adjectives which in their uninflected forms end in -e retain the e on becoming adverbs:

Er sprach leise. Er lachte böse (maliciously).

Some writers regularly write the following adverbs with an -e:

gern (gerne), lang (lange), nah (nahe)

72. Accusative of Time. German frequently uses the accusative case when expressing definite time and duration of time with nouns:

Hildegard ging jeden Tag zum Brunnen. Das nächste Mal sage ich ja. Nächsten Winter fahre ich nach Deutschland. Er liest schon den ganzen Morgen.

NOTE. The greetings Guten Morgen, Guten Abend, Guten Tag are direct objects; *I wish you* is understood.

73. The Days of the Week. In German the days of the week are:

Montag, Dienstag, Mittwoch, Donnerstag, Freitag, Sonnabend (or Samstag), and Sonntag

They are all masculine.

74. The Months of the Year. In German the months are:

Januar, Februar, März, April, Mai, Juni, Juli, August, September, Oktober, November, Dezember

The months are likewise masculine.

75. The Article in Expressing Time. The article is used with names of the seasons, months, days, and divisions of the day:

im Winter   im Januar   am Montag   am Abend

Learn the principal parts of the following verbs as a part of this lesson (the verbs in small type were learned in previous lessons):

schreiben	schrieb	hat geschrieben	schreibt	to write
scheinen	schien	hat geschienen	scheint	to shine
treiben	trieb	hat getrieben	treibt	to drive
beißen	biß	hat gebissen	beißt	to bite
schließen	schloß	hat geschlossen	schließt	to close
schießen	schoß	hat geschossen	schießt	to shoot
hēben	hōb	hat gehōben	hēbt	to lift
sinken	sank	ist gesunken	sinkt	to sink
verschwinden	verschwand	ist verschwunden	verschwindet	to disappear
gewinnen	gewann	hat gewonnen	gewinnt	to win
helfen	half	hat geholfen	hilft	to help
verbergen	verbarg	hat verborgen	verbirgt	to hide
vergessen	vergāß	hat vergessen	vergißt	to forget
essen	āß	hat gegessen	ißt	to eat
fressen	frāß	hat gefressen	frißt	to eat (*of animals*)
liegen	lāg	hat gelēgen	liegt	to lie
fāhren	fūhr	ist gefāhren	fāhrt	to ride
schlāgen	schlūg	hat geschlāgen	schlāgt	to beat
wachsen	wuchs	ist gewachsen	wächst	to grow
fallen	fiel	ist gefallen	fällt	to fall
gefallen	gefiel	hat gefallen	gefällt	to please
halten	hielt	hat gehalten	hält	to hold
stōßen	stieß	hat gestōßen	stōßt	to push
rūfen	rief	hat gerūfen	rūft	to call
kommen	kām	ist gekommen	kommt	to come
bekommen	bekām	hat bekommen	bekommt	to receive
kennen	kannte	hat gekannt	kennt	to know
nennen	nannte	hat genannt	nennt	to name

EXERCISES

I

Answer in German: 1. An wen sollte sich Hildegard gewöhnen? 2. Wohin ging sie jeden Morgen? 3. Was holte sie da? 4. Zu wessen Füßen lag Erichs Herz? 5. Wer wechselte seinen Text? 6. Wann verlor Hildegard ihr Hutband? 7. Wer fand es? 8. Was machte Paul mit dem Band? 9. Wer behauptete immer noch, daß Paul Hildegard haßte?

10. An welchem Tage wollte Hildegards Mutter ihre Tochter zum Pfarrer schicken? 11. Wohin ging Hildegard am Dienstag? 12. Sprach Paul laut oder leise? 13. Was wollte Hildegard sagen? 14. Wurde Paul wieder rot im Gesicht? 15. Wohin warf er seinen Hut? 16. Wie lief Hildegard nach Hause? 17. Wen tröstete die Mutter? 18. An wen dachte Hildegard? 19. Was zog Erich an, als er Hildegard sah? 20. Was tat Paul, als sie zur Kirche gingen? 21. Wie war der Pfarrer? 22. Wie schmolz das Eis um Pauls Herz? 23. Was vergaßen Hildegard und Paul? 24. Wem folgten sie in die Kirche? 25. Wie sagten sie „Ja"? 26. Wo wartete Erich? 27. Wen sah er aus der Kirche kommen? 28. Was wußte er nun? 29. Was hob er auf? 30. Wie schlug sein Herz?

II

Translate into German: 1. Every evening he brought me home. 2. While you were talking with him, I ate an apple. 3. I did not like the apple. 4. I gave the horse an apple. 5. The student held her horse. 6. The man disappeared in (*dat. or acc.*) the forest. 7. On that evening she did not remain long. 8. Hans was reading the newspaper. 9. Who was writing? 10. I could not forget you. 11. He was just coming out of the class. 12. He knew every girl in the class. 13. I knew that you were in front of the door. 14. The pencil was lying on your book.

III

Translate into English:

die Weise	wohnen	die Lösung	richtig	ehe	die Not
weil	kaufen	hell	zahlen	der Feind	glauben
welcher	leicht	der Rücken	spielen	stürzen	jetzt

IV

Translate into German:

the wind	to learn	the language
the week	the power	simple
the country (land)	to push	the window
to kiss	the ship	the uncle
young	to wish	suddenly

V

Translate the following compounds and derivatives:

die Wohnung, der Eckstein; er fiel kopfüber ins Wasser; sie spielte Beethovens „Mondschein-Sonate"; augenblicklich schläft er; die Zeit ist unendlich; ein herbstlicher Morgen; der Besucher; Hildegard war unbeschreiblich schön; unweit von der Kirche stand Erich; das ist undenkbar; das Kirchlein; sie atmete hörbar; ein zusammenlegbares Bett, brauchbar, eine sehr fragliche Lösung; dieses Kleid ist nicht käuflich; ein unabwendbares Unglück, das Butterfaß, das Weinfaß, ein schriftlicher (written) Bericht, ein mündlicher Bericht, die Löwin; der Lauf, laufen; die Pflanze, pflanzen; der Schuß, schießen; der Schein, scheinen; der Schlaf, schlafen; das Haus, hausen; das Kleid, kleiden; das Urteil, urteilen; der Schluß, schließen; geben, die Gabe; fragen, die Frage; springen, der Sprung; die Furcht, fürchten; das Mündchen, das Dörflein, eine böse Erfahrung (experience); Hildegard traf Paul beim Wasserholen

VI

Conjugate in the present and past tenses:

ich will gehen
ich kann schnell arbeiten
ich spreche mit ihm
ich denke an ihn

ich küsse das Kind
ich verliere den Weg
ich lese die Zeitung
ich tue es nicht

VII

Read the first four paragraphs of Text B in Lesson VII and all of Text B in Lesson VIII in the past, changing all inflected verbs that are not in quotations.

VIII

Make the necessary verb changes and read the first six paragraphs of Text B of this lesson in the present tense.

IX

Review the principal parts of the strong verbs listed in Lessons IX and X.

LESSON XII

TEXT A

„Wissen Sie schon, daß Herr Schmidt gestorben ist?" — „Herr Schmidt? Sie meinen doch nicht den Direktor der Odontoschein-Gesellschaft, mit dem ich fast jeden Morgen in die Stadt fahre? Das tut mir leid! Ich kannte ihn seit langer Zeit. Er und seine Frau lebten in einer so glücklichen Ehe. Also Dienstag abend ist er gestorben. Und Doktor Schulz hat ihn vor der Luther-Kirche überfahren (ran over), sagen Sie? Schrecklich auch für Doktor Schulz." — „Ja, Schulz soll ganz untröstlich sein. Er ist zwar vollkommen unschuldig, aber Schmidt war sein bester Freund."

„Darf ich dich um eine Tasse Kaffee bitten? Ich bin eine ganze Stunde durch diesen Regen gelaufen und durch und durch kalt geworden."

„Hast du auch nicht vergessen, Meyer nach seiner Frau zu fragen? Sie liegt schon seit einem Monat im Bett."

„Nein, den Mantel kannst du nicht haben! Ich brauche ihn nächstes Jahr, wenn ich nach Deutschland fahre. Wann fährst du nach Deutschland? Nächstes Jahr? Als ich dich das letzte Mal sah, sagtest du diesen Herbst." — „Aber ich habe mich jetzt entschlossen, erst nächstes Jahr zu fahren."

„Wenn du mir einen Gefallen tun willst, so kaufe mir auf dem Nachhauseweg ein Buch, damit ich Sonntag etwas zu lesen habe."

VOCABULARY

anfangen to begin, start
ankommen to arrive
der Bart the *beard*
eben, soeben just now
die Ehe the marriage
einzeln single, individual
empfangen to receive
entschließen to decide
erklären to explain; declare
etwa about
frei *free*; vacant
sich freuen to be glad
genau exact, precise
die Gesellschaft the company; party
greifen to seize; reach (for)
der Grund the *ground*; cause; reason
heißen to be called; call; command
hoch (hoh-) *high*, tall
der Kaffee the *coffee*
die Linie the *line*
die Luft the air
der Mantel the cloak, *mantle*

merken to *mark*, note
der Monat the *month*
nachdem after (*conj.*)
die Nase the *nose*
die Person the *person*
der Pfennig the *penny*
der Regen the *rain*
ruhen to rest
der Schreck(en) the fright
der See the lake
  die See the *sea*, ocean
spitz pointed, acute
die Stadt the city, town
stark strong; stout
sterben to die
die Stimme the voice
der Sturm the *storm*, tempest
die Tasche the pocket
die Tasse the cup
trinken to *drink*
überhaupt at all, on the whole
verlangen to demand, require
vollkommen complete, perfect
vorher before, previously
wagen to dare, risk
wiederholen to repeat
zählen to count
zuhören to listen

IDIOMS

das heißt that is to say
jawohl yes, indeed
es kommt darauf an that depends
  kommt auf das an depends upon that
sonst noch etwas anything (something) else
es tut mir leid I am sorry
vor einer Stunde an hour ago
  vor einer Woche a week ago
eine Woche lang for a week
  eine Zeitlang for a time

TEXT B

Der Herr mit der großen roten Nase

Es ist nicht unsere Schuld, daß wir soviel Zeit gebraucht haben, um Paul und Hildegard vor den Altar zu bringen. Denn was kann man machen? Wer eine Geschichte schreibt, muß Held und Heldin so nehmen, wie Gott sie gemacht hat. Und Paul und Hildegard hatte er leider etwas zurückhaltend gemacht. Auf jeden Fall waren sie nicht so stürmisch wie Laurella und Antonio geworden. Wirklich, wir hatten eine Zeitlang selber alle Hoffnung aufgegeben und sind nun mehr als froh, sie endlich zusammengebracht zu haben.

Wir können nun in Ruhe auf Meyer zurückkommen. Jawohl, auf Gustav mit dem schneeweißen Odontoscheingebiß.[1] — Weder er noch seine Frau ist inzwischen gestorben oder ins Wasser gefallen. Auch nach Neuyork sind sie nicht gefahren. Hören Sie zu!

Meyer fuhr gleich am nächsten Morgen, nachdem er für sein Urteil den

Preis gewonnen hatte, in die Stadt, um sein Geld zu holen. Und zwar mit dem Omnibus und nicht mit seinem kleinen Auto. Und das war so gekommen:

Gustav hatte mit Paula (Hatten wir Ihnen schon erzählt, daß seine Frau Paula heißt?) — Gustav hatte also mit Paula einen kleinen Wortwechsel gehabt. Seine Frau nämlich hatte am Abend vorher in der Garage eine Glasvase zerbrochen, und Gustav war mit seinem Auto in das Glas gefahren. Das heißt, nach Paulas Behauptung war der Boden der Garage vollkommen frei von Glas gewesen. Sie erinnerte sich genau, jedes einzelne Stückchen aufgehoben zu haben und konnte es sich nicht erklären, wie trotzdem ein Glasstück in Gustavs Vorderreifen[2] gekommen war. Gustav konnte es sich auch nicht erklären und wagte — wagte ist das richtige Wort — die Behauptung: „Dann hast du nicht jedes einzelne Stückchen aufgehoben." Aber er hatte diese vollkommen grundlose (?) Behauptung kaum ausgesprochen, da tat es ihm schon leid, überhaupt etwas gesagt zu haben. Er sagte also gar nichts mehr, hörte still zu und wartete, bis seiner Paula, genau wie seinem Vorderreifen, die Luft ausgegangen war. Dann nahm er den Omnibus.

Und das war der Anfang vom Ende.

Das heißt, zuerst ging alles gut. Der Direktor der Odontoschein-Gesellschaft, ein alter Herr, dem sein Odontoschein die Jugend weder bewahrt[3] noch zurückgebracht hatte, empfing Gustav persönlich, gab ihm die fünfhundert (500) Mark, und um zehn (10) Uhr saß Gustav schon wieder im Omnibus.

Nun sind fünfhundert Mark nicht einfach fünfhundert Mark. Ob man sie gern oder ungern ausgibt, kommt auf das an, was man kaufen will. Schon mancher verliebte junge Mann hat gern seinen letzten Pfennig für das Lächeln eines schönen Mädchens ausgegeben, schon mancher Reisende in schwerem Sturm auf hoher See der Kirche all sein Geld wenigstens versprochen. Aber was ist das Lächeln eines Mädchens, was die Ruhe nach dem Sturm gegen den Sonnenschein, der in der Ehe auf kurzen, starken Regen folgt! Und da in jeder Ehe die Sonne scheint, wenn der Mann mit fünfhundert Mark nach Hause kommt, dachte daher auch Gustav nicht mehr an das Glas, in das er mit seinem Auto gefahren, nicht mehr an den kalten Regen, der auf ihn herabgekommen war, er dachte nur an den warmen Sonnenschein, den er für fünfhundert Mark von seiner Paula erwartete.

Kein Wunder, daß er in Erwartung dieses Glücks oft nach seiner Brieftasche[4] griff, um das Geld noch einmal zu zählen. Kein Wunder, daß er schließlich mit einem zufriedenen Lächeln auf dem Gesicht die Brieftasche nicht in seine Tasche sondern zwischen Rock und Regenmantel steckte[5] und dann ausstieg. Kein Wunder auch, daß Gustav, gerade als der Omnibus um die nächste Ecke gefahren war, plötzlich schneeweiß wurde und schnell in ein Café ging und einen Whisky verlangte.

Aber erst nachdem er auch noch eine Tasse Kaffee getrunken hatte, merkte er, daß außer ihm noch jemand am Tisch saß, ein Herr mit einem spitzen Bart und einer großen roten Nase. „Denken Sie nur", meinte Gustav, der sich freute, jemand gefunden zu haben, mit dem er reden konnte. „Ich habe eben im Omnibus eine Brieftasche mit fünfhundert Mark verloren." — „Eine Brieftasche mit fünfhundert Mark?" wiederholte der spitze Bart. „Aber wer läuft denn auch mit fünfhundert Mark in der Brieftasche herum*?" — „Ganz recht," sagte Gustav, „ein vernünftiger Mensch nicht. Aber ich bin mit dem Geld auch nicht herumgelaufen. Ich hatte es gerade geholt und wollte nach Hause fahren. Schrecklich, noch vor zehn (10) Minuten habe ich die Brieftasche im Omnibus in der Hand gehabt. Dann bin ich hier an der Ecke ausgestiegen und habe sogleich gemerkt, daß ich sie verloren hatte. Jemand muß sie mir beim Aussteigen gestohlen[6] haben. Vielleicht habe ich sie auch nicht richtig in die Rocktasche gesteckt,[5] und sie ist beim Aufstehen auf den Boden gefallen." — „War sonst noch etwas in der Brieftasche?" fragte der Herr mit der roten Nase. „Nein, gar nichts," antwortete Gustav, „es war eine neue, schwarze Brieftasche, die mir meine Frau erst letzten Monat geschenkt hat und die ich sonst nie gebrauche."

„Nun," meinte die große Nase, „trösten Sie sich! Vielleicht hat sie jemand gefunden, der ehrlich ist. Warten Sie bis heute abend! Dann gehen Sie zum Fundbüro[7] der Omnibuslinie! Vielleicht gibt der Finder sie da ab."

Noch lange, fast eine ganze Stunde, saß Gustav allein an seinem Tisch. Dann kam er plötzlich zu einem Entschluß. „Vielleicht," sagte er zu sich selber, „hat irgendein ehrlicher Mensch das Geld schon abgegeben." Er stand auf und ging zum Telephon. „Hier Gustav Meyer!" sagte er. „Ich habe vor etwa einer Stunde hier an der Ecke beim Aussteigen eine schwarze Brieftasche mit fünfhundert Mark verloren. Hat sie vielleicht jemand schon abgege-

---

* See § 144.

ben?" — „Jawohl!" kam eine Stimme durchs Telephon zurück. „Aber ein Herr mit einem spitzen Bart und einer großen roten Nase hat vor einer halben Stunde dieselbe Geschichte erzählt, und ihm haben wir sie gegeben." Da hing Gustav den Hörer ab[8]; sein Glaube an Ehrlichkeit und Menschenliebe war für immer zerbrochen.

NOTES. 1. See Lessons II and III. Gebiß false teeth. 2. Vorderreifen front tire. 3. bewahrt preserved. 4. Brieftasche wallet. 5. steckte, gesteckt put. 6. gestohlen stolen. 7. Fundbüro lost and found bureau. 8. hing . . . ab hung up.

BUILDING A PASSIVE VOCABULARY

abgeben ab off, away, geben to give, abgeben to turn in
ausgeben aus out, geben to give, ausgeben to spend
ausgesprochen aus out, sprechen to speak, aussprechen to utter
Ehrlichkeit ehrlich honest, die Ehrlichkeit (the) honesty
inzwischen in in, zwischen between, inzwischen meanwhile
persönlich die Person the person, persönlich personally
die Ruhe, in Ruhe ruhen to rest, in Ruhe in peace
schließlich schließen to close, shut, conclude, schließlich finally
schrecklich der Schreck the fright, schrecklich frightful, awful
stürmisch der Sturm the storm, stürmisch stormy, emotional
verliebt lieben to love, verliebt in love
wenigstens wenig few, wenigstens at least
zurückhaltend zurück back, haltend holding, zurückhaltend reserved, bashful

GRAMMAR

76. The Compound Tenses. Both English and German have six tenses: the present, *I sing* ich singe; the past, *I sang* ich sang; the present perfect, *I have sung* ich habe gesungen; the past perfect, *I had sung* ich hatte gesungen; the future; and the future perfect. This lesson deals with the present perfect and past perfect tenses.

To form the present perfect, English always employs as the auxiliary the present tense of the verb *to have* together with the past participle of the main verb:

I have eaten, you have eaten, he has eaten.

In the past perfect the same auxiliary, *to have*, is used in the past tense:

I had eaten, you had eaten, he had eaten.

German uses two auxiliaries in a similar way to form these two tenses:

a. Haben is used with all transitive and most intransitive verbs.

b. Sein is used with those intransitive verbs which show a change of position or condition of the subject (gehen, laufen, kommen, werden, ſterben), and with a very few other intransitive verbs, of which ſein, bleiben, and folgen have been introduced. (Folgen is intransitive in German.)

The student is already familiar with the auxiliaries of the strong verbs which have been introduced. Those which have hat as the third element of the principal parts take haben (er hat gegeſſen); those which have iſt take ſein (er iſt nach Hauſe gegangen).

Examples:

PRESENT PERFECT

Auxiliary haben	Auxiliary ſein
ich habe gegeſſen, gelacht	ich bin gelaufen, gefallen
du haſt gegeſſen, gelacht	du biſt gelaufen, gefallen
er hat gegeſſen, gelacht	er iſt gelaufen, gefallen
wir haben gegeſſen, gelacht	wir ſind gelaufen, gefallen
ihr habt gegeſſen, gelacht	ihr ſeid gelaufen, gefallen
ſie haben gegeſſen, gelacht	ſie ſind gelaufen, gefallen

PAST PERFECT

ich hatte gegeſſen, gelacht	ich war gelaufen, gefallen
du hatteſt gegeſſen, gelacht	du warſt gelaufen, gefallen
er hatte gegeſſen, gelacht	er war gelaufen, gefallen
wir hatten gegeſſen, gelacht	wir waren gelaufen, gefallen
ihr hattet gegeſſen, gelacht	ihr wart gelaufen, gefallen
ſie hatten gegeſſen, gelacht	ſie waren gelaufen, gefallen

77. Position of Auxiliary and Past Participle. In compound tenses the auxiliary is the inflected verb and is the first, second, or last element of the sentence, as stated in sections 6, 8, and 27. The past participle stands at the end of the clause, except in dependent clauses, when it precedes the inflected verb.

a. Verb-first position: Hast du heute schon gegessen?

b. Verb-second position:

Ich habe heute schon gegessen.
Was hast du heute gegessen?

c. Verb-last position:

Ich wußte nicht, daß du heute schon gegessen hast.

78. Past Participles of Separable Compounds. The prefix of separable compounds precedes the participle and is written with it as one word:

abgelaufen, untergegangen, heraufgekommen, zusammengestellt

79. Verbs with Inseparable Prefixes. Verbs with the unaccented prefixes be= (bekommen), ent= (entkommen), er= (erfahren), ge= (gefallen), ver= (versprechen), zer= (zerbrechen) are conjugated like other verbs except that the past participle does not add the ge= prefix. (Verbs in =ieren also form the past participle without the ge= prefix.)

80. Omission or Suppression of the Auxiliary. When two past participles take the same auxiliary form, only one of the auxiliaries is expressed; the other is felt to be superfluous:

Gustav dachte nicht mehr an das Glas, in das er mit seinem Auto gefahren (war), nicht mehr an den kalten Regen, der auf ihn herabgekommen war.

Schon mancher junge Mann hat seinen letzten Pfennig ausgegeben, schon mancher Reisende (hat) der Kirche sein ganzes Geld versprochen.

A single auxiliary in dependent clauses is sometimes omitted when the auxiliary is clearly understood:

Ich warf noch einmal einen Blick auf die Bank, wo Minna und ich Hand in Hand so oft gesessen. (Hatten is clearly understood.)

81. Use of the Past and Present Perfect Tenses. The past tense is used when the speaker is narrating a series of connected events in the past:

Paul nahm den Hut ab, sah auf das Band, sah auf Hildegard, sah wieder auf das Band und sagte leise . . . Schlaflos lag Antonio auf seinem Bett. Der Mond schien durch das Fenster. Da hörte er einen leichten Tritt vor seiner Tür. Er stand auf und öffnete. Laurella stand vor ihm.

The present perfect, which occurs more often in German than English, is used:

a. Where English uses the present perfect:

Ich habe ihn noch nicht gesehen. I have not yet seen him. Was hast du getan? What have you done?

But see § 21.

b. When the speaker does not narrate a series of past events in their succession, but reports an event just as a fact, detaching it from its context:

Herr Müller ist letzten Monat gestorben. Mr. Müller died last month.
Goethe hat ein langes Leben gehabt. Goethe had a long life.

Learn or review the principal parts of the following verbs:

beißen	biß	hat gebissen	beißt	to bite
greifen	griff	hat gegriffen	greift	to grasp
schließen	schloß	hat geschlossen	schließt	to close
entschließen	entschloß	hat entschlossen	entschließt	to decide
sinken	sank	ist gesunken	sinkt	to sink
trinken	trank	hat getrunken	trinkt	to drink
helfen	half	hat geholfen	hilft	to help
sterben	starb	ist gestorben	stirbt	to die
heißen	hieß	hat geheißen	heißt	to be called
anfangen	fing an	hat angefangen	fängt an	to begin
empfangen	empfing	hat empfangen	empfängt	to receive
ankommen	kām an	ist angekommen	kommt an	to arrive

EXERCISES

I

Answer in German: Wie muß man Held und Heldin nehmen? 2. Wer war nicht so stürmisch wie Laurella und Antonio geworden? 3. Was hatten wir eine Zeitlang aufgegeben? 4. Auf wen kommen wir nun zurück? 5. Ist Gustav oder seine Frau nach Neuyork gefahren? 6. Wann fuhr Meyer in die Stadt, um sein Geld zu holen? 7. Wie heißt Gustavs Frau? 8. Mit wem hatte Gustav einen Wortwechsel gehabt? 9. Was hatte Paula in der Garage zerbrochen? 10. Wie war der Garagenboden nach

Paulas Behauptung gewesen? 11. Wer wagte eine Behauptung? 12. War die Behauptung vollkommen grundlos? 13. Wem ging die Luft aus? 14. Wie ging alles zuerst? 15. Wer empfing Gustav persönlich? 16. Für was hat mancher verliebte junge Mann seinen letzten Pfennig ausgegeben? 17. Was hat mancher Reisende der Kirche wenigstens versprochen? 18. Was erwartete Gustav von Paula? 19. Warum griff Gustav oft nach seiner Brieftasche? 20. Wohin steckte er schließlich die Brieftasche? 21. Wie wurde Gustav, als der Omnibus um die nächste Ecke gefahren war? 22. Wohin ging Gustav schnell? 23. Was verlangte er? 24. Warum freute sich Gustav? 25. Wohin war die Brieftasche gefallen? 26. Wer hatte Gustav die Brieftasche geschenkt? 27. Wohin sollte Gustav gehen? 28. Wie lange saß Gustav am Tisch? 29. Wer hatte dieselbe Geschichte erzählt? 30. Wessen Glaube an Menschenliebe und Ehrlichkeit war für immer zerbrochen?

II

Translate into German the following sentences, using in the first eleven sentences the present perfect: 1. What did you do with the pencil? 2. Has he already eaten? 3. Why did you ask? 4. He has not come yet. 5. Have you seen her? 6. Did they jump into the water? 7. She has forgotten her hat. 8. My father has written an interesting book. 9. I went to the city. 10. Unfortunately I did not hear him. 11. The old man died last week. 12. He has been working the entire morning (cf. § 21). 13. He has been sleeping since Sunday.

III

Translate into English:

das Stück	leise	hindern	verdienen	verkaufen	das Meer
retten	der Hafen	heben	der Hof	die Wand	leider
rechnen	heute	töten	kaufen	seit	schon

IV

Translate into German:

the apple	the door	black	everything
often	the blood	the language	nothing
where	the moon	to show	good
who	the night	to try	bad
how			the book

V

Translate into English:

das Mäntelchen, unmerklich, monatlich, der Sommerregen; die Ruhe, ruhen; das Taschentuch, trinkbar, das Verlangen, die Wiederholung, unzählbar; der Zuhörer, die Zuhörerin; der Empfang, empfangen; bartlos; der Ehemann, die Ehefrau, das Eheglück; entschließen, der Entschluß; anfangen, der Anfang, der Anfänger; der Empfänger; die Erklärung, unerklärlich; das Gesellschafts-spiel; der Grund, grundlos; hochheben, hochhalten; der Kaffeetrinker, das Kaffeehaus, die Kaffeetasse; das Luftschiff, die Luftlinie

VI

Translate into English:

auf jeden Fall — bitten um — zum letzten Mal — danke schön
einen Monat lang — zum Beispiel — das heißt

VII

In each blank supply the proper form of the auxiliary to form the present perfect tense (as, ich habe geantwortet):

ich _____ gearbeitet
er _____ behauptet
Sie _____ gebeten
sie (she) _____ gefallen
ihr _____ gegangen
er _____ vergessen
ihr _____ genommen
sie (they) _____ getragen
ich _____ geblieben
er _____ gestorben
die Sonne _____ untergegangen

VIII

In each blank, as in VII, supply the proper form of the auxiliary to form the past perfect (as, ich hatte gewonnen):

er _____ gebunden
er _____ gehalten
wir _____ verloren
ich _____ gewesen
ihr _____ geschoben
sie (they) _____ gefallen
wir _____ gefahren
sie (they) _____ schon angefangen
er _____ noch nicht abgestoßen

IX

Conjugate in the present perfect and past perfect tenses:

tun — sprechen — werden — wachsen — warten — sein — haben

X

Give the third person singular of the present, past, present perfect, and past perfect tenses (as, er geht, er ging, er ist gegangen, er war gegangen):

fragen bringen helfen haben
treten wissen lesen sein

XI

Translate the following sentences and explain the use of the auxiliary verb in each:

a. Ich bin nach der Schule sogleich nach Hause gelaufen.
b. Er hat heute ein (1) Kilometer in drei (3) Minuten gelaufen.
c. Das Pferd hat den Wagen von Hamburg nach Berlin gezogen.
d. Ich bin von Berlin nach Hamburg gezogen.

LESSON XIII

TEXT A

Heute ist Freitag, und ich muß früh ins Bett. Heute muß ich früh ins Bett gehen. Am Montag mußte ich früh ins Bett. Am Dienstag mußte ich früh ins Bett gehen. Auch am Mittwoch habe ich früh ins Bett gemußt. Am Donnerstag habe ich früh ins Bett gehen müssen. Jawohl, ich muß immer früh ins Bett.

Er wollte nicht. Er hat nicht gewollt. Er wollte nicht arbeiten. Er hat nicht arbeiten wollen. Ich habe die ganze Nacht nicht geschlafen. Ich habe die ganze Nacht nicht schlafen können.

Ich habe ihn nie gehört. Ich habe ihn nie reden hören. Ich habe sie nie gesehen. Ich habe sie nie tanzen (dance) sehen.

Ich ließ ihn kommen. Ich habe ihn kommen lassen. Er ließ ihn ohne Geld nach Hause fahren. Er hat ihn ohne Geld nach Hause fahren lassen. Ich konnte ihn nicht ohne Geld nach Hause fahren lassen. Ich habe ihn nicht ohne Geld nach Hause fahren lassen können.

Er muß es getan haben.* Er muß sie Freitag gesehen haben. Er soll nach Deutschland gefahren sein. Frau Schmidt soll am Sonnabend gestorben sein. Meyer soll sein Geld verloren haben. Er hat es nicht verlieren müssen. Schulz ist reich und hat noch nie arbeiten müssen.

Diesen Kaffee kann ich dir empfehlen. Er riecht nicht nur frisch, er ist auch frisch. — Ich kann nicht so viel reisen wie du. Ich habe immer für meine Familie sorgen müssen.

Ich habe heute im Traum mein Mädchen geküßt. — Ich träume leider nie. Aber warum küßt du sie nur im Traum? — Sie ist stolz und trotzig und hat sich noch von niemand küssen lassen.

Bist du gefallen? Du blutest ja am Knie.

---

* Note the use of the past infinitive, which is just as frequent in German as in English. As in English, the past infinitive is composed of the past participle of the main verb and the infinitive of the auxiliary (*have* in English, sein or haben in German), the only difference being in the position of the participle, which in German *precedes* the auxiliary infinitive: Er muß es getan haben, *He must have done it,* as against Er muß es tun, *He must do it.*

VOCABULARY

angenehm agreeable, pleasant
außerordentlich extraordinary
der Brief the letter
der Bruder the *brother*
das Dach the roof
dunkel dark, obscure
edel noble; lofty
eilen to hasten, hurry
empfehlen to recommend
erlauben to *allow*, permit
der Garten the *garden*
geboren *born*
gemein *mean*, common; general
gering slight; inferior
gesund healthy, *sound*
das Gold the *gold*
das Gras the *grass*
grau *gray*
herbei here, hither
herrlich excellent, splendid
hervor forth, out
jedoch however
klingeln to ring
klopfen to knock, rap (beat)
das Knie the *knee*
leiden to bear, suffer; tolerate
messen to *measure*
die Milch the *milk*
der Nachbar the *neighbor*
nachher afterwards
nieder low; mean; down
der Punkt the *point*, period, dot
reich *rich*
reichen to *reach*; hand to; suffice
der Schatten the *shade*; *shadow*
der Schatz the treasure; beloved
schätzen to value, estimate
schmecken to taste
sicher safe; certain, steady
sorgen to care
stecken to *stick*; put (in pocket); pin
stolz proud
träumen to *dream*
-wärts (aufwärts) *-ward*, *-wards* (*upwards*)
die Weile the *while*, space (of time)
die Welt the *world*
wohl *well*; no doubt
ziemlich rather
das Zimmer the room
zurückkehren to turn back, return
der Zweck the purpose (use)

IDIOMS

auch wenn (wenn auch) although, even if
auf der Stelle at once, on the spot
sich auf den Weg machen to set out, start

TEXT B

Einem neugeborenen Kind kann man leider nicht gleich am ersten Tage Sauerkraut geben. Das heißt, man kann schon, aber es hat nicht viel Zweck. Man gibt ihm zuerst besser Milch. Etwa nach einem Jahre kann man dann mit dem Spinat[1] anfangen, und noch viel später bringt man das erste Sauerkraut auf den Tisch.

Wir haben es mit Ihnen, wenn wir uns so ausdrücken dürfen, leider nicht anders machen können; wir haben auch Ihnen zuerst Milch geben müssen und Sie „ich gehe, du gehst, er geht" lernen lassen. Mit blutendem Herzen (!) haben wir Sie beim Dativ schreien hören — und einfach schreien lassen. Mit väterlichem Stolz (!) haben wir Sie wachsen sehen und Ihnen — Sie haben recht, es war gemein — schon beim Genitiv den ersten Spinat[1] gegeben. Der Erfolg war besser, als wir erwartet hatten. Natürlich haben Sie den Spinat zuerst kaum essen können, vielleicht auch, seien Sie ehrlich, nicht essen wollen. Aber jetzt schmeckt er schon ganz gut, und es wird Zeit, das Sauerkraut auf den Tisch zu bringen.

Peter Schlemihl*

In Afrika, den 1. Juli 17—.

Mein lieber Freund!

Ich weiß, Du hast Deinen Peter Schlemihl nicht vergessen, auch wenn ich Dich seit langer Zeit nicht mehr habe sehen dürfen. „Und warum," fragst Du, „hast du mich nicht sehen dürfen?" Ich überreiche Dir hiermit die Geschichte meines Lebens. Lies sie und urteile nicht zu hart über einen Freund, dessen ganzes Leben durch eigene Schuld ein einziges Leiden gewesen ist. „Gewesen ist", denn ich bin am Ende meiner Kraft und dem Tode nahe.

Dein

Peter Schlemihl.

. . . .

Nach einer stürmischen und für mich sehr unangenehmen Seefahrt erreichten wir endlich den Hafen, und froh, wieder festen Boden unter mir zu haben, ging ich sogleich in den „Goldenen Löwen",[2] wo mich der Hausdiener nach einem schnellen Blick auf meine Kleidung in ein kleines Zimmer unter dem Dach führte. Da es noch früh am Tage war, holte ich sogleich meinen neu gewendeten schwarzen Rock hervor, steckte den Empfehlungsbrief an Herrn John in die Tasche und machte mich auf den Weg zu diesem Manne, der mir, wie ich hoffte, helfen sollte, in der Welt vorwärtszukommen.

---

* We found it quite impossible to avoid taking liberties in the retelling of this *Novelle* by Adelbert von Chamisso (1781–1838). The story is fantastic in nature. Just what the Schatten symbolizes, no one seems to know. Perhaps it would be wisest to follow Chamisso's advice and simply not hunt for a solution.

Es dauerte nicht lang, da konnte ich das helle Rot und Weiß des großen Steinhauses durch das Grüne sehen. Mit klopfendem Herzen zog ich die Klingel. Die Tür sprang auf. Ein Diener maß mich und meinen gewendeten Rock mit einem nicht sehr freundlichen Blick, verschwand jedoch, als er meinen Empfehlungsbrief sah, und führte mich, nachdem ich eine Zeitlang hatte warten müssen, in den Park, wo Herr John einer kleinen Gesellschaft soeben den Plan eines neuen Gartenhauses erklärte. Er empfing mich gut, das heißt, wie ein Reicher einen armen Teufel empfängt, und ich überreichte ihm meinen Empfehlungsbrief. „So, so," sagte er, nachdem er den Brief gelesen hatte, „von meinem Bruder. Er hat lange nichts von sich hören lassen. Nun, bleiben Sie hier, junger Freund, vielleicht finde ich nachher Zeit, mit Ihnen zu sprechen. Dann wollen wir sehen, was sich für Ihre Zukunft tun läßt. Mein Bruder ist doch noch gesund?" Er schien jedoch keine Antwort auf diese Frage zu erwarten, denn er wandte sich wieder zu der Gesellschaft, und man ging, ohne von mir weiter Notiz[3] zu nehmen, einer Stelle des Parkes zu, von der man einen weiten Blick auf das Meer hatte.

Der Anblick war wirklich groß und herrlich. Am Horizont erschien zwischen dem dunkelen Grün der See und dem tiefen Blau des Himmels ein weißer Punkt. „Ein Teleskop!" rief Herr John. Noch ehe ein herbeieilender Diener ins Haus laufen konnte, zog ein stiller, dünner, grau gekleideter Mann, der dicht vor mir stand und auch zur Gesellschaft zu gehören schien, ein langes Teleskop aus seiner Rocktasche und überreichte es Herrn John. „Ein Schiff!" rief dieser und reichte dann das Instrument seiner Nachbarin.

Während das ziemlich lange und schwere Teleskop von Hand zu Hand ging, sah ich erstaunt[4] auf den grauen Mann und konnte mir nicht erklären, wie er das große Instrument in seiner Tasche hatte haben können. Aber außer mir schien niemand etwas Außerordentliches dabei[5] zu finden, und man nahm von dem grauen Mann nicht mehr Notiz als von mir.

Mein Erstaunen[4] wuchs, als ich aus derselben kleinen Rocktasche des grauen Mannes nach einer Weile noch einen Tisch, ein Fäßchen Wein und schließlich sogar ein Pferd hervorkommen sah, ohne daß jemand ein Wort darüber[6] verlor oder dem Geber dankte. Wieder schien niemand etwas Außerordentliches dabei[5] zu finden.

Der graue Mann wurde mir so schrecklich, daß ich mich entschloß, die Gesellschaft zu verlassen. Schon hatte ich das Haus fast erreicht, als ich ihn zu meinem Schreck hinter mir her- und auf mich zukommen sah. Er nahm höflich den Hut vor mir ab und sagte mit leiser, etwas unsicherer Stimme: „Ich habe soeben mit unaussprechlicher Bewunderung den schönen, schönen Schatten beobachten können, den Sie in der Sonne sozusagen von sich werfen. Darf ich Sie bitten, mir diesen Schatten zu verkaufen?"

„Er muß nicht ganz richtig im Kopf sein", dachte ich und antwortete: „Guter Freund, haben Sie denn nicht an Ihrem eigenen Schatten genug?"— „Ich habe", fiel er mir sogleich ins Wort, „in meiner Tasche manches, was dem Herrn vielleicht gefällt, denn für diesen schönen, unschätzbaren Schatten halte ich den höchsten Preis für zu gering."

Diese Tasche! Es lief mir heiß und kalt über den Rücken,[7] und ich wunderte mich, wie ich ihn hatte „guter Freund" nennen können. „Aber, mein Herr," nahm ich schließlich wieder das Wort, „ich verstehe Sie wohl nicht recht. Wie kann ich Ihnen denn meinen Schatten verkaufen?"— „Erlauben Sie mir nur, diesen edelen Schatten hier auf der Stelle aufheben und mit mir nehmen zu dürfen. Wie ich das mache, das lassen Sie meine Sorge sein!" Er steckte die Hand in seinen grauen Rock und holte einen kleinen Geldsäckel[8] hervor. „Hier ist ein Glückssäckel,"[9] sagte er, „vielleicht versucht der Herr ihn einmal!" Ich griff hinein in den Glückssäckel und zog ein Goldstück hervor, und wieder eins, und wieder eins, und wieder eins. „Für diesen Säckel können Sie gern meinen Schatten haben!" rief ich lachend. Der graue Mann aber kniete nieder, und ich sah ihn meinen Schatten leise vom Grase aufheben, zusammenrollen und zuletzt in die Rocktasche stecken. Einen Augenblick später war er im Park verschwunden. Ich glaube, ich habe ihn lachen hören.

Wie im Traum verließ ich Park und Haus und ging zur Stadt zurück, aus der ich vor etwa einer Stunde als armer Hilfesuchender hinausgegangen war und in die ich jetzt reich, doch ohne Schatten, zurückkehrte.

[Fortsetzung folgt]

NOTES. 1. Spinat spinach. 2. Goldenen Löwen the Golden Lion (name of inn). 3. Notiz notice. 4. erstaunt, Erstaunen astonished, astonishment. 5. dabei in it (the act). 6. darüber about it. 7. Es . . . Rücken A chill went up and down my spine. 8. Geldsäckel moneybag. 9. Glückssäckel magic purse.

BUILDING A PASSIVE VOCABULARY

der Anblick an at, der Blick the look, glance, der Anblick view
ausdrücken aus out (*Latin* **ex-**), drücken to press, ausdrücken to express

die Bewunderung das Wunder the wonder, wundern to wonder, die Bewunderung the admiration
erreichen reichen to reach, hand to, erreichen to attain, gain
erscheinen scheinen to shine, seem, appear, erscheinen to appear
etwas *frequently means* somewhat
höchst *superlative form of* hoch, highest, greatest
höflich der Hof the court, höflich courteous, polite
schließlich schließen to close, shut, conclude, schließlich finally
schrecklich der Schreck the fright, schrecklich frightful, terrible
stürmisch der Sturm the storm, stürmisch stormy
der Tod töten to kill, der Tod (the) death
verlassen lassen to let, to leave, verlassen to leave, to abandon
weiter weit far, distant, weiter (*comparative form*) further. Weiter *frequently means* on; *as*, weiterreden to talk on, go on talking

GRAMMAR

82. Past Participles of Modal Auxiliaries. Each of the six modals has *two* past participles:

a. The participle which was learned in Lesson IX:

gedurft gekonnt gemocht gemußt gesollt gewollt

This form is used only when the dependent infinitive is not expressed:

Ich wollte es tun, aber ich habe es nicht gekonnt.
Warum hat er nicht gegessen? Er hat nicht gewollt.

b. A form without the ge- prefix which is *identical with the infinitive*:

dürfen können mögen müssen sollen wollen

This participle *always* stands last. The dependent infinitive always immediately precedes it. These two verb forms are commonly referred to as the "double infinitive."

The inflected verb in dependent clauses usually comes just before the double infinitive. This is an exception to the verb-last position. Examples:

Wir haben Ihnen zuerst Milch geben müssen.
Ich habe dich seit langer Zeit nicht sehen dürfen.
Es tut mir leid, daß du es nicht hast essen können.

Note the difference between

Er hat nicht essen können. He has not been able to eat.
Er kann nicht gegessen haben. He cannot have eaten.

83. Double Infinitive with hören, lassen, sehen. The double infinitive construction is used with a few verbs besides the modals, notably hören, lassen, and sehen. Examples:

Wir haben Sie beim Dativ schreien hören.
Wir haben Sie wachsen sehen.
Wir haben Sie einfach schreien lassen.

84. Declension of das Herz and der Herr in the Singular. Both das Herz and der Herr are irregular in the singular:

das Herz	der Herr
des Herzens	des Herrn (*no* s)
dem Herzen	dem Herrn
das Herz	den Herrn

85. Word Formation: Past Participles as Adjectives and Adverbs. The past participle may be used as a predicate adjective which requires no ending, as in Die Tür ist geschlossen, or it may be used and declined as an attributive adjective:

das geschriebene Wort, ein geschriebenes Wort
Er hat mir das versprochene Buch gegeben.
Das muß einen verborgenen Zweck haben.

The past participle may also be used adverbially:

Er kam unerwartet. Er hat es wiederholt gesagt.

86. Word Formation: Adjectives as Nouns. German adjectives may be used as nouns; they are then capitalized, but retain their inflectional endings:

ein Deutscher a German	ein Armer a poor man
der Deutsche the German	der Arme the poor man

die Schöne the beautiful girl *or* woman

Neuters are mostly abstract:

das Schöne the beautiful

87. Neuter Nouns Formed from Adjectives. Adjectives modifying and forming one part of speech with etwas *something*, nichts *nothing*, viel *much*, mehr *more*, wenig *little*, and alles *everything* (words which express an indefinite quantity) are (for the English-speaking student illogically) capitalized. They take neuter adjective endings. Examples:

Das ist etwas Außerordentliches. That is something (which is) unusual.

Verlange nichts Unmögliches. Do not expect anything (which is) impossible.

Er hatte viel Neues zu berichten. He had much (that was) new to report.

However:

Und Hildegard und Paul hatte er leider **etwas zurückhaltend** gemacht. Unfortunately he had made Hildegard and Paul somewhat bashful. (Etwas *modifies the adjective.*)

Learn or review the principal parts of the following verbs:

beißen	biß	hat gebissen	beißt	to bite
leiden	litt	hat gelitten	leidet	to suffer
nēhmen	nāhm	hat genommen	nimmt	to take
empfēhlen	empfāhl	hat empfōhlen	empfiehlt	to recommend
essen	āß	hat gegessen	ißt	to eat
messen	māß	hat gemessen	mißt	to measure

EXERCISES

I

Answer in German: 1. Was kann man einem neugeborenen Kind nicht gleich am ersten Tage geben? 2. Was gibt man ihm zuerst? 3. Wann kann man mit dem Spinat anfangen? 4. Wann bringt man das erste Sauerkraut auf den Tisch? 5. Wer hat Ihnen zuerst Milch geben müssen? 6. Wann haben wir Sie schreien hören? 7. Wie war der Erfolg beim Genitiv? 8. Was haben Sie zuerst nicht essen wollen? 9. Was bringen wir jetzt auf den Tisch? 10. Wo hat Peter die Geschichte geschrieben? 11. Wie soll der Freund urteilen? 12. Wer ist am Ende seiner Kraft? 13. Wie war die Seefahrt? 14. Wer war froh, wieder festen Boden unter sich zu haben? 15. Wohin führte der Diener Peter? 16. Warum machte Peter sich sogleich auf den Weg zu Herrn John? 17. War sein Rock neu? 18. Was ſteckte Peter in die Taſche? 19. Wohin führte der Diener unſeren Freund? 20. Empfing Herr John Peter freundlich? 21. Von wem war der Empfehlungsbrief? 22. Was erſchien am Horizont? 23. Wer zog ein Teleſkop aus der Taſche? 24. Wem überreichte Herr John das Inſtrument? 25. Was ſah Peter ſonſt noch aus der Taſche herauskommen? 26. Warum entſchloß ſich Peter, die Geſellſchaft zu verlaſſen? 27. Was hatte der Mann beobachten können? 28. Wer wollte Peters Schatten kaufen? 29. Wo hatte der Mann den Glücksſäckel? 30. Was tat er mit Peters Schatten? 31. Wie verließ Peter Haus und Park?

II

Translate into German: 1. He has not been able to eat since Sunday. 2. He has fallen into the snow. 3. She has had to work every day. 4. When are you coming? 5. I have often wanted to do it. 6. Has he been permitted to see her? 7. He was a beaten man. 8. Give him everything you have. 9. I have sent him my last penny. 10. Stuttgart is a fast-growing city. 11. I have forgotten my watch. 12. I know your old friend, Mr. Miller. 13. Although I have wanted to go since Tuesday, I have had no time.

III

Translate into English:

ſteigen	der Boden	daher	richtig	verwandeln	hell
reizen	bezahlen	damit	ſchlank	der Markt	zwar
beißen	bis	riechen	heilig	die Löſung	nahe

IV

Translate into German:

the rain	to marry	the spring	complete
the city	March	ready	to listen
the line	July	the voice	together
last	to console	the cup	definitely

V

Translate the following compounds and derivatives:

der Regenmantel; du biſt mein Augapfel; grasgrün; die Bruderliebe; das Hausdach; Traum, träumen, der Träumer; der Briefträger; er iſt der Letzte in der Klasse; ein viel gelesenes Buch; unerklärlich; beißen, der Biß; unentschlossen; greifen, der Griff; nachbarlich; meßbar; ein vielsagender Blick; ein Täßchen Kaffee; das Weilchen; zwecklos; brüderlich; der Kuß, küssen; er war ausgesprochen unfreundlich; himmelblau, dunkelrot; ein Armer, der Reiche, eine Deutsche; das Nasenbluten.

VI

Translate into English:

morgen früh	das heißt	zum letzten Mal	noch nicht	noch immer
auf Wiedersehen	noch einmal	es tut mir leid	heute morgen	gar nichts

VII

Conjugate in the present perfect and past perfect tenses:

ich habe arbeiten müssen
ich habe teilen wollen
ich habe nicht sprechen dürfen
ich habe nicht schlafen können
ich habe jeden Tag gehen wollen
ich habe ihn kommen sehen
ich habe ihn reden hören

VIII

Underline the double infinitives in Text A and Text B.

IX [Review]

In each blank supply the correct relative pronoun: 1. Dies ist das Kind, _____ Bett zu kurz ist. 2. Eine Frau, _____ Hut grün ist, muß einen neuen Hut kaufen. 3. Ist das die Gans, _____ du verkaufen willst? 4. Ist das der Herr, _____ Frau so schön ist? 5. Das Buch, _____ sie jetzt liest, ist interessant. 6. Ich komme gerade aus einer Klasse, in _____ man nicht lachen darf. 7. Er ist der Herr, _____ ich mein ganzes Geld gegeben habe. 8. Er hat den Apfel, _____ ich essen wollte.

X

Change all nouns to corresponding (personal) pronouns: 1. Die Frau hilft dem Mann. 2. Frau Meyer macht eine Reise. 3. Herr Meyer liest die Zeitung. 4. Anna sitzt neben Frank. 5. Paul glaubt nicht an den Teufel. 6. Hans kann die Geschichte nicht verstehen.

LESSON XIV

TEXT A

„Mutter, darf ich ein Stückchen Apfelkuchen haben?" — „Nein, mein Kind, jetzt nicht. Wir essen gleich, und wenn du jetzt Apfelkuchen ißt, magst du nachher nichts mehr essen." — „Was gibt es denn heute abend?" — „Du weißt doch, Vater hat eine Gans geschossen." — „Ach ja! Nun, dann kannst du mir noch ein Stück Apfelkuchen geben. Gans mag ich immer, auch wenn ich schon satt[1] bin." — „Ja, ja, so ist die Jugend. Sie ist glücklich, ohne es zu wissen. Wenn man so alt ist, wie ich, muß man dauernd an seine schlanke Linie denken. Kartoffeln, Erbsensuppe,[2] Butter oder Kuchen wage ich kaum noch zu essen. Ich bin wirklich schon zu stark. Ich glaube, ich habe mich seit einem Monat nicht mehr satt gegessen. Oft bin ich auf meine eigenen Töchter neidisch." — „Ja, ja, Frau Müller, da haben Sie recht. Aber ich weiß ja auch nicht, warum Sie geheiratet haben. Sie hatten es doch bestimmt nicht nötig. Sie verdienten doch ein ganz schönes Geld als Lehrerin. Ich heirate nicht, das kann ich Ihnen sagen. Dieses Ehe- und Familienleben ist doch wirklich nicht so schön." — „Aber im Gegenteil, Fräulein Schmidt, das Familienleben ist außerordentlich schön. Und sagen Sie ja nicht in Gegenwart meines Mannes, daß Sie nicht heiraten wollen. Er glaubt es Ihnen doch nicht. Trinken Sie noch ein Täßchen Kaffee, oder wollen Sie vielleicht ein Gläschen Apfelwein?"

„Aber Maria, du hast schon wieder das Licht im Spielzimmer brennen lassen. Deck jetzt den Tisch!"

Die Statistik zeigt, daß nach einem großen Kriege immer mehr Jungens[3] als Mädchen geboren werden. Die Natur verbessert sozusagen die Fehler, die wir in unserer Unvernunft machen.

Trauere nicht um etwas, was du nicht ändern kannst! Laß die Vergangenheit Vergangenheit sein und schreite frohen Mutes in die Zukunft!

NOTES. 1. satt satisfied; satt sein to have one's fill. 2. Erbsensuppe pea soup. 3. Jungens boys. (This is one of the very *few* nouns in German that form their plural in -s.)

VOCABULARY

bald soon
befehlen to command
bewegen to move, budge
brennen to *burn*
der Bürger the citizen
decken to cover; set (table)
dort there
der Durst the *thirst*
einschlafen to go to sleep
fehlen to miss; be lacking to
  der Fehler the mistake, error
das Feuer the *fire*
der Finger the *finger*
der Friede(n) the peace
das Gebäude the building
gelingen (*impers. w. dat.*) to succeed
geschehen to happen, take place
gießen to pour; cast
glänzen to glitter, gleam
der Haufe(n) the *heap*, pile; crowd
das Heil the happiness; salvation; welfare
hundert *hundred*
jagen to hunt; chase
lehren to teach
die Leute the people
das Licht the *light*
die Mauer the wall (outside)
die Menge the crowd; quantity
der Meter the *meter*
müde tired
der Narr the fool
der Ort the place; town
das Paar the *pair*; couple
  ein paar a few
das Rathaus the city hall
schreiten to step, pace; walk
die Schule the *school*
singen to *sing*
der Sinn the sense; mind
das Tier the animal, beast
trauern to grieve, mourn
treu *true*, faithful
der Vogel the bird
voll *full*, filled, replete
vorschlagen to propose, move
der Wagen the *wagon*, carriage, car
wahr true, real
der Wirt the innkeeper, landlord
zunächst first of all; at first
der Zweifel the doubt

IDIOMS

es gelingt mir I succeed
heute morgen this morning
noch nie never before
über und über all over, thoroughly

TEXT B

Peter Schlemihl

[Fortsetzung]

Noch heute, nach so langer Zeit, habe ich die Schrecken jenes Tages nicht vergessen. Wie heiß habe ich gewünscht, wie oft in unsagbarer Not zu Gott geschrieen, nur diesen e i n e n Tag meines Lebens noch einmal leben zu dürfen! Aber der Allmächtige vergibt uns wohl unsere Fehler, ungeschehen machen kann auch er sie nicht. Noch immer ziehe ich schattenlos durch die Welt und habe lange an keinem Orte Ruhe oder Frieden finden können. Wie jung, wie unerfahren muß ich gewesen sein, als ich an jenem Tage mit leichtem Herzen und frohem Mut zur Stadt zog! Noch nie, so glaubte ich, hatte die Sonne so hell vom Himmel geschienen, noch nie, so schien es mir, hatte ich die Vögel in den Gärten so herrlich singen hören. „Mir ist es gleich," so sagte ich mir mit jugendlich leichtem Sinn, „ob ich einen Schatten habe oder nicht. Ohne Schatten kann man leben, ohne Geld nicht. Und wenn die Leute voll Neid auf mein Gold mit Fingern auf mich zeigen, so laß sie doch! Geld ist Macht, Geld tut Wunder, Geld macht frei." So unterdrückte ich alle Zweifel. Ich Narr!

Kaum war ich ein paar hundert Meter gegangen, da hörte ich hinter mir jemand laut schreien: „He, he, junger Herr, Sie haben ja Ihren Schatten verloren!" — „Danke, Mütterchen!" sagte ich, warf der alten Frau ein Goldstück zu und setzte meinen Weg fort. „Aber wo hat denn der feine Herr seinen Schatten gelassen?" fragte beißend ein Mann im Vorbeigehen, und „Heilige Maria, der arme Mensch hat keinen Schatten!" riefen ein paar Mädchen, die am Brunnen vor der Stadtmauer spielten, wie aus e i n e m Mund. Das fing an, mir unangenehm zu werden, und ich versuchte, so wenig wie möglich in die Sonne zu treten. Zu meinem Unheil kam ich gerade in dem Augenblick auf den Markt, als die Schule zu Ende war und die Schüler aus der Klasse auf die Straße stürzten. Ein frischer kleiner Bengel,[1] ich sehe ihn noch heute, merkte gleich, daß mir der Schatten fehlte, und sogleich folgte mir die ganze Gesellschaft mit großem Geschrei. Bald lief die ganze Stadt, Schüler, Väter, Mütter, Töchter, Hafenarbeiter, Meister, Lehrer und junge Hunde[2] hinter mir her, und wie ein gejagtes wildes Tier lief ich um mein Leben. In meiner Not warf ich endlich, um Zeit zu gewinnen, Gold unter die Menge. Das half. Es gelang mir, einen Wagen zu finden, ein paar gute Bürger halfen mir hinein und retteten so mein Leben.

Allein im Wagen, fing ich bitterlich an zu weinen. Schon in jenem Augenblick muß es mir klar geworden sein, daß alles Gold der Welt ein Nichts ist gegen den Schatten, gegen „diesen unschätzbaren Schatten", wie ihn der graue Mann so wahr und richtig genannt hatte. Es tat mir leid, daß ich ihn verkauft hatte. „Was," so fragte ich mich, „was soll aus dir noch werden?"

Im „Goldenen Löwen" angekommen, warf ich dem Diener, demselben, der mich am Morgen in ein kleines Zimmer unter dem Dach geführt hatte, trotzig ein Goldstück hin, bezahlte meine Rechnung und befahl, vor das beste Hotel zu fahren. Dort ließ ich mir die besten Zimmer geben und schloß mich ein, sobald ich konnte.

Und was glaubst Du, lieber Freund, was ich anfing, als ich allein auf meinem Zimmer war? O, urteile nicht zu hart! Ich zog den unglücklichen Glückssäckel[3] hervor, griff hinein, holte Gold heraus, und Gold, und Gold, und immer wieder Gold, ließ es langsam durch meine Finger laufen, freute mich an seinem Glanze, legte es auf den Tisch, warf es auf den Boden, zog neues Gold hervor und warf es wieder von mir, bis der Boden meiner Zimmer über und über mit Gold bedeckt war und ganze Haufen Gold auf Tisch und Bett lagen. So kam der Abend. Ich schloß die Tür nicht auf. Die Nacht fand mich, schon todmüde, noch immer mit dem Golde spielend. Auf dem Golde liegend schlief ich schließlich ein.

Am folgenden Morgen erwachte ich wie einer, der einen bösen Traum gehabt hat und noch nicht ganz sicher ist, ob es wirklich nur ein Traum war. Ich fürchtete mich, und eine Zeitlang wagte ich nicht, die Augen[2] zu öffnen. „Es muß nur ein Traum gewesen sein", sagte ich mir. Aber mein Rücken schmerzte von dem harten Gold, auf dem ich eingeschlafen war, und diese Schmerzen waren wirklich.

Hungrig, durstig und niedergeschlagen stand ich endlich auf. Die helle Morgensonne schien schon durch die Fenster, schien auf die roten Goldstücke[2] am Boden und brannte wie ebenso viele Feuer in meine Augen. Ich versuchte, das Gold wieder in den Säckel zu stecken. Gold herausnehmen konnte man, soviel man wollte, Gold hineinstecken nur soviel wie in jeden anderen Säckel auch. Ich hob also Stück für Stück vom Boden auf und verbarg den ganzen Schatz in meinem Schlafzimmer. Dann ließ ich mir eine Tasse Kaffee und etwas zu essen bringen.

Den ganzen Tag wagte ich keinen Schritt aus meiner Tür und hielt mich in meinen Zimmern eingeschlossen, ausgeschlossen für immer aus aller menschlichen Gesellschaft. Ein armer Reicher stand ich hinter meinen Fenstern und sah voll Neid auf die Straße und auf den Marktplatz gegenüber. Aber ich sah nicht auf die Leute, sondern auf ihre Schatten.

Diese Schatten! Sie wurden langsam, langsam kürzer und langsam, langsam wieder länger. Die Zeiger[4] der großen Rathausuhr, die ich von meinen Fenstern aus[5] beobachten konnte, schienen sich nicht von der Stelle bewegen zu wollen. Noch nie war mir ein Tag in meinem Leben so lang geworden wie dieser, der eine Ewigkeit zu dauern schien.

Erst spät am Abend, als der Mond schon voll am Himmel stand und sein weißes Licht über die Stadt goß, machte ich mich zum Ausgehen fertig, warf mir einen weiten Mantel um, drückte den Hut tief ins Gesicht und verließ, mich zunächst vorsichtig im Schatten der Gebäude haltend, mit klopfendem Herzen das Haus, um noch einmal mein Urteil aus dem Munde der Leute zu hören.

O, lieber Freund, verlange nichts Unmögliches! Ich kann, ich kann Dir nicht wiederholen, was ich an jenem Abend erfahren mußte. Ich hörte mein Urteil aus jedem Wort, las es aus jedem Blick: Ausgestoßen aus aller menschlichen Gesellschaft, erst im Tode wieder Frieden zu finden.

Noch blieb mir e i n e Hoffnung. Ich mußte den grauen Mann finden. Ich schickte also Bendel, meinen neuen Diener, den mir der Wirt als treu und ehrlich empfohlen hatte und der mir bald zum Freund wurde, am nächsten Morgen zum Hause des Herrn John. Traurig kam er am Abend zurück. Niemand aus der Gesellschaft, er hatte mit den meisten sogar selbst gesprochen, hatte sich an den Mann im grauen Rock erinnern können. Das neue Teleskop war noch da, aber niemand wußte, wo es überhaupt hergekommen war.

Ich war am Ende meiner Kraft und bat den guten Bendel, mich allein zu lassen. Er blieb: „Erlauben Sie mir noch zu berichten, daß ich heute morgen vor der Tür einem Mann begegnet bin, der mir im Vorbeigehen zurief: ‚Sagen Sie Ihrem Herrn, daß ich leider eine Reise machen muß und ihn daher heute nicht besuchen kann. Aber ich komme nach genau einem Jahre wieder und kann ihm dann vielleicht ein besseres Geschäft vorschlagen. Herr Schlemihl weiß schon, was ich meine.'"

Mein Diener ging. Ich war allein. Ein Jahr hatte er gesagt, ein ganzes Jahr! Und jeder Tag eine Ewigkeit!

[Fortsetzung folgt]

NOTES. 1. Bengel rascal. 2. Hunde, Augen, Goldstücke (plural forms) dogs, eyes, gold pieces. 3. Glückssäckel magic purse. 4. Zeiger hands. 5. aus. Omit in translating.

BUILDING A PASSIVE VOCABULARY

ändern ander other, different, anders different(ly), otherwise, ändern to make different, to change, alter
aufschließen auf open, schließen to close, shut, lock, aufschließen to unlock. (Zuschließen to lock up. Zu to, closed)
aufstehen auf upon, up, stehen to stand, aufstehen to stand up, get up, arise
ausgestoßen aus out, stoßen to thrust, push, ausgestoßen pushed out, cast out, rejected, exiled
bedeckt decken to cover, bedeckt covered, covered up
erwachte wach awake, erwachte awakened
die Ewigkeit ewig eternal, die Ewigkeit eternity
das Geschrei schreien to cry, shout, das Geschrei the cry, shout(ing)
kürzer kurz short, kürzer shorter
länger lang long, länger longer
der Neid neidisch envious, der Neid envy, jealousy
der Schüler die Schule the school, der Schüler the schoolboy
ungeschehen geschehen to happen, take place, ungeschehen (unhappened) undone
unterdrücken unter under, drücken to press, unterdrücken to hold down, suppress
vergeben geben to give, vergeben to forgive
verließ *past tense of* verlassen to leave, forsake
vorsichtig vor before, Sicht (*from* sehen to see) sight, vorsichtig seeing beforehand, cautious, careful(ly)

GRAMMAR

88. Plural of Nouns. There are in German only a very few nouns that form their plural by adding -s. Most of them are foreign nouns with un-German sound combinations, as: Leutnant, Auto, Orang-Utan, Café. German nouns form their plural in four ways:

a. By adding nothing (but sometimes taking an umlaut).
b. By adding an -e (and sometimes an umlaut).
c. By adding -er (and the umlaut whenever possible).
d. By adding -n or -en (never an umlaut).

The verb form, a preceding der- or ein-word, or the adjective ending usually indicates whether a noun is singular or plural. Sometimes, however, these aids fail. It is therefore suggested that even students who wish merely reading ability make themselves acquainted with the four types of plural formation and also learn the plural of those nouns which are introduced in the vocabularies of each lesson. (The student will not be expected to learn the genders and plurals of nouns of verb-noun pairs (cf. § 68) where the verb is introduced.)

In order to simplify the learning of the plurals they will be taken up in the order given above, one group or class being given in each lesson.

89. Nouns of the First Class. Nouns of this class do not add an ending to form the plural. Some of them (there is no rule in this respect) add the umlaut. To this class belong:

a. Most masculine and neuter nouns ending in -el, -en, -er. Examples:

der Apfel   der Kuchen   der Vater
die Äpfel   die Kuchen   die Väter

b. All diminutives, that is, nouns ending in -chen and -lein. Examples:

das Mädchen   die Mädchen   das Fräulein   die Fräulein

(Cf. § 61.)

c. Two feminines:

die Mutter   die Mütter   die Tochter   die Töchter

d. A few neuters which have the prefix Ge- and the suffix -e, of which only das Gebäude (plural, die Gebäude) *the building*, and das Gemüse (plural, die Gemüse) *the vegetable*, will be used in this book.

The nouns in this class which have been introduced are:

a. Those which require the umlaut in the plural:

der Apfel   der Bruder   der Hafen   der Vater
der Boden   der Garten   der Mantel   der Vogel

b. Those which do not add an umlaut in the plural:

der Brunnen	das Feuer	der Meiſter	der Rücken	der Winter
der Bürger	der Finger	der Meter	der Schatten	das Wunder
der Enkel	der Himmel	der Morgen	der Wagen	das Zimmer
der Fehler	der Kuchen	der Onkel	das Waſſer	der Zweifel

A small group of masculines belong in this class which are regular except in the nominative singular. They include:

	SINGULAR		
NOM.	der Friede(n)	der Haufe(n)	der Name
GEN.	des Friedens	des Haufens	des Namens
DAT.	dem Frieden	dem Haufen	dem Namen
ACC.	den Frieden	den Haufen	den Namen
	PLURAL		
NOM.		die Haufen	die Namen
GEN.	*No*	der Haufen	der Namen
DAT.	*plural*	den Haufen	den Namen
ACC.		die Haufen	die Namen

Henceforth plural forms of words belonging in the classes which have been studied will be given together with the words in the vocabularies as they are introduced.

90. Dative Plural. In the dative plural all nouns end in =n. Thus, if the plural form does not end in =n, this ending must be added. If, however, the plural form already ends in =n, no change is made.

91. Der=Words, Relative Pronouns, ein=Words, and Adjective Endings in the Plural. The plural forms for these words are the same for all genders.

	der=Words		Relative Pronouns		ein=Words	Strong Adjective Endings
NOM.	die	dieſe	die	welche	meine	gute
GEN.	der	dieſer	deren	—	meiner	guter
DAT.	den	dieſen	denen	welchen	meinen	guten
ACC.	die	dieſe	die	welche	meine	gute

92. Review of Strong and Weak Adjective Endings

	STRONG [der-words; adjective endings following uninflected article or no article.]				WEAK [After der-words or inflected ein-words.]			
	Masc.	Fem.	Neut.	Pl.	Masc.	Fem.	Neut.	Pl.
NOM.	er	e	es	e	e	e	e	en
GEN.	es*	er	es*	er	en	en	en	en
DAT.	em	er	em	en	en	en	en	en
ACC.	en	e	es	e	en	e	e	en

93. Word Formation: Adjectives in -ig. The suffix -ig may be added to nouns and adverbs to form adjectives denoting possession of the quality indicated in the stem (cf. English *-y*):

der Hunger, hungrig
der Durst, durstig
die Vorsicht (care, precaution), vorsichtig (careful)
der Trotz, trotzig
die Ruhe (ruhen), ruhig (restful, peaceful, calm)
die Vernunft, vernünftig
am heutigen Tage on this day

Learn or review the principal parts of the following verbs as a part of this lesson:

beißen	biß	hat gebissen	beißt	to bite
schreiten	schritt	ist geschritten	schreitet	to step
schließen	schloß	hat geschlossen	schließt	to close
gießen	goß	hat gegossen	gießt	to pour
sinken	sank	ist gesunken	sinkt	to sink
singen	sang	hat gesungen	singt	to sing
gelingen	gelang	ist gelungen	gelingt	to succeed
empfēhlen	empfāhl	hat empfōhlen	empfiehlt	to recommend
befēhlen	befāhl	hat befōhlen	befiehlt	to command
sēhen	sāh	hat gesēhen	sieht	to see

*In literary style the strong ending for attributive adjectives preceding masculine and neuter nouns is -en instead of -es: Sie sind voll süßen Weines. *They are full of sweet wine.* Colloquial German avoids such constructions.

geschēhen	geschāh	ist geschēhen	geschieht	to happen
schlāgen	schlūg	hat geschlāgen	schlägt	to beat
vorschlāgen	schlūg vor	hat vorgeschlāgen	schlägt vor	to suggest
schlāfen	schlief	hat geschlāfen	schläft	to sleep
einschlāfen	schlief ein	ist eingeschlāfen	schläft ein	to go to sleep
kommen	kām	ist gekommen	kommt	to come
ankommen	kām an	ist angekommen	kommt an	to arrive
kennen	kannte	hat gekannt	kennt	to know
brennen	brannte	hat gebrannt	brennt	to burn

EXERCISES

I

Answer in German: 1. Was konnte Peter noch nicht vergessen? 2. Zu wem hat er in unsagbarer Not geschrieen? 3. Was vergibt uns der Allmächtige? 4. Was konnte Peter nicht finden? 5. Wohin zog er? 6. Wo sangen die Vögel? 7. Was schrie jemand hinter ihm? 8. Was warf er der alten Frau zu? 9. Was riefen die Mädchen? 10. Was war gerade zu Ende, als Peter auf den Markt kam? 11. Wer stürzte auf die Straße? 12. Wer lief hinter ihm her? 13. Wie lief er? 14. Warum warf er Gold unter die Menge? 15. Wer half ihm in den Wagen? 16. Was tat er, als er im Wagen war? 17. Wer hatte den Schatten „unschätzbar" genannt? 18. Wie warf Schlemihl dem Diener ein Goldstück zu? 19. Welche Zimmer im Hotel nahm er? 20. Was holte er aus seinem Säckel? 21. Wohin warf er das Gold? 22. Wo schlief er ein? 23. Was wagte er eine Zeitlang nicht? 24. Was sagte er sich? 25. Wo verbarg er den Schatz? 26. Wie lange blieb er in seinen Zimmern? 27. Beobachtete er die Leute? 28. Was schien sich nicht von der Stelle bewegen zu wollen? 29. Wie ging der Tag vorbei? 30. Wann verließ er das Haus? 31. Wann konnte er hoffen, wieder Frieden zu finden? 32. Wen mußte er finden? 33. Wer hatte Bendel empfohlen? 34. Wohin schickte Peter seinen Diener? 35. Wer war am Ende seiner Kraft? 36. Wem war der Diener begegnet? 37. Wann will der graue Mann wiederkommen?

II

Translate into German: 1. The citizens of the city were otherwise very satisfied. 2. They have no grandchildren. 3. We have wanted to eat the cake. 4. Where are the apples we saw Saturday?

5. In our class we make few mistakes. 6. His fingers are quite short. 7. He has bought a large house with many rooms. 8. We were working on the roof of the building when someone suddenly cried, "You have forgotten the windows!" 9. My brothers died when I was young. 10. The birds return every spring. 11. She has more uncles than brothers. 12. The windows were closed. 13. We have not been able to work. 14. I know that she has wanted to go.

III

Translate into English:

leise	die Zukunft	gewöhnlich	Dienstag	gemein
Freitag	die Vergangenheit	nahe	das Faß	der Pfennig
daher	ehrlich	sogleich	böse	der Sieg
damit	der Hafen	sogar	fest	die Spitze
		erwarten		

IV

Translate into German:

the church	to pull	to begin
to cost	the newspaper	the beard
the war	to be sure	to explain
to smile	Wednesday	the peace
to hide	March	proud

V

Translate the following compounds and derivatives:

das Blut, bluten, blutig; der Träumer; der Ruf, rufen; die Heilsarmee; kräftig, mächtig, allmächtig, der Allmächtige; der Schatten, schattig; die Schuld, schuldig, die Unschuld, unschuldig, schuldlos; windig, trotzig, unerklärlich, unerklärbar, teilbar, brechbar, meßbar; rückwärts; der Empfang; die Wiederholung; zuhören, der Zuhörer; der Arbeiter, die Arbeiter; der Besucher, die Besucher; der Erzähler, die Erzähler; dienen, der Diener, die Diener; lehren, der Lehrer, die Lehrerin, die Lehrer; führen, der Führer, die Führer; der Sprecher, die Sprecher; der Schmerz, schmerzen; hassen, der Haß; die Luftlinie; schattenlos; der Schatz, schätzen; die Antwort, antworten; je mehr . . . desto besser; das Näslein

VI

Translate into English:

auf der Stelle
über und über rot
auf Wiedersehen
nach und nach
sie soll glücklich sein
Sie waren nicht zu Hause
er wiederholt es gern
ihr habt recht

VII

Decline in the singular and plural:

der Meister
unser guter Kuchen
dieses kleine Zimmer
kein blauer Vogel
jener kalte Brunnen
der große Haufe
dein schöner Name
mein Fenster
der rote Apfel

VIII

In each blank supply the proper ending: 1. Mein----- klein----- Enkel ist letzte Woche gestorben. 2. D----- Zimmer in dies----- Haus sind viel zu klein. 3. Dies----- Kuchen sind für Sie. 4. Wir müssen unser----- Wagen (*sing.*) waschen (wash). 5. Wir müssen unser----- Wagen (*pl.*) waschen. 6. D----- gut----- Bürger d----- alt----- Stadt riefen hurra. 7. Er gab mein----- Brüdern viel Geld. 8. D----- Schrecken des Krieges waren groß. 9. England hat gut----- Häfen.

IX

Conjugate in the past:

befehlen
ankommen
vorschlagen
singen
einschlafen
schreiten
singen dürfen
helfen müssen
verdienen können
wollen

X

Conjugate the above verbs in the present perfect.

LESSON XV

TEXT A

Der Mensch, so hört man oft von Leuten, die durch den Krieg nichts gelernt haben, ist das höchste, das edelste und das schönste Wesen, das die Natur hervorgebracht hat. Vielleicht haben sie trotz allem recht, vielleicht sind wir etwas zu pessimistisch. Aber wir wollen vorsichtig sein und sagen daher nur: Der Mensch ist das höchste Wesen, das die Natur hervorbringen will. Zweifellos will die Natur uns einmal zu „vernünftigen Tieren“ machen. Aber heute ist der Mensch unvernünftiger als das vernunftlose Tier. Wir haben zum Beispiel die Möglichkeit, die ganze Erde in einen Garten zu verwandeln. Aber uns fehlt der gute Wille. Statt unsere Städte wohnlicher und unser Land schöner zu machen, stecken wir unsere Arbeit und unser Geld in Kriegsschiffe und Tanks und führen[1] Kriege, die unsre Enkel bezahlen müssen. Auch im eigenen Lande kämpft eine Klasse gegen die andere, und jeder einzelne will sich das Leben auf Kosten anderer leichter machen.

„Ich habe leider einen sehr starken Bart, einen außerordentlich starken Bart sogar. Können Sie mir eine ganz besonders gute Rasier-Creme[2] empfehlen?“ — „Gewiß, mein Herr, mein Bart ist ebenso stark wie Ihr Bart, vielleicht noch etwas stärker. Aber wie die meisten Herren mit starkem Bart gebrauche ich schon seit Jahren ‚Ososchnell‘. Versuchen Sie es einmal. Wenn Sie mit der Wirkung nicht zufrieden sind, gebe ich Ihnen Ihr Geld gern zurück.“

Durch Schweigen erreicht man oft mehr als durch viele Worte. Was du tun mußt, tue heute! Schiebe nichts von einem Tag auf den anderen!

Das Schaf auf dem Bild im „Zerbrochenen Krug“ fraß Gras. Der Löwe fraß zuerst auch Gras, aber dann wurde er leider blutdürstig und fraß das arme Schaf.

„Ich höre, deine Frau spricht Englisch fließender[3] als Deutsch.“ — „So, das ist mir neu. Aber vielleicht hast du recht. Sie macht zwar viele Fehler, aber wenn sie einmal anfängt, hört sie so bald nicht wieder auf.“[4]

„Unsere Eva geht so gern in die Sonntagsschule, Frau Müller. Sie fängt schon Montags an, ihren Bibelvers zu lernen, damit sie ihn Sonntags auch ja auswendig kann. Sie ist wirklich ein gutes Kind, nicht wahr?“ —

„Ich weiß, warum Ihre Eva so gerne in die Sonntagsschule geht. Wir halten die Sonntagsschule nämlich in demselben Raum, in dem Mittwoch abends der Missionsverein zusammenkommt, um für die armen Schwarzen in Afrika Strümpfe zu stricken.[5] Und in diesem Raum steht ein Schwarzer aus Gips.[6] Wenn man ihm einen Pfennig in den Mund wirft, dann nickt er mit dem Kopf und sagt ‚Danke schön!'"

NOTES. 1. führen wage. 2. Rasier=Creme shaving cream. 3. fließender more fluently. 4. hört . . . auf does not stop. 5. stricken knit. 6. Gips plaster.

VOCABULARY

der Baum, ⸚e the tree
besonder special
die Blume the flower
damals then, at that time
dringen to enter by force; penetrate
die Ehre the honor
die Eltern the parents
die Feder the pen; *feather*; spring
feiern to celebrate
das Fest, –e the *feast*; festival
fliegen to *fly*
die Freude the joy, pleasure
die Frucht, ⸚e the *fruit*
der Gast, ⸚e the *guest*
die Gewalt the power; force
gewiß certain, sure
der Graf the count
der Kampf, ⸚e the combat, battle; struggle
der König, –e the *king*
die Lust, ⸚e the desire; pleasure
die Mitte the *middle*, center
der Raum, ⸚e the *room*; space
das Reich, –e the realm; empire
reiten to *ride* (horseback)
scheiden to separate; part
schneiden to cut
schwach weak, feeble
setzen to *set*, place, put
sonder= special . . .
  besonders especially
  sonderbar peculiar, strange
der Stern, –e the *star*
stumpf dull, blunt
der Ton, ⸚e the sound, *tone*
der Verein, –e the club, organization
voraus ahead; in advance
weg *away*; off; gone
das Wesen, – the being; creature; essence
das Wetter, – the *weather*
das Ziel, –e the aim, goal
der Zustand, ⸚e the condition

IDIOMS

auf dem Lande sein to be in the country
auf das Land gehen to go to the country
immer öfter more and more frequently
immer unangenehmer more and more unpleasant
nicht wahr? isn't that so?
vor allem above all

TEXT B

Peter Schlemihl [Fortsetzung]

Hast Du gewußt, mein Freund, daß ein Mensch noch viele Jahre leben kann, auch wenn sein Herz schon lange gestorben ist? Ich hoffe, Du brauchst es nie zu erfahren. Ich — ich habe es erfahren.

Wenn leben mehr ist als essen, trinken und schlafen, wenn Lust und Leid, Freude und Schmerz, wenn Lachen, Weinen und Lieben auch zum Leben gehören, wenn, mit einem Wort, leben „Mensch sein" heißt, dann war jenes Jahr, in dem ich auf den grauen Mann wartete, das letzte meines Lebens. Noch esse, schlafe und arbeite ich, noch halten meine schwachen Finger die Feder. Doch mein Herz ist kalt und tot. Meine Sinne sind stumpf. Das Feuer ist ausgebrannt.

Es ist mir unmöglich, Dir, mein Freund, mit farblosen, nichtssagenden Worten ein treues Bild jener Tage zu geben. Nicht der Peter, der heute diese Worte schreibt, hat damals Dienern Befehle gegeben, Feste gefeiert, Gäste empfangen, Goldstücke wie Pfennige weggeworfen und an langen Tischen in weiten, auf besondere Art erleuchteten[1] Räumen seinen Freunden die besten Weine und die feinsten Früchte vorgesetzt. Nein, nicht ich habe damals in dunklen Nächten, wenn der Mond nicht schien, das lieblichste aller Wesen in meinen Armen gehalten und ihren Mund mit Küssen bedeckt. Nicht ich. Jener Schlemihl starb, als . . .

Doch ich will nicht mit dem Ende anfangen.

Als alle Versuche, den grauen Mann zu finden, erfolglos geblieben waren, als an jeder Ecke schon die Bürger die Köpfe zusammensteckten und mit vielsagenden, bösen Blicken immer öfter über den Mann ohne Schatten redeten, machte ich mich endlich reisefertig und ritt eines Morgens mit Bendel und fünf anderen Dienern unbeobachtet aus der Stadt — im Regen, als man weder von den Pferden noch von den Reitern einen Schatten verlangen konnte.

Ich war fest entschlossen, in einem kleinen Städtchen auf dem Lande ein Jahr lang so verborgen und zurückgezogen wie möglich zu leben — und auf den grauen Mann zu warten.

Doch es kam ganz, ganz anders.

Ich hatte einen meiner Diener vorausgeschickt, mir eine Wohnung zu suchen. Er mußte sich aber wohl etwas zu unbestimmt über meine Person ausgedrückt haben. Auf jeden Fall schienen die guten Leute des Städtchens auf die sonderbarsten Gedanken gekommen zu sein. Denn als ich nach drei oder vier Tagen mit meinem Wagen, den ich Schattenloser des schönen Wetters wegen[2] hatte nehmen müssen, ankam, sahen wir etwa eine halbe Stunde vor der Stadt eine festlich gekleidete Menge auf dem Wege stehen und warten. Kanonenschüsse durchschnitten die Luft, als man den Wagen näher kommen sah, und laute Hurrarufe drangen bis zu mir herüber. Die guten Leute hielten mich, wie ich zu meinem größten Schreck herausfand, für den König des Landes. Der Bürgermeister begrüßte mich im Namen der Bürger und der verschiedenen Vereine, und ein liebliches, schlankes Mädchen kniete vor meinem Wagen nieder. Frühlingsblumen[3] hielt sie in den Händen.

Und diese Szene,[4] lieber Freund, in der hellsten Sonne! Zwei Schritte vor mir kniete das schönste, reizendste aller Mädchen. Und ich, ohne Schatten, konnte nicht zu ihr hinüberspringen, nicht vor diesem Bild der Jugend auf die Knie fallen. Ach, alle Schätze und Königreiche der Welt waren in jenem Augenblick ein Nichts gegen den Schatten.

Mein treuer Bendel rettete mich schließlich aus dieser immer unangenehmer werdenden Situation. Er sprang auf der anderen Seite aus dem Wagen und sagte, sich an den Bürgermeister wendend: „Es tut mir leid, Herr Bürgermeister, aber mein Herr ist wirklich nicht der König, wie Sie zu glauben scheinen. Er kann daher unmöglich die unverdiente Ehre dieses Empfanges annehmen. Er dankt den Bürgern jedoch für ihre guten Wünsche." Nicht ganz sicher, ob Bendel die Wahrheit sprach oder nicht, gab die Menge den Pferden Raum, und bald hielten wir vor meinem Hause. Mit dem Befehl, niemand zu mir zu lassen, verschwand ich in meine Zimmer. Noch lange schrie der Haufe, der dem Wagen gefolgt war, unter meinen Fenstern hurra. Und ich Narr ließ noch Goldstücke auf die Straße regnen.

Jenes Mädchen, welches ich mit Blumen[3] in der Hand vor meinem Wagen hatte knien sehen, kam mir nicht wieder aus dem Sinn.[5] Ich wußte, es war sinnlos, in meinem Zustand, ohne Schatten, an Liebe und Ehe zu denken. Denn war es nicht genug, daß ich allein unglücklich war? Hatte ich das Recht, auch noch ein Mädchen ins Unglück zu stürzen? Nein, ich durfte mich an niemand binden, durfte vor allem niemand an mich binden. Doch ich wußte mich zu trösten: „Nicht lange," so sagte ich mir, „und du siehst den grauen Mann wieder. Wenn nötig, zwingst du ihn mit Gewalt, dir deinen Schatten zurückzugeben." Ach, im Grunde meines Herzens wußte ich wohl, das war nicht wahr. Ihn zwingen, mit Gewalt?! Aber ich hörte nicht auf diese Stimme, wollte nicht auf sie hören, ich fürchtete mich vor ihr. Und wie so oft, ging auch diesmal aus dem Kampf zwischen Herz und Vernunft das Herz als Sieger hervor. Ich unterdrückte alle Zweifel und bat fast die ganze Stadt zu einem Fest, das ich am folgenden Abend unter den Bäumen vor meinem Hause geben wollte.

Und sie kam!

Wie aller Glanz der Sterne vor der Sonne verschwindet, so überstrahlte[6] sie in ihrer Schönheit den Glanz des Festes. Und mit jener Gewißheit, die einem kalten Herzen unerklärlich ist, wußten wir, daß wir einander liebten, und trugen die Gewißheit dieser Liebe in unsrem Herzen, als wir uns trennten.

Für eine kurze Weile schien mir das Leben wieder Zweck, Sinn und Ziel zu haben. Solange die Sonne schien, blieb ich eingeschlossen in meinen Zimmern: Graf Peter — so nannte man mich — „arbeitete". Abends aber gab ich Empfänge und Feste, von denen die Leute des Städtchens nicht müde wurden zu reden. Und abends, wenn es dunkel war und auch die alten Bäume im Garten ihrer Eltern keinen Schatten warfen, ging ich zu ihr, zu meiner Minna.

O mein guter Freund, ich hoffe, Du hast nicht vergessen, was Liebe ist. Verlange nicht, daß ich jene ach so ferne Zeit noch einmal ins Leben rufe. Ich kann es nicht. Genug, daß sie Liebe um Liebe gab, mich liebte mit der vollen jugendlichen Kraft eines unschuldigen Herzens.

So ging die Zeit vorbei wie im Fluge. Und der Tag, an dem ich den grauen Mann wiedersehen, der Tag an dem ich frei werden sollte, kam näher, kam heran. Schon am Abend vorher schloß ich mich ein und nahm soviel Gold aus meinem Säckel,[7] wie ich in meinen Zimmern verbergen konnte. Dann wartete ich. Die Uhr schlug zwölf. Niemand erschien. Langsam sah ich die Zeiger[8] sich weiter und weiter bewegen. Es wurde Morgen. Niemand kam. Es wurde Mittag, es wurde Abend, und nichts erschien. Ich saß und wartete. Dann standen die Zeiger der großen Wanduhr wieder auf zwölf. Sie schlug. Und mit dem Ton des letzten Schlages sank ich hoffnungslos zu Boden.

[Fortsetzung folgt]

NOTES. 1. auf . . . erleuchteten illuminated in a special way (in order that no shadows should be cast). 2. des . . . wegen on account of the beautiful weather.

3. Frühlingsblumen, Blumen spring flowers, flowers. 4. Szene scene. 5. kam ... Sinn. In translating read: kam nicht wieder aus meinem Sinn. 6. überstrahlte outshone, did she outshine. 7. Säckel (magic) purse. 8. Zeiger hands.

BUILDING A PASSIVE VOCABULARY

annehmen an on, nehmen to take, annehmen to accept
ausdrücken (ausgedrückt) aus out (*Latin* **ex**), drücken to press, ausdrücken to express
bedeckt decken to cover, bedecken to cover, bedeckt covered
begrüßen grüßen to greet, begrüßen to greet
erscheinen (erschien) scheinen to appear, erscheinen to appear, seem
Gedanken (*pl. of* der Gedanke) denken to think, der Gedanke the thought
Mittag die Mitte the middle, der Tag the day, Mittag midday, noon
tot töten to kill, tot dead. (Der Tod death)
unterdrücken unter under, down, drücken to press, unterdrücken to press down, suppress
verschieden *belongs to the word family* scheiden to separate, part, verschieden various, different
zurückgezogen zurück back, gezogen (*from* ziehen) pulled, drawn, zurückgezogen drawn back, withdrawn, secluded

GRAMMAR

94. Nouns of the Second Class. Nouns of this class add ⸗e to form the plural. In this group there are many monosyllabic and a few polysyllabic masculines and relatively few feminines and neuters. Examples are:

der Arm	der Baum	der Feind	die Hand	das Jahr
die Arme	die Bäume	die Feinde	die Hände	die Jahre

The nouns of this class which have already been introduced are:
a. Masculines which take umlaut:

der Arzt	der Grund	der Markt	der Strumpf
der Bart	der Hof	der Platz	der Sturm
der Baum	der Hut	der Raum	der Ton
der Fall	der Kampf	der Rock	der Zustand
der Gast	der Kopf	der Schatz	

b. Masculines which do not take umlaut:

der Abend	der Fiſch	der Mund	der Tag
der Arm	der Freund	der Ort	der Tiſch
der Augenblick	der Frühling	der Preis	der Verein
der Bleiſtift	der Herbſt	der Punkt	der Weg
der Brief	der König	der Sieg	der Wein
der Charakter	der Krieg	der Sinn	der Wind
der Erfolg	der Monat	der Stein	der Wirt
der Feind	der Mond	der Stern	der Zweck

c. Feminines, all of which add umlaut:

die Bruſt	die Gans	die Kraft	die Luſt	die Nacht	die Stadt
die Frucht	die Hand	die Luft	die Macht	die Not	die Wand

d. Neuters, none of which takes umlaut:

das Feſt	das Jahr	das Paar	das Reich	das Tier
das Gegenteil	das Knie*	das Papier	das Schaf	das Urteil
das Geſchäft	das Mal	das Pferd	das Schiff	das Wort
das Haar	das Meer	das Recht	das Stück	das Ziel

95. Comparison of Adjectives: Formation. The comparative is formed by adding -er and the superlative by adding -ſt to the stem of the positive:

klein, kleiner, (der) kleinſt(e); angenehm, angenehmer, (der) angenehmſt(e)

The following seventeen adjectives (of about eighty used in this book) always umlaut the stem vowel in the comparative and superlative degrees. They are:

alt, arm, groß, hart, hoch, jung, kalt, krank (sick, ill); kurz, lang, nah, oft, ſcharf (sharp), ſchwach, ſchwarz, ſtark, warm.

Examples:

alt, älter, (der) älteſt(e) arm, ärmer, (der) ärmſt(e)

---

* Das Knie has two plurals: die Knie and die Kniee. Both forms are pronounced with two syllables.

In the superlative the ending ⸗ſt must be clearly audible. Hence the ending ⸗eſt is added when the adjective ends in ⸗d, ⸗t, or an *s*-sound:

kalt, kälter, (der) kälteſt(e) weiß, weißer, (der) weißeſt(e)

The English way of expressing the comparative and superlative with *more* and *most* is rarely found in German,* the ⸗er and ⸗(e)ſt endings being added no matter how many syllables the adjective has.

96. Comparison of Adjectives: Use. *The Comparative.* The usual strong or weak endings are added to the comparative suffix ⸗er when adjectives are used *attributively*:

das beſſere Buch, ein beſſeres Buch; die kleinere Kirche, eine kleinere Kirche; der kürzere Weg, ein kürzerer Weg

When used predicatively or adverbially, no inflectional endings are added:

Ich bin jünger als du. Du mußt deutlicher ſprechen.

The Superlative. When the superlative is used *attributively*, the usual case endings are added to the superlative suffix ⸗ſt:

das intereſſanteſte Buch, des intereſſanteſten Buches; die älteſte Kirche, der älteſten Kirche

(This rule covers all cases where the noun is suppressed and can easily be supplied: Sie iſt die ſchönſte (Frau) von allen.)

When the superlative is used *adverbially or predicatively*, a phrase with the contraction am (an dem) plus the dative weak ending is used:

Maria ſang am ſchönſten von allen. Im Frühling ſind die Kartoffeln am teuerſten.

English has expressions such as:

She is a most beautiful girl.
He spoke most clearly.
That is most unusual.

---

* A discussion of this usage is not within the scope of this book.

In these sentences no direct comparison is made, but only a high degree of the quality involved is expressed. In such cases German likewise uses a positive adjective, strengthened, however, NOT by the German meist but by the uninflected superlatives höchst or äußerst or simply by sehr or außerordentlich. Thus, English *That is a most interesting book* is Das ist ein höchst interessantes Buch (or äußerst, sehr, or außerordentlich). Similarly, *That is most disagreeable to me* is Das ist mir äußerst unangenehm; *That is extremely important*, Das ist äußerst wichtig.

97. Irregular Forms. The following adjectives and adverbs show irregularities in their comparison:

gern (*adverb only*)	lieber	am liebsten
groß	größer	der größte
gut	besser	der beste
hoch	höher	der höchste
lieb (dear, *adj. only*)	lieber	der liebste
nah	näher	der nächste
viel	mehr	der meiste

98. Als and wie. In making comparisons, wie is used after a positive where English uses *as* (*as big as*, so groß wie); als expresses, in the comparative, English *than*:

Du bist so ernst wie ich. Er ist ernster als du.

99. Omission of the e. When the comparative suffix -er or a case ending (strong or weak) is added to adjectives which end in -el, -en, -er, like dunkel, offen, and teuer (including the possessive adjectives unser and euer), the e of the stem is usually dropped:*

Mein Haar ist dunkler geworden. Ein edlerer Mensch als er hat nie gelebt. Ein dunkler Tag, ein offnes Fenster, eine andre Frau, unsre besten Freunde, eure schönsten Äpfel

* Adjectives like böse, gerade, leise, weise, whose undeclined forms end in -e, are treated as if they had no such -e when inflectional endings are added:

ein weiser Mann, eine geradere Linie

100. Adverbial Genitive. In a number of set phrases the genitive case of nouns is used adverbially. When used with a preceding article they are capitalized, but when used without the article they are felt to be adverbs and are not capitalized. In the latter case and with the definite article, recurrence of time is implied:

des Morgens, morgens in the morning
des Abends, abends in the evening
des Nachts, nachts at night
vormittags in the forenoon (morning)
nachmittags in the afternoon
Donnerstags, Freitags, etc. (*days of the week retain capitals*) Thursday, on Thursday, Friday
eines Tages, eines Abends, eines Morgens, eines Nachts, eines Samstags one (a certain) day, evening, morning, night, Saturday

101. Word Formation: Nouns in -heit, -keit, -igkeit. The suffixes -heit, -keit, and -igkeit are added to adjectives to form feminine abstracts; they frequently correspond to the English suffixes *-ty* or *-ness*:

gewiß, die Gewißheit certain, certainty
deutlich, die Deutlichkeit distinct, distinctness
hoffnungslos, die Hoffnungslosigkeit hopeless, hopelessness
schön, die Schönheit beautiful, beauty
wahr, die Wahrheit true, truth

102. Cardinal Numbers. Of the cardinal numbers only eins is declined: ein, eine, ein. They are, from one to twelve,

eins	drei	fünf	sieben	neun	elf
zwei	vier	sechs	acht	zehn	zwölf

Learn the principal parts of the following verbs as a part of this lesson:

schreiben	schrieb	hat geschrieben	schreibt	to write
scheiden	schied	hat geschieden	scheidet	to separate
beißen	biß	hat gebissen	beißt	to bite
reiten	ritt	ist geritten	reitet	to ride
schneiden	schnitt	hat geschnitten	schneidet	to cut

ziehen	zōg	hat gezōgen	zieht	to pull
fliegen	flōg	ist geflōgen	fliegt	to fly
sinken	sank	ist gesunken	sinkt	to sink
dringen	drang	ist gedrungen	dringt	to penetrate

EXERCISES

I

Answer the following questions in German: 1. Was gehört auch zum Leben? 2. Was tut Peter immer noch? 3. Wie sind seine Finger? 4. Wie ist sein Herz? 5. Wie sind seine Sinne? 6. Was kann Peter nicht tun? 7. Wie waren die Räume erleuchtet? 8. Wann hielt Peter Minna in seinen Armen? 9. Wo will er mit seiner Geschichte nicht anfangen? 10. Mit wem ritt Peter aus der Stadt? 11. Was konnte man weder von den Pferden noch von den Reitern verlangen? 12. Wo wollte er ein Jahr lang leben? 13. Wie wollte er leben? 14. Auf wen wollte er warten? 15. Warum hatte Peter einen Diener vorausgeschickt? 16. Warum hatte Peter einen Wagen nehmen müssen? 17. Was durchschnitt die Luft? 18. Was riefen die Leute? 19. Für wen hielten die Leute unsren Peter? 20. Wer begrüßte ihn? 21. Was hielt das liebliche Mädchen in den Händen? 22. Warum konnte Peter nicht aussteigen? 23. Wer rettete Peter endlich aus seiner Not? 24. Was befahl Peter seinen Dienern? 25. Was ließ Peter aus den Fenstern regnen? 26. Hatte Peter das Recht, ein Mädchen ins Unglück zu stürzen? 27. Warum hörte Peter nicht auf die Stimme? 28. Ging das Herz oder die Vernunft aus dem Kampf als Sieger hervor? 29. Wann wollte Peter ein Fest geben? 30. Wo wollte er es geben? 31. Wo blieb Peter, solange die Sonne schien? 32. Wann gab er Empfänge und Feste? 33. Wie ging die Zeit vorbei? 34. Was tat Peter am Abend vor dem großen Tag? 35. Wieviel Geld nahm er aus seinem Säckel? 36. Was tat er mit dem Geld? 37. Wie bewegten sich die Zeiger? 38. Was tat Schlemihl den ganzen Tag? 39. Was tat er, als die Uhr zwölf schlug?

II

Translate into German: 1. Two physicians have died in this little city in the last three months. 2. Is the water clearer than it was last week? 3. My four friends and I wanted to go to the country. 4. We had many guests. 5. It was a dark night and we counted the stars. 6. We threw rocks into the water. 7. The nights were colder than we had expected. 8. She is getting more and more beautiful. 9. He is getting older but not better. 10. We have ten fingers, two hands, and one head. 11. The most beautiful flowers (Blumen) do not always smell best. 12. He can run the fastest of all. 13. The horse had run away. 14. His wife is ten years younger than he [is]. 15. In the evening he never works. 16. One evening my father came home rather late.

III

Translate into English:

atmen	der Brunnen	einschlafen	erinnern	März
behaupten	das Dach	eng	erlauben	der Ort
besuchen	ehe	das Fach	jagen	Sonnabend
der Bleistift	eilen	das Faß	die Krone	zunächst

IV

Translate into German:

the apple	thin	the goose
May	the parents	the building
to bite	the enemy	the danger
the brother	the fish	mean
the village	early	the dictionary

V

Translate the following compounds and derivatives:

das Bäumchen, die Baumart; befehlen, der Befehl, der Befehlshaber; bewegen, die Bewegung, beweglich, die Beweglichkeit; brennen, die Brennbarkeit; der Briefwechsel; der Bruder, brüderlich; Freiheit, Gleichheit, Brüderlichkeit; dunkelblau; die Dunkelheit; die Ehe, die Ehescheidung, ehelos; die Ehre, ehren, ehrbar, die Ehrbarkeit, das Ehrenwort, die Ehrenlegion; eilen, die Eile, eilig, der Eilbrief (the special delivery letter); ein einseitiges Buch; der Empfänger; entschließen, der Entschluß, die Entschlußkraft; schießen, der Schuß, der Fehlschuß; feurig, die Feuergefahr; der Ringfinger; fliegen, der Flug, der Flieger, der Flugplatz; frei, der Freidenker, der Freiheitskrieg; die Frucht, fruchtlos, die Fruchtlosigkeit; das Gastzimmer; greifen, der Griff; je deutlicher desto besser; meterlang; schmecken, der Schmecker; die Buttermilch; die Gesundheit, die Ewigkeit

VI

Translate into English: 1. Die gerade Linie ist der kürzeste Weg zwischen zwei Punkten. 2. Es wurde immer heller. 3. Er läuft immer schneller. 4. Die Kartoffeln werden immer teurer. 5. Köln ist nicht so weit von hier wie Berlin. 6. Diese Kirche ist die schönste im ganzen Lande. 7. Es gelang mir, zwei neue Hüte zu kaufen. 8. Tut es auf der Stelle! 9. Eines Morgens gingen wir auf das Land.

VII

Form feminine abstracts, (*a*) with =heit: gesund, klar, schlank, wild; (*b*) with =keit: heilig, herrlich, langsam, richtig; (*c*) with =igkeit: genau, schnell.

VIII

Compare the following adjectives:

angenehm	schnell	süß	stark
dünn	schön	alt	schwach
früh	spät	kurz	lang

IX

Decline in the singular and plural:

das Fräulein	das blaue Meer	der größte Baum
der Fehler	die kalte Nacht	mein älterer Hut
	der schönere Weg	

X

Conjugate in the present, past, present perfect, and past perfect the following verbs:

fliegen schneiden zeigen laufen zahlen bezahlen

XI

Learn the cardinal numerals from one to twelve.

LESSON XVI

TEXT A

Auf der Bank saß eine Frau, die ein Buch in der Hand hielt. Auf der Bank saß eine Frau, die hielt ein Buch in der Hand. Da geht der reiche Schmidt, dem die halbe Stadt gehört. Da geht der reiche Schmidt. Dem gehört die halbe Stadt. Ich denke noch oft an meinen Freund. Ich denke noch oft an ihn. An den denke ich noch oft. An wen denkst du, an ihn (an den)? Ich denke noch oft an unsre Reise, die wir zusammen gemacht haben. Ja, ich denke noch oft an sie zurück. Ja, an die denke ich noch oft zurück. Ich denke noch oft daran zurück. An was denkst du, an unsere Reise? Woran denkst du, an unsere Reise? Diese Reise, an die (an welche, woran) ich noch oft zurückdenken muß, war wirklich die schönste meines Lebens.

Gib mir einen andren Bleistift! Mit dem kann ich nicht schreiben. Damit kann ich nicht schreiben. In dem Zimmer stand ein großer Tisch. Und auf diesem Tisch (auf ihm, auf dem, darauf) lag ein dickes Buch. In dem Zimmer stand ein Tisch, auf dem (auf welchem, worauf) ein dickes Buch lag.

Ich fürchte mich vor dem Sterben. Rede nicht vom Sterben! Ich fürchte mich davor. Vor dem fürchte ich mich. Wovor fürchtest du dich, vor dem Sterben?

Fritz hat an deinen Vater geschrieben. So, davon habe ich nichts gewußt.

Ich treffe meine Freundin jeden Abend um sechs Uhr am Postamt. Ihre Eltern wissen nichts davon, denn wir halten unsere Liebe noch geheim. — Was raten Sie mir, soll ich mir ein teureres Kleid kaufen? — Viele Kinder haben Angst vor Pferden. — Ich trinke süßen Wein nicht gern.

Große Hitze ist für uns gefährlicher als große Kälte, denn Wärme können wir ja immer produzieren,[1] wenn es draußen kälter wird. Doch wenn die Kälte draußen zu groß wird, genügt[2] das Feuer in uns nicht mehr. Wenn sich z. B. (zum Beispiel) ein Tier unter eine bestimmte Temperatur abkühlt, so wird es zunächst unruhig. Es bewegt sich schneller, atmet tiefer, zeigt größere Freßlust, einen schnelleren Puls und einen höheren Blutdruck. Es versucht sozusagen, mit Gewalt mehr Hitze zu produzieren, um dem Tode zu entgehen.[3] Denn sein tieferes Atmen, sein höherer Blutdruck und seine ungewöhnlich große Freßlust haben natürlich nur den Zweck, mehr Wärme zu produzieren. Wenn jedoch die Bluttemperatur noch weiter sinkt, etwa unter vierunddreißig (34) Grad[4] Celsius, so beginnt das Tier, langsamer zu atmen. Der Puls sinkt auf eine sehr niedrige Zahl, und schließlich schläft das Tier ein. Von da ab geht es äußerst[5] schnell abwärts, bis bei etwa neunzehn (19) Grad der Tod eintritt. Für uns folgt daraus, daß eine Rettung bei dreißig (30) Grad noch möglich ist. Ja, es ist den Ärzten sogar gelungen, Leuten das Leben wiederzugeben, deren Temperatur auf sechsundzwanzig (26) Grad gesunken war.

NOTES. 1. produzieren produce, generate. 2. genügt suffices (cf. genug). 3. entgehen escape. 4. Grad degrees. 5. äußerst extremely.

VOCABULARY

die Absicht the intention
allerdings to be sure
das Amt, ⸚er the office; duty
die Angst, ⸚e the anxiety; fear
die Aufgabe the lesson, assignment; duty
außen outside
draußen *outside*, out of doors
die Backe the cheek
beginnen to *begin*
bereit ready, prepared
das Blatt, ⸚er the leaf; sheet
der Blitz, –e the lightning
dennoch nevertheless
dick *thick*
doppelt *double*
durchaus thoroughly; absolutely
empfinden to feel, perceive
entweder . . . oder either . . . or
fühlen to *feel*; touch
geheim secret
genießen to enjoy
die Gestalt the form, figure
gestatten to allow, permit
gestern *yesterday*
das Glied, –er the limb; member
das Gut, ⸚er the estate; *goods*
indes (indessen) meanwhile; nevertheless
irren to *err*; stray, wander
kühl *cool*
der Leib, –er the body; waist
das Lied, –er the song
das Maul, ⸚er the mouth (of animal)
mischen to *mix*
das Nest, –er the *nest*
prüfen to test, examine
raten to advise; guess
die Reihe the *row*, rank; series
reißen to tear
der Ring, –e the *ring*
die Rose the *rose*
rühren to stir; move
die Schlacht the battle
die Seele the *soul*
der Soldat the *soldier*

streiten to dispute, quarrel
streng severe, strict, stern
süß *sweet*
der Tau the *dew*
der Verlust, -e the *loss*
vorkommen to occur, happen; come forward; to seem
der Wert, -e the value, *worth*
das Zeichen, - the sign; signal
der Zufall, ⸗e the chance; accident

IDIOMS

auf und ab up and down; back and forth
hin *frequently* gone
mit einem Male suddenly

TEXT B

Peter Schlemihl

[Fortsetzung]

Es war noch früh, als ich am folgenden Morgen wach wurde. Meine Augen brannten, und meine Glieder schmerzten, als ich mich müde streckte. Der treue Bendel schien vor der Tür einen Streit mit Raskal, einem anderen meiner Diener, zu haben. Sie redeten laut und schnell. Das meiste konnte ich nicht verstehen, aber ein paarmal hörte ich deutlich das Wort Schatten. Mein Herz klopfte. Ich klingelte. Niemand hörte mich. Da warf ich mich schnell in meine Kleider und riß die Tür auf. „Was willst du!" fragte ich Raskal streng mit dem Tone eines Mannes, der ans Befehlen gewöhnt ist. Er trat zwei Schritte zurück und antwortete beißend: „Darf ich Sie bitten, Herr Graf, mich einmal Ihren Schatten sehen zu lassen? Die Sonne scheint eben so schön auf dem Hofe." Ich stand wie vom Blitz getroffen. Außer Bendel, so hatte ich geglaubt, wußte niemand um mein Geheimnis. Wie hatte Raskal dieses Geheimnis erfahren können? Und gerade an diesem Morgen! Noch gestern war ich sicher gewesen, heute wieder im Besitze[1] meines Schattens zu sein. Wußte Raskal mehr, als er sagte? Auf jeden Fall konnte er ein gefährlicher Feind werden. Es dauerte lange, bis ich meine Sprache wiederfand. „Wie kann ein Diener sich erlauben, gegen seinen Herrn solche Worte zu gebrauchen?" fragte ich schließlich mit ziemlich unsicherer Stimme. Er fiel mir in die Rede und sagte stolz: „Ein Diener kann ein sehr ehrlicher Mensch sein und einem Schattenlosen nicht dienen wollen. Kurz, entweder zeigen Sie mir Ihren Schatten, oder ich gehe." Ich suchte hilflos nach Worten. Er ging.

Mechanisch[2] nahm ich einen Brief, den, wie Bendel berichtete, ein Diener soeben mit der Bitte abgegeben hatte, ihn mir sogleich zu überreichen.

Mechanisch wollte ich das Schreiben eben öffnen, als mir ein neuer Schreck durch alle Glieder fuhr: Der Brief war von Minnas Vater. Ich brauchte ihn nun nicht mehr zu lesen. Ich legte ihn ungeöffnet auf den Schreibtisch. Ich wußte: Das war das Ende.

Ich ließ mir meinen Mantel bringen, warf ihn um und verließ das Haus, obgleich draußen die Morgensonne schon hoch am klarblauen Himmel stand.

Eine große Ruhe überkam mich. Wie ein Soldat vor der Schlacht im Angesicht des Todes Süße und Schönheit des Lebens noch einmal mit doppelter Stärke empfindet, so genoß ich, den Tod im Herzen, noch einmal die Schönheit dieses Frühlingsmorgens.

Ein leichter Wind spielte leise mit den Blättern der Bäume vor meinem Hause. Ein paar rotbäckige Kinder spielten „Ringlein, Ringlein, Rose" in der Sonne, und die einfache Melodie ihrer kleinen Lieder rief längstvergessene Jugendbilder in mir wach und rührte mich so, daß ich dem Weinen nahe war. Ich merkte es kaum, daß ein paar Weiber,[3] die am Brunnen vor dem Rathaus standen, ihr interessantes Gespräch plötzlich abbrachen und mir mit offenen Mäulern[3] und erschrockenen Gesichtern nachsahen, als ich ohne Schatten an ihnen vorbeiging. Ich beobachtete die Schwalben,[4] die, vor ein paar Tagen aus fernen Ländern zurückgekehrt, jetzt eilig hin und her flogen und unter den Dächern der langen Häuserreihe an ihren Nestern arbeiteten. Und draußen vor dem Städtchen lag das Land im Glanze der Frühlingssonne. Der frische Tau in den Gräsern spielte in allen Farben. Die Luft war frisch und kühl und roch nach Erde. In tiefem Frieden lagen die Dörfer zwischen den Feldern. Die Welt, so kam es mir vor, war nie schöner gewesen.

Wie träumend und dennoch ganz wach ging ich den Weg zu Minnas Haus, deren Eltern etwa eine halbe Stunde vor der Stadt ein großes Gut besaßen.[1] Minna und ich reichten uns still und ernst die Hand, wie Menschen,[5] die wissen, sie sehen einander zum letzten Male. Und wie sie so vor mir stand, in der lieblichen Schönheit ihrer Jugend, keinen Vorwurf,[6] nur Traurigkeit in ihrem Blick, da war meine Ruhe hin, und mit schmerzender Klarheit erkannte ich, wieviel ich verloren hatte.

Der Vater stürmte mit schnellen Schritten den engen Gartenweg auf und ab. In der Hand hielt er ein Papier, einen Brief von Raskal, wie ich später erfuhr. Mit einem Male blieb er vor mir stehen, sah, daß ich keinen Schatten warf, blickte mich prüfend an und sagte: „Erinnern Sie sich, mein schattenloser Graf, vielleicht an einen gewissen Peter Schlemihl?" — „Allerdings, der bin ich." Meine Offenheit nahm ihm die Sprache. „Schön, mein Herr," begann er nach einer Weile wieder, „durch welchen — nun nennen wir es Zufall, Sie Ihren Schatten verloren haben, ist mir persönlich gleich. Ich habe durchaus nicht die Absicht, mich in eine Sache zu mischen, die mich nichts angeht. Indes, Sie behaupten, meine Tochter zu lieben. Sie gestatten, daß ich an diese Liebe nicht glaube. Man stürzt nicht jemand ins Unglück, den man liebt. Auf jeden Fall habe ich als Vater das Amt und die Aufgabe, für meine Tochter zu sorgen. Es ist meine Pflicht, zu verhindern, daß sie sich an einen Mann bindet, der keinen Schatten hat. Ich gebe Ihnen bis Mittwoch Zeit. Wenn Sie Mittwoch mit einem Schatten wiederkommen, können Sie Minna noch am selben Tage heiraten. Wenn nicht, so ist meine Tochter, das verspreche ich Ihnen, am Donnerstag die Frau eines andern."

Ich wollte noch versuchen, ein Wort mit Minna zu reden. Aber sie schloß sich ängstlich nur fester an ihre Mutter, und diese machte mir ein Zeichen, zu gehen. Ich ging. Und alles, was eines Mannes Leben lebenswert macht, blieb hinter mir zurück.

Gewiß, tief im Herzen hatte ich gewußt: Eure Liebe ist ohne Hoffnung, euer Glück muß ein böses Ende nehmen. Aber nun war der Schlag doch zu plötzlich gekommen und hatte mich vollkommen unvorbereitet getroffen. Ich sah keinen Ausweg, keine Hoffnung. Minnas Bild vor meiner Seele, irrte ich verloren durch Wälder und Felder. Und vor diesem Bild ihrer geliebten Gestalt mußte ich mich schämen.[7] Wie hatte ich Schattenloser es wagen können, dieses junge, unschuldige Wesen an mich zu reißen? Ich haßte mich.

Ich weiß nicht, wie lange ich gegangen war, als ich plötzlich eine Hand auf meinem Arm fühlte. Ich stand still und sah mich um: Es war der Mann im grauen Rock.

Er nahm sogleich das Wort: „Lassen Sie den Mut nicht sinken, mein Freund! Noch ist der Kampf nicht verloren. Sie haben in Ihrer Rechnung einen Fehler gemacht und mich einen Tag zu früh erwartet. Folgen Sie meinem Rat und kehren Sie gleich wieder zurück. Ihren Schatten gebe ich Ihnen gerne wieder."

Ich stand wie im Schlafe da. „Einen Tag zu früh erwartet?" Wie hatte ich einen solchen Fehler machen können? Aber er hatte recht, ich hatte ihn wirklich einen Tag zu früh erwartet. Ein Stein fiel mir vom Herzen.[8] Ich griff sogleich nach dem Säckel in meiner Brusttasche. Er riet meine Absicht und sagte: „Nein, nein, nicht nötig, Herr Graf, der Säckel ist in guten Händen, und ich brauche ihn nicht. Nur um eine Kleinigkeit muß ich Sie bitten. Seien Sie so gut und unterschreiben Sie dies hier mit Ihrem richtigen Namen.

Er überreichte mir ein Stück Papier. Ich las:

„Dem Besitzer[1] dieses Dokuments gehört meine Seele nach ihrer natürlichen Trennung von meinem Leibe."

[Fortsetzung folgt]

NOTES. 1. Besitze possession; besaßen possessed, owned, had; Besitzer possessor. 2. Mechanisch mechanically. 3. Weiber, Mäulern. These two words, Weiber and Mäuler, show Peter's contempt for the women standing with open mouths. The words are used in a derogatory sense. 4. Schwalben swallows. 5. Menschen people. 6. Vorwurf reproach. 7. mußte . . . schämen, I was ashamed of myself. 8. Ein . . . Herzen, A weight fell from my heart.

BUILDING A PASSIVE VOCABULARY

das Angesicht *same as* Gesicht
erkannte (erkennen) kennen to know, erkennen to recognize
erschrocken der Schreck the fright, erschrocken frightened
das Geheimnis geheim secret, das Geheimnis the secret
das Gespräch sprechen to speak, talk, das Gespräch the conversation
gewöhnt (an etwas gewöhnt sein) gewöhnlich usual, customary, an etwas gewöhnt sein to be accustomed to something
Herr Graf *The title* Herr *precedes such titles as* Graf, Doktor, Professor, *and the like. It is best left out in translating*
niedrige *The adjective* nieder *has a second form* niedrig
unterschreiben unter down, schreiben to write, unterschreiben to sign
unvorbereitet bereit prepared, unvorbereitet unprepared
verhindern *same as* hindern
verließ (verlassen) lassen to let, allow, leave, verlassen to leave
die Zahl zählen to count, die Zahl the number

GRAMMAR

103. Nouns of the Third Class. Nouns of this class add ⸗er to form the plural and umlaut the vowel whenever possible. In this group there are many monosyllabic neuters, a few monosyllabic masculines (of which only five will be found in this book), but no feminines.

The neuter nouns which have already been introduced are:

das Amt	das Dach	das Feld	das Gut	das Land	das Neſt
das Bild	das Dorf	das Geſicht	das Haus	das Licht	das Rathaus
das Blatt	das Fach	das Glas	das Kind	das Lied	das Weib
das Buch	das Faß	das Glied	das Kleid	das Maul	das Wort*

The following masculines have been introduced:

der Gott   der Leib   der Mann   der Wald

104. The Demonstrative Pronoun der, die, das. When the third person of the personal pronoun (er, ſie, es, ſie) is emphasized, it is frequently replaced by the demonstrative pronoun (der, die, das, die), which is identical in form with the relative. The reader can distinguish between the relative der and the demonstrative der only by the position of the inflected verb: with verb-second position it is a demonstrative; with verb-last position it is a relative:

Auf dem Jahrmarkt ſah Hildegard einen Krug, { der hatte ein Bild auf jeder Seite. / der ein Bild auf jeder Seite hatte. }

An der Ecke traf er Eva, { deren Geſicht wurde ganz rot. / deren Geſicht ganz rot wurde. }

105. The Pronoun Substitute da=. When governed by prepositions, personal pronouns in the third person referring to things (or ideas) are usually replaced by the word da= (dar= before vowels) compounded with and preceding the preposition in question. Thus, mit ihm, mit ihr, mit ihnen, are all expressed by damit; an ihn, an ſie, an es, are expressed by daran. Examples:

Haſt du Vaters Bleiſtift geſehen? Ich ſchreibe gerade damit.
Vor zwei Tagen war das Eis noch gefährlich dünn. Heute aber kann man ſchon darauf ſpielen.

---

* Das Wort has two plurals, die Worte (connected discourse) and die Wörter (isolated or disconnected words, as in a dictionary).

Examples of substitute referring to an entire clause or idea:

Ich höre, ihr habt euer Haus verloren. Ja, aber sprecht nicht davon. Karl hat es nicht gern.

Wolltest du nicht heute deinen Onkel besuchen? Ach, ich habe gar nicht mehr daran gedacht.

106. The Pronoun Substitute wo=. The interrogative pronoun was when governed by prepositions is usually replaced by the word wo= (wor= before vowels) and is compounded with and precedes the preposition in question. Thus, mit was becomes womit; an was, woran. Examples:

Woran arbeitest du? What are you working on?

Womit schreibst du denn da, mit Vaters Feder? Say, what are you writing with, with father's pen?

Worauf schläfst du? What are you sleeping on? *or* On what do you sleep?

Relatives, when referring to things, are frequently replaced in a like manner. Examples:

Der Bleistift, mit dem (mit welchem, womit) ich schreibe, . . .

Das Buch, in dem (in welchem, worin) ich las, . . .

107. Absolute Accusative. The accusative is often used absolutely, that is, without depending upon a verb or preposition. Sometimes *having* and sometimes *with* is understood:

Den Tod im Herzen, genoß ich noch einmal die Schönheit des Frühlingsmorgens. Minnas Bild vor meiner Seele, irrte ich verloren durch Wälder und Felder.

108. Word Formation: Feminine Abstracts in =e. The suffix =e is added to adjectives to form abstract feminine nouns. The umlaut is added whenever possible:

süß sweet, die Süße the sweetness
treu faithful, die Treue the faithfulness
fern distant, die Ferne the distance
stark strong, die Stärke the strength

Hence:

die Größe the greatness *or* size
die Hitze (*from* heiß) the heat
die Frühe the morning
die Nähe the nearness, proximity
die Schwere the heaviness, weight

Learn the principal parts of the following verbs as a part of this lesson:

beißen	biß	hat gebissen	beißt	to bite
reißen	riß	hat gerissen	reißt	to tear
streiten	stritt	hat gestritten	streitet	to quarrel
schließen	schloß	hat geschlossen	schließt	to close
genießen	genoß	hat genossen	genießt	to enjoy
sinken	sank	ist gesunken	sinkt	to sink
empfinden	empfand	hat empfunden	empfindet	to feel
gewinnen	gewann	hat gewonnen	gewinnt	to win
beginnen	begann	hat begonnen	beginnt	to begin
schlāfen	schlief	hat geschlāfen	schlāft	to sleep
rāten	riet	hat gerāten	rāt	to advise
kommen	kām	ist gekommen	kommt	to come
vorkommen	kām vor	ist vorgekommen	kommt vor	to occur

EXERCISES

I

Answer the following questions in German: 1. Wann wurde Peter wach? 2. Mit wem hatte Bendel einen Streit? 3. Woran war Peter gewöhnt? 4. Wie antwortete Raskal? 5. Was wollte Raskal sehen? 6. Wonach suchte Peter hilflos? 7. Warum ging Raskal? 8. Von wem war der Brief, den der Diener soeben abgegeben hatte? 9. Was wußte Peter? 10. Was ließ Peter sich bringen? 11. Wie war das Wetter draußen? 12. Womit spielte der Wind? 13. Was genoß Peter mit doppelter Stärke? 14. Was spielten die Kinder? 15. Was rief die Melodie ihrer Lieder in ihm wach? 16. Wovor standen die Frauen? 17. Warum hatten sie erschrockene Gesichter? 18. Woher kamen die Schwalben? 19. Woran arbeiteten sie? 20. Wo bauten sie ihre Nester? 21. Wonach roch die Luft? 22. Wo lagen die Dörfer? 23. Wohin ging Peter? 24. Was besaßen Minnas Eltern vor der Stadt? 25. Was erkannte Peter, als Minna vor ihm stand? 26. Was hielt Minnas Vater in der Hand? 27. Was nahm ihm die Sprache? 28. Wen stürzt man nicht ins Unglück? 29. Bis wann hatte Peter Zeit, seinen Schatten wiederzubekommen? 30. Wer machte Peter ein Zeichen zu gehen? 31. Was ließ er zurück? 32. Was war zu plötzlich gekommen? 33. Was konnte Peter nicht sehen? 34. Wovor mußte Peter sich schämen? 35. Was fühlte er plötzlich an seinem Arm? 36. Worin hatte Peter einen Fehler gemacht? 37. Peter griff nach dem Säckel. Was wollte er damit tun? 38. Was überreichte der Graue unsrem Peter? 39. Was war der Preis, den der Graue für Peters Schatten verlangte?

II

Translate into German: 1. It is a charming house; we have three pictures of it. 2. They now have five children. 3. She has bought four dresses in the last six months. 4. What does she do with them? 5. What are you doing with so many books? 6. Three men were riding on one horse. 7. They have a large house in the country, but they do not live in it. 8. We found many words in the dictionary that we never use. 9. What are they doing on the ice? 10. How long have you been eating? 11. I am much older than my brother. 12. The roofs of the houses in Rothenburg are red. 13. May I see your new pen? May I write with it? 14. We could hear you best because you were singing loudest.

III

Translate into English:

genau	lehren	die Lust	die Mauer	fehlen
gering	der Gott	die Luft	der Nachbar	zehn
innen	die Linie	die Wand	nachdem	der Zustand

IV

Translate into German:

to happen	to ring	the power	the pen
the company	to knock	the sea	Monday
to pour	the cake	the crowd	the victory
June	to smile	the milk	Saturday
the church	loud	the middle	

V

Translate the following compounds and derivatives:

die Ferne; die Hälfte; tun, tat, getan, die Tat, die Gewalttat; glänzen; der Steinhaufen; hervorholen, herbeiholen, hervorkommen; genießen, der Genuß; das Hochland, hochstehend; das Jahrhundert (century), die Jahrhundertfeier; der Jäger; der Kampf, kämpfen, der Kämpfer, kampfbereit, der Einzelkampf; der König, die Königin, königlich, die Königskrone, das Königreich; die Schwäche; die Blindheit, die Schnelligkeit; der Graf, die Gräfin; die Strenge, die Süße; die Lehrmethode; das Sonnenlicht; ein Heißluft-Apparat; messen, das Maß, die Meßbarkeit; die Helle, die Helligkeit; der Durst, dürsten; der Edelmann; die Gemeinheit; der Wein schmeckt nach dem Faß; das Verlangen; vorausgehen; weglaufen; wirken, die Wirkung

VI

Translate the following sentences into English: 1. Du wirst immer schöner. 2. Vater wird immer dicker. 3. Sag' es noch einmal. 4. Morgen früh wollen wir wieder zu Hause sein. 5. Es tut mir leid, daß du nicht mitgehen kannst. 6. Die Verkäuferin fragte uns, ob wir sonst noch etwas kaufen wollten. 7. Mit einem Male war er nicht mehr da. 8. Hin ist hin! Verloren ist verloren!

VII

Form feminine abstracts in -e and translate into English:

dick	gut	kurz	schwach	treu
eng	hart	rot	still	tief

VIII

Decline in the singular and plural:

das Faß	mein Gast	der freundliche Lehrer
das Glas	dieses Lied	der lange Bleistift
das Mädchen	das grüne Blatt	jener Wald
	der Baum	

IX

Give the third person singular form of the following verbs in the present, past, present perfect, and past perfect:

sterben	teilen	wollen
stoßen	treiben	arbeiten können
	vorschlagen	

X

Give the correct pronoun substitute for the following underlined words. Example: Er schreibt mit einem Bleistift. Er schreibt damit.

1. Er arbeitet an einem Buch. 2. Er hilft bei der Arbeit. 3. Sie spielen vor der Kirche. 4. Er lag auf dem Schnee. 5. Er sitzt hinter dem Tisch. 6. Wir saßen lange in der Kirche. 7. Er saß am (an dem) Fenster. 8. Sie spielten auf dem Dache.

XI

Give pronoun substitutes for the following relatives: 1. Der Bleistift, mit dem du schreibst, ist stumpf. 2. Das Glas, aus dem du sonst trinkst, ist letzte Woche auf den Boden gefallen. 3. Das Zimmer, in dem die armen Kinder schlafen müssen, hat gar keine Fenster. 4. Mein Enkel hat mir das Buch gegeben, über das wir vor drei oder vier Tagen gesprochen haben. 5. Wir wollen einen Wagen kaufen, in dem sechs Leute gut sitzen können.

LESSON XVII

TEXT A

Münchhausen erzählt eine Geschichte

„Meine letzte Reise nach Moskau machte ich absichtlich mitten im Winter. Denn man kommt auf dieser Reise durch eine Provinz,[1] wo es im Herbst so außerordentlich stark und lange regnet, daß Felder und Wälder unter dem Wasser verschwinden und sich das Land in einen großen See verwandelt; was übrigens für die Menschen, die dort wohnen, gar nicht so unangenehm ist, wie Sie vielleicht glauben. Die Kirchen, die Rathäuser, die Schulen, überhaupt alle größeren Gebäude stehen auf hohen Steinmauern und kommen selbst dann nicht in Gefahr, wenn das Wasser zehn oder zwölf Meter höher steigt als gewöhnlich. Die anderen Häuser sind aus[2] Holz und treiben[3] zur Regenzeit wie Schiffe auf dem Wasser. Wenn sich die Leute eines Dorfes besuchen wollen, so warten sie einfach, bis der Wind ihre Häuser nahe aneinander treibt. Und sobald die Dächer zusammenstoßen, springt man von seinem Dach auf das des Bruders, Onkels oder Nachbarn. Schafe, Pferde und andere Haustiere[4] in dieser Provinz lassen sich im Herbst ein dichtes Federkleid wachsen, leben während der Regenzeit wie Gänse auf dem Wasser und fressen die Fische, die jedes Jahr in großen Mengen aus dem Meere kommen, um einmal Süßwasser zu genießen.

Sie können sich denken, daß kaum jemand Lust hat, während der Monate, in denen es Tag und Nacht gießt, durch diese Provinz zu reisen, wenn es nicht absolut notwendig ist, besonders dann nicht, wenn man, wie ich, gerne reitet. Die meisten warten, bis die Regenzeit vorbei ist, und reisen erst, wenn die strenge Winterkälte das Wasser in Eis verwandelt hat, was oft in einer einzigen Nacht geschieht. Dann kann man allerdings in dieser Provinz schneller vorwärts kommen als in jedem anderen Lande, das ich kenne. Man ist dann nicht mehr an die Wege gebunden und kann sozusagen auf der Luftlinie reisen, besonders wenn man, wie ich, ein Pferd hat, das Ski laufen[5] kann.

Doch ich sehe, daß Sie ungläubig lächeln. Ich erlaube mir, den Damen und Herren vorzuschlagen, daß Sie einmal selber im Herbst in diese Provinz fahren, die dortigen Zustände zur Regenzeit studieren und mir dann berichten, ob ich mich in irgendeinem Punkte von der Wahrheit entfernt habe, oder ob man mir trauen und meinen Behauptungen Glauben schenken darf."

[Fortsetzung folgt. Siehe Aufgabe XIX]

NOTES. 1. Provinz province. 2. aus Holz of wood. 3. treiben float, drift. 4. Haustiere domestic animals. 5. Ski laufen to ski.

VOCABULARY

ähnlich similar
anzünden (*sep. prefix*) to light, ignite
begleiten to accompany
beide *both*; two
das Bein, –e the leg
bilden to form, shape; educate
brav good; well-behaved
die Dame, –n the lady
der Dieb, –e the *thief*
das Ding, –e the *thing*
dumm stupid, "*dumb*"
einsam lonesome; solitary
einst *once*; formerly
falsch *false*; forged
fangen to catch
fassen to seize; contain
fordern to demand; challenge
die Form, –en the *form*, shape, figure
freilich certainly; to be sure
frieren to *freeze*
füllen to *fill*
der Fürst, –en the prince; sovereign
der Fuß, ⸗e the *foot*
der Geist, –er the spirit, *ghost*; mind
die Grenze, –n the limit; boundary
der Hals, ⸗e the throat, neck
die Heide, –n the *heath*
der Hund, –e the dog, *hound*
je ever
der Knabe, –n the boy, lad
kochen to *cook*; boil
leer empty, vacant
die Linde, –n the *linden* (tree)
link left
  links to the left
die Lippe, –n the *lip*
die Musik the *music*
notwendig necessary
das Ohr, –en the *ear*
recht *right* (hand)
  rechts to the right
reif *ripe*; mature
scharf *sharp*
stechen to prick, pierce, sting
die Sünde, –n the *sin*
überall everywhere
unterrichten to instruct; inform
der Ursprung, ⸗e the origin
vorziehen to prefer; pull out
wählen to choose, select; elect
weise *wise*, prudent
die Wolke, –n the cloud

IDIOMS

Glück haben to be fortunate
um . . . . willen for the sake of
was für ein what sort of

TEXT B

Peter Schlemihl [Fortsetzung]

Sprachlos sah ich abwechselnd auf das Stück Papier in meinen Händen und auf den grauen Mann neben mir. Träumte ich? Der Graue, das Papier, überhaupt die ganze Szene[1] kam mir so unwirklich vor. War das Ganze ein Produkt meiner Phantasie[2]? Ja, in meiner Jugend, da hatte ich die Historia von Doktor Johannes Faust und andere Geschichten gelesen, in denen Menschen ihre Seele verkauft und ähnliche Dokumente unterschrieben hatten. Aber nie, auch nicht als Knabe, hatte ich geglaubt, daß es so etwas wirklich gibt, wollte es auch jetzt nicht glauben. Aber derselbe Wind, der mit meinen Haaren spielte und mein Gesicht kühlte, bewegte auch leise das Papier in meiner Hand.

Soviel war klar: ich war in Gefahr. Der Graue war mein Feind. Ich mußte all meinen Mut zusammennehmen, um aus dem Kampf, der jetzt kommen mußte, als Sieger hervorzugehen. „Mein Herr," sagte ich nach einer Weile, „das unterschreibe ich nicht." — „Nicht?" wiederholte der Graue, „und warum nicht?" — „Es scheint mir doch sehr unweise zu sein, meine Seele für einen Schatten wegzugeben." — „Unweise! Haha!" lachte der Graue. „Wissen Sie denn überhaupt, was das für ein Ding ist, Ihre Seele? Haben Sie es je gesehen? Sind Sie überhaupt sicher, daß Sie eine Seele haben? Und was wollen Sie denn machen mit dieser Seele, wenn Sie einst tot sind? Seien Sie doch froh, einen Dummen gefunden zu haben, der Ihnen für dieses Ding noch vor Ihrem Tode etwas Wirkliches, nämlich Ihren Schatten geben will! Ihren Schatten, durch den Sie Ihre geliebte Minna zurückgewinnen und zur Erfüllung all ihrer Wünsche kommen können. Wollen Sie etwa, daß Minna, das arme Ding, Raskal heiratet? Sie wissen doch, es war Raskal, der so gemein war, den Brief an den Vater zu schreiben, und der Minna am Donnerstag heiraten will. Hier, seien Sie kein Narr und unterschreiben Sie!"

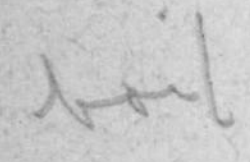

Daß der Graue aus meiner Not Gewinn ziehen wollte, brachte mein Blut zum Kochen. Ich haßte ihn aus dem Grunde meiner Seele, und ich glaube, dieser Haß allein hat mich damals zurückgehalten, ihm sogleich die geforderte Unterschrift zu geben.

„Mein Herr," sagte ich laut und versuchte, ruhig zu bleiben, „ich habe Ihnen vor einem Jahre meinen Schatten verkauft. Ein zweites Geschäft dieser Art kommt nicht in Frage. Meine Seele verkaufe ich Ihnen nicht.

Entweder Sie geben mir meinen Schatten gegen den Säckel zurück, oder jeder von uns behält, was er hat, und wir scheiden voneinander. Und zwar je eher desto besser!" — „Es tut mir leid, Herr Graf, daß Sie es vorziehen, bis an das Ende Ihres Lebens ohne Schatten zu bleiben. Indessen, vielleicht habe ich ein andermal mehr Glück. Auf Wiedersehen! — Übrigens gestatten Sie mir noch, Ihnen zu zeigen, daß ich die Sachen, die ich kaufe, in Ehren halte. Besonders Ihren Schatten weiß ich wohl zu schätzen." Mit diesen Worten zog der graue Mann meinen Schatten aus der Rocktasche, faßte ihn bei den Beinen, warf ihn auf die Heide und legte ihn so an seine Füße, daß er auf zwei Seiten statt auf einer einen Schatten zu haben schien, seinen eigenen Schatten auf der rechten und meinen auf der linken Seite. „Sie brauchen durchaus nicht so traurig auf Ihren Schatten zu sehen", meinte er. „Ein Federzug ist alles, was nötig ist, damit der Schatten wieder Ihnen gehört. Nur ein Federzug, und Ihre Minna hat in den Armen des geliebten Grafen bald alles Leid vergessen."

Er schwieg einen Augenblick und schien irgendwohin in die Ferne zu sehen. „Kommen Sie," sagte er, „unterrichten Sie sich mit eigenen Augen und Ohren über die guten Absichten Ihres treuen Raskals! Ziehen Sie diese Tarnkappe[3] über den Kopf, und wir können Ihren Rivalen ungesehen beobachten." Er zog etwas aus der Tasche, das wie ein Mantel aussah, warf es mir um und ging voraus, ohne zu warten, ob ich ihm folgte. Ich eilte ihm nach, und schweigend machten wir uns auf den Weg zu Minnas Garten.

Fast wie einen Hund hatte mich der Vater vor wenigen Stunden aus dem Garten gejagt. Wie ein Dieb kehrte ich zurück. Aber war das wirklich noch derselbe Garten? Mir kam alles so verändert vor. Und war das meine Minna, die da wie leblos auf der Bank zwischen den beiden Linden saß, meine Minna, die hier so oft ihre Arme um meinen Hals gelegt, so oft ihre Lippen auf meine gedrückt hatte? Wie tot, keinen Tropfen[4] Blut im Gesicht, sah sie mit leerem Blick in die Ferne. Der Anblick schnitt mir ins Herz. „Sehen Sie sich das arme Ding an!" sagte mein Begleiter leise. „Ihre Schuld! Nur weil Sie nicht unterschreiben wollen."

Ich fror.

Der Vater ging wieder, die Hände auf dem Rücken, mit schnellen Schritten den Gartenweg auf und ab. „Freilich," sagte er nach einer Weile und blieb vor ihr stehen, „ich verstehe es ja, daß du ihn geliebt hast. Ich selbst habe ihn geliebt. Aber du mußt dir diese Liebe aus dem Herzen reißen, mußt diesen Ehr- und Schattenlosen vergessen, mußt zu stolz sein, noch an ihn zu denken. Was! Jeder Hund hat seinen Schatten, und mein einziges Kind soll einen Menschen heiraten, der keinen Schatten hat? Nein, das können, das dürfen deine Eltern nicht erlauben. Ich weiß, du bist vernünftig, du denkst nicht mehr an ihn. Raskal ist zwar kein Fürst, kein Graf, aber er ist gesund, er ist reich, er ist nicht zu alt und kann dich vielleicht glücklich machen. Auf jeden Fall kannst du dich mit ihm in der Sonne sehen lassen. Nein, antworte nichts! Sei eine brave Tochter und laß deinen Vater für dich sorgen! Versprich mir, dem Herrn Raskal deine Hand zu geben!" Minna nickte müde und antwortete mit leiser Stimme: „Ich habe keine Wünsche mehr auf dieser Erde. Tu mit mir, was du willst!"

Mein Begleiter sah mir prüfend ins Gesicht: „Und das können Sie mit ansehen?" fragte er mit beißender Schärfe. „Fließt denn Wasser statt Blut in Ihren Adern[5]?" Er zog eine Feder aus der Tasche und stach mir damit in die Hand. „Wahrhaftig, Herr Graf," meinte er, „rotes Blut!" Er fing einen Tropfen auf und reichte mir Feder und Papier. „Hier, unterschreiben Sie, rechts, da unten: Peter Schlemihl!"

Ich nahm Feder und Papier. . . .

Ich weiß nicht, wie es kam, daß ich gerade in dem Augenblick in eine tiefe Ohnmacht fiel, als ich meine Unterschrift unter das Dokument setzen wollte. Ich war entschlossen, den geforderten Preis zu zahlen. Nicht für mein Glück, sondern um dieses unschuldige Wesen vor einem Manne zu retten, den sie nicht liebte.

Aber ich bin zufrieden, daß alles so kam, wie es gekommen ist. Ich habe gelernt, daß es überall in der Welt und auch im Leben der Menschen eine weise Notwendigkeit gibt, die dem Einzelnen zwar eine gewisse Freiheit läßt für seine persönlichen Wünsche, aber diesen Wünschen auch eine Grenze setzt, an der unsere Macht endet. Ich habe gelernt, daß sich hinter dieser Notwendigkeit ein Geist verbirgt, der, höher als unsere enge Menschenvernunft, zwar oft erlaubt, daß wir Fehler machen und schuldig werden, aber nur, um uns zu bilden und zu formen, bis wir reif werden und ihn als Anfang und Ende, als Ursprung und Ziel aller Dinge verehren. Ich weiß heute, daß diese übernatürliche Macht, als ich um Minnas willen eine Sünde tun wollte, für mich und für Minna das Bessere gewählt hat.

Der Graue stand noch immer neben mir, als ich wieder zu mir kam.

„Sie altes Weib!" begrüßte er mich freundlich. Aber ich war noch schwach, und es dauerte eine Weile, bis mir klar wurde, was überhaupt geschehen war. Wir waren noch immer in Minnas Garten. Der volle Mond zog durch die Wolken. Im Hause hatte man die Lichter angezündet, und aus den Räumen drangen helle Frauenstimmen und festliche Musik zu uns herüber.

Einzelne Gäste gingen auf den Gartenwegen auf und ab. Ein junges Paar nahm nicht weit von mir auf derselben Bank Platz, auf der ich so oft mit Minna gesessen hatte. Sie sprachen von Raskal und seiner jungen Frau. „Nach meiner Meinung hat sie wirklich Glück gehabt," hörte ich die Dame sagen, „so schnell einen Mann zu finden, der sie heiraten wollte nach dieser bösen Geschichte mit dem falschen Grafen."

Es war also geschehen. Minna, meine Minna, war die Frau eines anderen.

[Fortsetzung folgt]

NOTES. 1. Szene scene. 2. Phantasie imagination. 3. Tarnkappe magic cloak (which makes the wearer invisible). 4. Tropfen drop. 5. Adern veins.

BUILDING A PASSIVE VOCABULARY

abwechselnd ab off, wechseln to change, abwechselnd changing off (that is, looking first at one and then at the other), alternately
der Anblick an on, at, blicken to look, der Anblick sight
aussah aussehen to look, appear
behält (behalten) halten to hold, behalten to keep
entfernt fern far, distant, entfernt (*past part.*) departed
Erfüllung füllen to fill, erfüllen fulfill, Erfüllung fulfillment
Federzug die Feder the pen, der Zug (*from* ziehen to move) the movement, der Federzug stroke of the pen
geliebt lieben to love, geliebt (*past part. as adj.*) beloved
machen tun
nach meiner Meinung in my opinion
Ohnmacht ohne without, die Macht power, might, die Ohnmacht, faint
der Tod, tot töten to kill, der Tod death, tot dead
übernatürlich über over, super-, natürlich natural, übernatürlich supernatural
unten unter under, below, unten (*adv.*) below, at the bottom
unterschreiben, die Unterschrift unter under, below, schreiben to write, unterschreiben to sign, die Unterschrift the signature
verändert anders different, ändern to change, verändert changed

verehren die Ehre the honor, verehren to honor, respect
vor ago
wahrhaftig wahr true, wahrhaftig truly, really
zweites zwei two, zweites (*ordinal number*) second

GRAMMAR

109. Nouns of the Fourth Class. Nouns of this class add -n or -en to form the plural. They do not take the umlaut. This is the group to which almost all feminines belong, and there are relatively few masculines and neuters in it.

a. The feminine nouns that have already been introduced and which add -n are:

die Aufgabe	die Familie	die Klasse	die Reihe	die Straße
die Backe	die Farbe	die Krone	die Rose	die Stunde
die Blume	die Feder	die Linde	die Sache	die Sünde
die Dame	die Freude	die Linie	die Schule	die Tasche
die Ecke	die Geschichte	die Lippe	die Seite	die Tasse
die Ehe	die Grenze	die Mauer	die Sonne	die Weise
die Ehre	die Kartoffel	die Menge	die Spitze	die Woche
die Erbse	die Kirche	die Nase	die Stimme	die Wolke

b. The feminines which add -en are:

die Absicht	die Gesellschaft	die Pflicht	die Uhr
die Art	die Gestalt	die Schlacht	die Welt
die Form	die Gewalt	die Schuld	die Zeit
die Frau	die Person	die Tür	die Zeitung
die Gefahr			

c. The following neuters * and masculines * add -en (-n if they end in -e):

das Auge	der Doktor	das Ohr
das Bett	das Ende	der Schmerz

d. The following masculines add -n or -en (as indicated) to the nominative singular form in all of the other cases, singular and

* These nouns are regular in the singular; as, das Auge, des Auges, dem Auge, das Auge; der Doktor, des Doktors, dem Doktor, den Doktor.

plural. (They are all irregular in the genitive singular in that they do not add -s.)

der Fürst (-en)	der Knabe (-n)	der Nachbar* (-n)
der Graf (-en)	der Löwe (-n)	der Narr (-en)
der Held (-en)	der Mensch (-en)	der Soldat (-en)

e. The plural of der Herr is die Herren; of das Herz, die Herzen. (Cf. § 84 for singular forms.)

110. Definite Article for Possessive Adjective. Where the possessor is clearly understood, German frequently uses the definite article instead of a possessive adjective:

Er verlor das Leben. He lost his life.

Nimm den Hut ab! Take off your hat.

Er ist vom Pferd gefallen und hat dabei den Hals gebrochen. He fell off the (his) horse and in doing so broke his neck.

111. The Dative of Interest. The dative of interest is a variety of the indirect object. It denotes the person to whom something is done or to whom something happens. It is especially frequent when, as stated in § 110, the definite article replaces the possessive adjective:

Mein Begleiter sah mir ins Gesicht. My companion looked into my face.

Der Anblick schnitt mir ins Herz. The sight cut me to the heart.

Du mußt dir diese Liebe aus dem Herzen reißen. You must tear (cast) this love from your heart.

Er hat sich in den Finger geschnitten. He cut his finger.

112. Intensifying Pronouns. English uses the reflexive pronoun (*myself*, *yourself*, and so on) as an intensifying pronoun:

She loves herself; she loves him herself.

German has both reflexive pronouns and intensive pronouns. The reflexives were explained in § 44. The intensive pronouns are selber and selbst; they are indeclinable and are used alike, except that selbst may be used adverbially and means *even*:

Ich selbst (selber) habe ihn geliebt. Das haben wir selber (selbst) gesehen. Selbst (even) ein Hund hat einen Schatten.

---

* Nachbar forms also a genitive in -s.

Learn the principal parts of the following verbs:

empfangen	empfing	hat empfangen	empfängt	to receive
fangen	fing	hat gefangen	fängt	to catch
ziehen	zōg	hat gezōgen	zieht	to pull
vorziehen	zōg vor	hat vorgezōgen	zieht vor	to prefer
frieren	frōr	ist gefrōren	friert	to freeze
sprechen	sprāch	hat gesprochen	spricht	to speak
stechen	stāch	hat gestochen	sticht	to sting

EXERCISES

I

Answer in German: 1. Wer war sprachlos? 2. Wer stand neben Peter? 3. Was kam ihm unwirklich vor? 4. Was hatte er in seiner Jugend gelesen? 5. Was hatten die Menschen verkauft? 6. Was bewegte der Wind? 7. Warum wollte Peter das Papier nicht unterschreiben? 8. Wodurch konnte Peter Minna zurückgewinnen? 9. Was wollte der Graue dem armen Peter für seine Seele geben? 10. Wer hatte den Brief an Minnas Vater geschrieben? 11. Wann sollte Raskal Minna heiraten? 12. Wer wollte aus Peters Not Gewinn ziehen? 13. Was hielt Peter zurück, dem Grauen seine Unterschrift zu geben? 14. Woraus zog dieser den Schatten? 15. Wohin warf er den Schatten? 16. Worauf sah Peter so traurig? 17. Was sollte Peter über den Kopf ziehen? 18. Woraus zog der Graue die Tarnkappe? 19. Wie sah die Tarnkappe aus? 20. Wohin gingen die beiden? 21. Wann hatte der Vater den hilflosen Peter aus dem Garten gejagt? 22. Worauf saß Minna? 23. Wo stand die Bank? 24. Wer redete mit Minna? 25. Was hat jeder Hund? 26. Wer wollte für Minna sorgen? 27. Wie sah Peters Begleiter ihm ins Gesicht? 28. Womit stach der Graue dem unglücklichen Peter in die Hand? 29. Warum unterschrieb Peter nicht? 30. Was waren die ersten (first) Worte des grauen Mannes, als Peter wieder zu sich kam? 31. Was hatte man im Hause angezündet? 32. Woraus drangen helle Frauenstimmen? 33. Worauf nahm das junge Paar Platz? 34. Von wem sprachen die beiden? 35. Was sagte die Dame? 36. Wessen Frau war Minna nun?

II

Translate into German: 1. My three friends and I want to go to Germany. 2. What are your intentions? 3. In the garden we saw many beautiful roses and other flowers. 4. (My) Ladies and gentlemen, you may count on (auf *with acc.*) me. 5. To be sure, I haven't much money. 6. Even the children want to buy themselves a couple of things. 7. A coat often has four or five pockets. 8. I myself have three pens. Yes, I write with them. 9. These narrow streets remind me of Dinkelsbühl. 10. Potatoes and peas are not enough for a child that is still growing. 11. He has broken his left arm. (*Use dative of interest.*) 12. She has a book in [her] (the) hand. 13. On Sunday she wears a ring on [her] (the) finger. 14. What are you writing with?

III

Translate into English:

geheim	das Reich	die Schlacht	übrigens
herbeieilen	die Reihe	der Stern	der Vogel
nicken	reiten	stolz	vollkommen
der Ort	schenken	strecken	das Zeichen
die Pflanze	schicken	trauern	der Zufall

IV

Translate into German:

the uncle	the rain	to taste	blunt
the penny	the sheep	to cut	the dew
the duty	to separate	the school	the animal
the point	to shove	to study	the past

V

Translate the following compounds and derivatives:

der Letzte des Monats, der Letztgenannte; lichtblau, ein Lichtchen; das Liederbuch, ein Liedchen; die Lust, Unlust, lustig; der Wintermantel; merkbar, merklich, unmerklich; milchweiß, die Milchstraße, eine Milchfrau; die Mischung; der Mittag, der Nachmittag; der Schlaf, das Schläfchen, das Nachmittagsschläfchen; die Mittagshitze, die Mitternacht; monatlich, der Monatsbericht;

töten, tot; todmüde, die Müdigkeit; er ist sehr musikliebend; die Nachbarin, das Nachbardorf, nachbarlich; der Narr, die Närrin, das Narrenhaus; das Näslein; das Vogelnest; niederlegen, niederwerfen; der Ohrenschmerz; prüfen, die Prüfung; raten, der Rat, er hilft mit Rat und Tat; reif, reifen; er lief wie der Blitz; ein amtlicher Brief; doppelt so gut; rühr dich nicht von der Stelle; eintönig (monotonous); Hans fehlte zwei Tage in der Schule; feiern, die Schulfeier; die Rose, das Röslein; der Streit, streiten; wertlos

VI

Translate the following sentences into English: 1. Die Sonne scheint mir ins Gesicht. 2. Er warf ihnen das Geld vor die Füße. 3. Mein Vater kaufte mir einen Hut. 4. Er nahm mir mein ganzes Geld. 5. Das Herz blutet mir. 6. Meinem Onkel fallen die Zähne (teeth) aus. 7. Sie weint sich die Augen aus. 8. Das kommt mir nicht aus dem Sinn. 9. Nimm dir ein Stück Kuchen. 10. Mariechen, nimm den Finger aus dem Mund! 11. Selbst mein bester Freund konnte mir nicht helfen.

VII

Give the definite articles and plurals of:

Person, Wagen, Arzt, Brief
Bild, Wolke, Apfel, Recht
Tasse, Licht, Gesicht

VIII

Decline in the singular and plural:

das Zimmer, der letzte Fehler, die Seite
die grüne Wand, mein Gast, der Bleistift
unsere gute Mutter

IX

Compare:

früh, groß, laut, warm, kurz, schnell

X

Give the principal parts of:

zeigen, empfehlen, bringen, wissen
leiden, erlauben, können, kennen

XI

Give the third person singular form of the following verbs in the present, past, present perfect, and past perfect:

lachen	wenden	bekommen	wollen
anfangen	verschwinden	arbeiten	dürfen

XII

Review § 82 in preparation for the next lesson and translate again sentences 1, 3, 5, 6, 13 of exercise II in Lesson XIII.

LESSON XVIII

TEXT A*

Wer weiß, was er damit getan hätte? — Ich zog die Decke (covers) über den Kopf und tat, als ob ich schliefe. — Ja, wenn das Unglück nicht gekommen wäre und du säßest hier, dann wäre alles anders. — Wie wäre es, wenn du ein paar Freunde holtest? — Er hat gegessen, als ob er seit drei Tagen nichts bekommen hätte. — Gegessen hat er, als hätte er seit drei Tagen nichts bekommen. — Wenn er nur bald käme! — Ach, ich wäre so gern auf dem Lande. — Ich bliebe sehr gerne hier und kochte euch Kaffee. — Ich habe das Gefühl, als wenn etwas geschehen müßte. — Ich habe das Gefühl, als müßte etwas geschehen. — Ich möchte wissen, ob Herr Lehmann hier wohnt. — Wenn ich nun die Stelle bekäme, dann könnten wir ja heiraten. — Ins Wasser hätte ich springen mögen. — Wenn er gesund aus dem Krieg zurückkehrte, das wäre aber doch schön. — Ich dachte mir, es wäre gut für euch, wenn ihr die Reise machtet. — Alles hätte anders sein können. — Es hätte unserm Vater gewiß Freude gemacht, wenn er das alles noch gesehen hätte. — Für deine Hilfe wäre ich sehr dankbar.

Und warum sollte er nicht weinen? — Das wäre unrecht, wenn ich das täte. — Sie sind alt genug, daß Sie mein Vater sein könnten. — Es schien, als ob sie spielen wollte. — Es wäre nicht gut für mich gewesen, wenn ich so aus dem Leben gegangen wäre, wie ich früher war. — Du könntest die zwei Apfelsinen deiner Mutter bringen. — Es war, als wenn sie ihre schwarzen Augen verbergen wollte. — Es war, als wollte sie ihre schwarzen Augen verbergen. — Du könntest aber freundlich sein zu jedermann (everybody). — Hätte er dich sonst heiraten wollen, wenn er dich nicht liebte? — Er hätte für dich und für deine Mutter besser sorgen können, als du es nun kannst. — Wenn sie früh sterben sollte, so weiß ich wohl, wer sie getötet hat. — Wenn du mich einmal später sehen solltest, so tu mir den Gefallen und sieh mich nicht an.

Hätte er sich selbst sehen können, so wäre er noch unglücklicher geworden. — Ich könnte mir vorstellen (imagine), daß ich hier heiratete und Kinder

---

* The isolated sentences in Text A were taken, in most cases without change, from literary works which the student might read in more advanced classes.

aufzöge (aufziehen to rear). Dann flögen die Kinder in die Welt hinaus, und ich würde alt, und das wäre dann das Leben. — Wenn er das gewußt hätte, wäre er nicht im Café sitzengeblieben. — Er hat ein Gesicht, das ich nicht geschenkt haben möchte.

VOCABULARY

die Apfelsine, -n the orange
der Bach, ⸗e the brook
bellen to bark
der Berg, -e the mountain
biegen to bend, turn
das Brot, -e (the loaf of) *bread*
der Busch, ⸗e the *bush*
das Ei, -er the *egg*
die Eiche, -n the *oak*
einige a few, some
entlang *along*
-erlei . . . kind(s) of
allerlei all kinds of
der Felsen, - the rock
fördern to *further*, advance, bring out
fort away, gone; on
das Frühstück the breakfast
der Fuchs, ⸗e the *fox*
die Gabel, -n the fork
der Gegenstand, ⸗e the object
gelb *yellow*
hängen (hangen) to *hang*
das Haupt, ⸗er the head; chief
das Hemd, -en the shirt
die Herde, -n the *herd*
das Holz, ⸗er the wood
die Hose, -n the trousers
der Käse, - the *cheese*
der Knochen, - the bone
der Laden, ⸗ the store, shop
lieber rather
der Löffel, - the spoon
das Messer, - the knife
der Nebel, - the fog, mist
ost-, öst- *east-*
der Osten the *east*
schlecht bad, wicked
der Schuh, -e the *shoe*
die Schulter, -n the *shoulder*
die Stirn, -en the forehead
süd- *south-*
der Süden the *south*
die Tanne, -n the fir (tree)
der Tee the *tea*
der Teller, - the plate
teuer *dear*, expensive
trocken *dry*
das Ufer, - the shore, bank
der Vorteil, -e the advantage
wahrscheinlich probable, likely
weh tun to hurt, pain
west- *west-*
der Westen the *west*
zugleich at the same time

IDIOMS

es tut mir weh it hurts me
es war mir it seemed to me
jedenfalls at any rate
loswerden (*w. acc.*) to get rid of
(es ist) schade (it is) too bad
tun als ob act as if
zum Glück luckily, by good fortune

TEXT B

Peter Schlemihl [Fortsetzung]

Jeden Augenblick konnte Minna am Arme Raskals in den Garten kommen, und dieser Anblick wäre für mein armes Herz zuviel gewesen. Ich mußte fort. Ich stand auf, warf noch einmal einen letzten Blick auf den Gartenweg, auf dem ich mit Minna so oft gegangen war, auf die Rosenbüsche am Wege, die Minna so liebte, auf die Bank zwischen den beiden Linden, wo wir Hand in Hand so oft gesessen. Und dann ging ich. Ein Mensch ohne Zukunft, ohne Hoffnung, ohne Ziel. Der graue Mann folgte mir.

Es gelang uns, mit Hilfe der Tarnkappe unbemerkt den Marktplatz zu erreichen. Ich eilte schnell ins Haus, nahm weinend von meinem treuen Bendel Abschied, steckte schnell ein Bild Minnas in meinen Mantel und eilte wieder auf den Marktplatz, wo der Graue mit zwei Pferden, die er indessen aus seiner Rocktasche gezogen hatte, am Rathausbrunnen auf mich wartete. Noch in derselben Nacht ritten wir über die nahe Grenze des kleinen Königreiches, bogen gegen Morgen von der Hauptstraße ab und stiegen schließlich, nachdem wir ein paar Stunden zwischen hohen Bergen an einem Bach entlang geritten waren, in einem hohen Tannenwalde ab. Todmüde warf ich mir eine Decke um die Schultern, suchte mir in dem dichten Unterholz ein trockenes Plätzchen und schlief bald fest ein.

Die Sonne stand schon wieder im Osten, als ich endlich wach wurde. Der Graue führte gerade die Pferde an den Bach und ließ sie trinken.

Ich stand auf. Mein Rücken schmerzte von dem harten Boden, alle Knochen im Leibe taten mir weh.

„Ja," meinte der Graue trocken, als er zurückkehrte, „wenn Sie mir Ihre schöne Seele zur rechten Zeit verkauft hätten, wären Sie jetzt noch immer der Herr Graf und könnten bis ans Ende Ihres Lebens in einem Federbette schlafen. Wahrscheinlich säßen Sie jetzt gerade am Frühstückstisch und tränken den heißen Tee, den die Gräfin Ihnen selber gekocht hätte. Jungverheiratete Frauen machen den Tee nämlich meistens selber. Später, wenn die Liebe abgekühlt ist, tut es der Mann. Nun, Herr Raskal weiß Tee und Gräfin sicher auch zu schätzen."

Ich wäre dem Grauen am liebsten an den Hals gesprungen. Aber der tat, als ob er nichts merkte, steckte die Hand in die Rocktasche, holte für jeden einen Teller, eine Gabel und ein Messer heraus, ließ Brot und Käse folgen, förderte außerdem noch für jeden zwei Eier und einen kleinen Löffel ans Tageslicht und sagte, nachdem wir uns beide gesetzt hatten: „Sehen Sie, ich denke natürlich vor allem an meinen eigenen Vorteil. Andere Leute, die lieber ein Mädchen ins Unglück stürzen als ihre Seele verkaufen, tun das zwar auch. Aber solche Leute sind nicht so ehrlich wie ich. Und glauben Sie mir, ich denke zugleich an Ihren Vorteil, wenn ich Ihnen noch einmal dringend rate, doch endlich vernünftig zu werden und zu unterschreiben. Unterschreiben Sie nicht, so dürfen Sie die Hoffnung, je wieder friedlich unter Menschen wohnen zu können, ruhig aufgeben. Einen Schattenlosen, das haben Sie ja erfahren, will niemand unter seinem Dache haben. Ich verstehe ja, daß man sich nicht gern von etwas trennt, was man noch nie gesehen hat. Sie sind nicht der erste Fall dieser Art. Aber glauben Sie mir, bis jetzt hat noch jeder, der mir einmal seinen Schatten verkauft hatte, diesen Schatten auch wieder zurückgekauft. Warum sollten gerade Sie anders sein als die anderen? Vielleicht insofern, als Sie schlechter sind und lieber ein Mädchen als Ihre Seele aufgeben."

Oh, der Graue war ein guter Menschenkenner. Mit jedem Wort, das er sprach, schnitt er mir tief ins Herz. Ich kann Dir gar nicht sagen, mein teurer Freund, was für einen brennenden Haß gegen diesen Teufel ich in mir fühlte. Jedem anderen als ihm hätte ich damals gerne meine Seele gegeben, nur um ihn endlich loszuwerden.

Ich war also nicht der erste Fall. Wahrscheinlich hatte der Fuchs schon unzählige Menschen auf diese Art und Weise ins Unglück gestürzt. Gestalten der Vergangenheit traten vor meine Seele. „Haben Sie auch von Herrn John eine Unterschrift?" fragte ich ihn. Er lächelte: „So, so! Sie erinnern sich noch an ihn. Freilich hatte ich eine Unterschrift von Herrn John, obgleich das bei einem so guten Freunde kaum nötig gewesen wäre. Übrigens ist er vor einigen Wochen gestorben." — „Wo ist er?" rief ich, meinen Haß nicht länger verbergend! „Bei Gott, ich will es wissen!"

Merkte der Graue plötzlich, daß er sein Spiel verloren hatte, daß ich mich eher in Stücke hätte reißen lassen, als ihm meine Seele zu verkaufen? Ich weiß es nicht. Jedenfalls ließ er plötzlich alle Höflichkeit fallen, wilder Haß leuchtete ihm aus den Augen, und mit einem Lachen, das ich nicht vergessen kann, zog er die Gestalt des unglücklichen John bei den Haaren aus seiner

Rocktasche. Mir vergingen fast die Sinne, als sich die kalten Lippen zu den schweren Worten bewegten:

> Justo judicio Dei judicatus sum.
> Justo judicio Dei condemnatus sum.[1]

Dann aber war es mir, als käme mir von irgendwoher neue Kraft. Ich riß den Säckel aus der Brusttasche, warf ihn dem Grauen vor die Füße und rief: „Ich befehle dir im Namen Gottes, mich allein zu lassen und mir nie wieder vor die Augen zu kommen!" Und an dem Namen des Allmächtigen brach die Gewalt des Grauen. Er verschwand zwischen den Felsen. Den Säckel nahm er mit.

Da saß ich, ohne Schatten und ohne Geld. Aber ich war nicht traurig. Hätte ich meine Minna nicht verloren, oder hätte ich mich frei von jeder Schuld an diesem Verlust fühlen dürfen, ich glaube, ich hätte glücklich sein können. Ich durchsuchte meine Taschen und fand noch einige Goldstücke. Ich zählte sie und lachte. Und da die Sonne noch hoch am Himmel stand, legte ich mich in den Schatten der nächsten Bäume und schlief ruhig ein.

Die Sonne stand tief im Westen, als ich die Augen wieder öffnete. Die Pferde waren nicht zu finden. Wahrscheinlich waren sie dem Grauen nachgelaufen. Ich machte mich also zu Fuß auf den Weg, stieg über Steine und Felsen, kam gegen Morgen wieder auf die Hauptstraße und sah bald ein kleines Städtchen vor mir zwischen den Bergen liegen. Zu meinem Glück hingen schwere, graue Regenwolken am Himmel, sodaß kein Mensch von mir einen Schatten verlangen konnte.

Ich brauchte dringend ein Paar Schuhe, denn die, welche ich trug, waren für den reichen Grafen und nicht für den armen Schlemihl bestimmt gewesen. Die scharfen Steine hatten sie vollkommen unbrauchbar gemacht. Nach einigem Suchen fand ich denn auch in einer engen Seitenstraße einen kleinen Laden, in dem eine lange Reihe alter Schuhe neben allerlei anderen gebrauchten Gegenständen im Fenster stand. Der Laden war noch geschlossen, denn es war noch früh, gerade sieben Uhr. Ich klingelte also. Ein altes, dünnes Männchen öffnete mir und zeigte mir stolz seine Schätze. Ich wählte ein Paar Schuhe aus, die mir noch ziemlich gut und stark zu sein schienen, kaufte mir noch ein neues Hemd und eine neue Hose, zog Schuhe, Hemd und Hose gleich im Laden an und trat wieder auf die Straße. Mir war ein herrlicher Gedanke gekommen: „Wie wäre es," sagte ich mir, „wenn du in einem der Silberbergwerke[2] in diesen Bergen eine Stelle bekommen könntest! Dann wärest du bei Tage unter der Erde und brauchtest nichts zu fürchten. Schade, daß dir dieser Gedanke nicht früher gekommen ist! Du hättest Minna dann wahrscheinlich nie getroffen, und das gute Mädchen wäre heute nicht so unglücklich."

Ich blickte auf, um mich nach jemand umzusehen, den ich nach dem Weg zum nächsten Bergwerk[2] fragen könnte. Aber irgendwie war ich von der Straße abgekommen. Zu meinem Schrecken stand ich mitten in einem hohen Eichenwalde. Von dem Städtchen war nichts zu sehen. Ich drang ein paar Schritte weiter vor, und auch der Wald war hinter mir verschwunden. Ich stand auf einem großen Eisberg. Die Luft war schneidend kalt, um mich war Totenstille, und soweit das Auge reichte, sah ich nichts als Eis und schweren, dicken Nebel. Die Sonne stand blutigrot dicht am Horizonte. Noch ein paar Schritte, und ich stand am Ufer eines Meeres. Auf grünlich weißen Eisbergen saßen Vögel, wie ich sie nie vorher gesehen hatte. Eine ganze Herde von Seelöwen stürzte sich ins Wasser, als ich plötzlich mitten unter ihnen stand. Ich folgte diesem Ufer nach Süden, und nach wenigen Minuten wurde es so heiß, daß mir das Wasser von der Stirn lief und ich kaum noch atmen konnte. Ich mußte mich in den Schatten eines Baumes setzen, um auszuruhen. Der Baum hing voll schöner, reifer Apfelsinen. Zwei Männer, die ihr Haar wie bei uns die Mädchen auf dem Rücken hängen hatten, liefen lautschreiend herbei und riefen mir in einer Sprache, die ich nicht verstand, etwas zu, und ihr gelber Hund, der wie ein kleiner Löwe aussah, bellte mich an. Ich machte zwei Schritte, um sie zu begrüßen — die Männer waren verschwunden, und wieder war alles um mich her verändert. Kein Zweifel, ich hatte Siebenmeilenstiefel[3] an den Füßen.

[Fortsetzung folgt]

NOTES. 1. Justo . . . condemnatus sum. By the just judgment of God I am judged. By the just judgment of God I am condemned. 2. Silberbergwerke, Bergwerk silver mines, mine. 3. Siebenmeilenstiefel seven-league boots.

BUILDING A PASSIVE VOCABULARY

Abschied nehmen Abschied (*from* scheiden to separate, part) leave, Abscheid nehmen to take leave

dringend dringen to penetrate, crowd, urge, dringend urgently

der Gedanke denken to think, der Gedanke the thought

das Gefühl fühlen to feel, das Gefühl the feeling
irgendwie somehow
jungverheiratet jung young, recent, verheiratet (heiraten) married, jungverheiratet recently married
das Königreich der König the king, das Reich the realm, das Königreich the kingdom
leuchtete das Licht the light, leuchten to emit light, leuchtete gleamed
meistens meist most, meistens mostly, usually
das Unterholz unter under, below, beneath, das Holz the wood, das Unterholz the underbrush
unzählig zählen to count, unzählig countless, innumerable
verändert anders different, ändern, verändern to make different, change

GRAMMAR

113. The Subjunctive. Only indicative verb forms have been used so far in this book. We now propose to introduce the subjunctive, for which there are two sets of forms in German:

a. One of the sets, to be called the imaginative subjunctive, is used to refer to situations imagined by the speaker. (This set will be taken up in this lesson.)

b. The other set, to be called the indirect-discourse subjunctive, is used to report words and thoughts. (It will be taken up in a later lesson.)

114. The Imaginative Subjunctive. This is found mainly in certain types of *if*-clauses and their following conclusions which differ from any that have been used so far. The following two sentences may illustrate the difference between the familiar type, which requires the indicative, and the new type, which requires the imaginative subjunctive:

a. The familiar indicative type:

> If he is still living, he is a very old man.
> Wenn er noch lebt, ist er ein sehr alter Mann.

b. The new imaginative subjunctive:

> If he were still living, he would be a very old man.
> Wenn er noch lebte, wäre er ein sehr alter Mann.

In the first sentence we do not know whether the man is alive or dead, but in the second one we know he is dead. In the first there is something uncertain; that is, the correctness or truth of the statement *he is a very old man* depends upon the condition *If he is still living*. Since the speaker does not have a full knowledge of the facts in this *if*-clause, everything is left undecided.

In the second sentence, *If he were still living, he would be a very old man*, it is very evident that the speaker knows the facts of the *if*-clause; he knows that the man in question is not living. This sentence leaves nothing undecided. We are dealing here with an imagined situation. Both English and German use special verb forms, the imaginative subjunctive, to bring out the imaginary character of the situations referred to in such sentences. It might seem almost paradoxical that the past tense form *were* in the clause *if he were living* refers to present time. When referring to past time, English uses the past perfect tense in the *if*-clause: *If he had been on that train, he would have been killed.* Past and past perfect have assumed here a new function, that of the *imaginative subjunctive*. Let us repeat that in the imaginative subjunctive

Present time requires a form based on the past tense.
Past time requires a form based on the past perfect tense.

In order to avoid confusion the term *present imaginative* will be used when subjunctive forms refer to present time (despite the fact that they are derived from the past-tense form), and the term *past imaginative* will be used when reference is made to past time.

115. Formation of the Present Imaginative. In *if*-clauses both English and German derive their present imaginative from the past tense of the indicative:

Wenn Sie in Berlin wohnten, brauchten Sie auch mehr Geld. If you lived in Berlin, you would need more money too.

In the conclusion, or main clause, English uses *I should* (*would* in colloquial usage), *you would*, *he would*, plus the infinitive. German, however, uses the imaginative subjunctive in both clauses. (See example above.)

The present imaginative subjunctive is formed as follows:

Weak verbs use the indicative forms of the past tense without change, requiring even the same personal endings (-te, -test, -te; -ten, -tet, -ten):

Wenn ich in Berlin wohnte, brauchte ich mehr Geld.
Wenn du in Berlin wohntest, brauchtest du mehr Geld.

Strong verbs umlaut, whenever possible, the stem vowel of the past indicative forms and add the endings of the weak verbs minus the t:

Wenn ich jünger wäre, ginge ich mit dir.
Wenn wir jünger wären, gingen wir mit dir.

Exceptions:

ich hülfe (helfen) ich stürbe (sterben) ich würfe (werfen)

Mixed weak verbs (*and all modals*) are treated like regular weak verbs and retain the stem vowel of the infinitive:

Ich könnte, wenn ich wollte.
ich dürfte, ich möchte, ich müßte, ich sollte, ich sendete, ich rennte, and the like

Exceptions:

ich brächte (bringen) ich dächte (denken) ich wüßte (wissen)

EXAMPLES

	Weak	Strong		Mixed Weak	Modal
ich	lebte	gäbe	ginge	nennte	möchte
du	lebtest	gäbest	gingest	nenntest	möchtest
er	lebte	gäbe	ginge	nennte	möchte
wir	lebten	gäben	gingen	nennten	möchten
ihr	lebtet	gäbet	ginget	nenntet	möchtet
sie	lebten	gäben	gingen	nennten	möchten

sein		**haben**	
ich wäre	wir wären	ich hätte	wir hätten
du wärest	ihr wäret	du hättest	ihr hättet
er wäre	sie wären	er hätte	sie hätten

werden

ich würde	wir würden
du würdest	ihr würdet
er würde	sie würden

116. Use of the Present Imaginative to Refer to Future Time. From sentences like Ich fahre morgen nach Berlin the student is already familiar with the fact that the present of the indicative is frequently used to refer to future time (cf. § 21). The forms of the present imaginative subjunctive are used in the same way:

Es wäre gut für dich, wenn du eine Reise machtest. It would be good for you if you took (would take) a trip.

117. Formation of the Past Imaginative. The past imaginative is derived in English and in German from the past perfect. The past participle is added to ich hätte, du hättest, etc. or to ich wäre, du wärest, etc. Thus:

ich hätte gesehen	ich wäre gewesen
du hättest gesehen	du wärest gewesen

Again German uses the same form in the main clause that is used in the *if*-clause:

Wenn du da gewesen wärest, hätte ich dich gesehen. If you had been there, I should have seen you.

The "double infinitive" construction, with which the student is familiar from indicative phrases like Ich hatte sehen können, is found in the subjunctive: Ich hätte sehen können. (Note the omission of the dependent infinitive in the sentence Das hätte ich nicht gekonnt for Das hätte ich nicht tun können.)

118. So, dann. In conclusions either of the adverbs so and dann is frequently used to repeat, as it were, the idea of the preceding *if*-clause. (See example in the following paragraph.)

119. Omission of wenn. The wenn in *if*-clauses is frequently omitted, in which case the *if*-clause shows verb-first position instead of verb-last position and precedes the conclusion:

Wenn ich das Geld bekäme, (so) (dann) könnten wir heiraten. Bekäme ich das Geld, so könnten wir heiraten. If I were to get the money, we could marry.

120. Als ob, als wenn. The imaginative subjunctive is naturally found after als ob, als wenn (*as if*):

Er tat, als ob (wenn) er schliefe.

The wenn or ob may be omitted:

Er tat, als schliefe er.

121. Wishes. The imaginative subjunctive is used to express wishes like *If he were only here* or *If he had only been here*:

Wenn er nur hier wäre (*or without the* wenn: Wäre er nur hier).
Wenn er nur hier gewesen wäre. Wäre er nur hier gewesen.

Such wishes are *if*-clauses without conclusions.

122. Mögen and sollen. The imaginative subjunctive forms of these verbs are:

Ich möchte singen. Ich hätte singen mögen.
Ich sollte singen. Ich hätte singen sollen.

Ich möchte singen means *I should like to sing*; Ich hätte singen mögen, *I should have liked to sing.* The subjunctive of sollen in the *main* clause means *ought to.* Thus:

Ich sollte singen. I ought to sing.
Ich hätte singen sollen. I ought to have sung.

In the *dependent* clause the subjunctive of sollen means *should* or *were to* and implies improbability:

Wenn er wirklich kommen sollte, haben wir immer noch Zeit, Tee für ihn zu kochen. If he really should come, we shall still have (enough) time to make him some tea.

123. Sein Plus the Infinitive with zu. In expressions like Von der Stadt war nichts zu sehen the infinitive has a passive meaning and is translated into English with the passive infinitive. (*To be seen* is the passive infinitive of *to see.*) Thus, Von der Stadt war nichts zu sehen is translated *there was nothing to be seen of the city.*

Learn the principal parts of the following verbs:

schieben	schōb	hat geschōben	schiebt	to shove
biegen	bōg	hat gebōgen	biegt	to bend
fangen	fing	hat gefangen	fängt	to catch
hangen	hing	hat gehangen	hängt	to hang

EXERCISES

I

Answer in German: 1. Wohin blickte Peter noch einmal? 2. Wer war ein Mensch ohne Hoffnung? 3. Von wem nahm Peter Abschied? 4. Was steckte er in seinen Mantel? 5. Woraus hatte der Graue die Pferde gezogen? 6. Was warf sich Peter um die Schultern? 7. Wo stand die Sonne, als er wieder wach wurde? 8. Warum führte der Graue die Pferde an den Bach? 9. Was wäre Peter immer noch, wenn er unterschrieben hätte? 10. Worin hätte er schlafen können? 11. Wo säße er wahrscheinlich jetzt? 12. Wem wäre Peter nun am liebsten an den Hals gesprungen? 13. Was holte der Graue hervor? 14. An wessen Vorteil dachte der Graue vor allem? 15. Wer war ein guter Menschenkenner? 16. Gegen wen fühlte Peter einen brennenden Haß? 17. Wann war Herr John gestorben? 18. Wer sprach die lateinischen (Latin) Worte? 19. In welcher Tasche hatte Peter den Säckel getragen? 20. Sollte der Graue zurückkommen? 21. Ließ der Graue den Säckel liegen? 22. Wen hatte Peter verloren? 23. Fühlte er sich frei von jeder Schuld? 24. Was fand er noch in seinen Taschen? 25. Wo stand die Sonne, als er die Augen öffnete? 26. Wem waren die Pferde wahrscheinlich nachgelaufen? 27. Was sah Peter zwischen den Bergen vor sich liegen? 28. Was konnte niemand von Peter verlangen? 29. Was hatte seine Schuhe unbrauchbar gemacht? 30. Was fand er nach einigem Suchen? 31. Warum war der Laden noch geschlossen? 32. Wie waren die Schuhe, die er sich auswählte? 33. Was kaufte er sich auch noch? 34. Wo zog er Hemd, Hose und Schuhe an? 35. Wen hätte er wahrscheinlich nie getroffen, wenn er früher auf diesen Gedanken gekommen wäre? 36. Wovon war nichts zu sehen? 37. Worauf stand er auf einmal? 38. Wie war die Luft auf dem Eisberg? 39. Was konnte er um sich sehen? 40. Was taten die Seelöwen, als er plötzlich mitten unter ihnen stand? 41. Warum setzte er sich unter einen Baum? 42. Was hing an dem Baum? 43. Wie sah der Hund aus? 44. Was hatte er ohne Zweifel an den Füßen?

II

Translate into German: 1. He thought he had seen her on Wednesday. 2. If we had time we should help them. 3. If it were not so cold, he would stay longer. 4. She would have brought it back if she had known that. 5. If you were only happy! 6. If I could do it, I should begin immediately. 7. I could work faster if it were not so hot. 8. If my father had given me more money, I could go too. 9. If you had come earlier, you would have been permitted to see him. 10. I should like to see him. 11. If I only had more time! 12. If she would only come! 13. I could go next month. 14. He could have stayed longer. 15. You ought to eat more. 16. He ought to study longer. 17. I could have gone yesterday. 18. If he talked less, he would have time to do it. 19. If I did not have you, I should be very unhappy. 20. If you had written sooner, he would have received the letter on Saturday.

III

Translate into English:

acht	sieben	das Fach	bilden	voraus
das Amt	einsam	feiern	der Blitz	vorziehen
begleiten	der Enkel	gering	durchaus	freilich
deutlich	auswendig	das Heil	einst	bestimmt
ewig	das Blatt	allerdings	die Sünde	zwar

IV

Translate into German:

to ignite	noble	the fish
the beard	to recommend	Friday
to meet	the fruit	to share
the example	the crown	to mix
to visit	to catch	everywhere
the brother	the barrel	twelve

V

Translate the following compounds and derivatives:

der Waldbach, das Bächlein; der Bergsteiger, die Bergspitze; zurückbiegen, biegbar; arbeitslos werden, das heißt brotlos werden; die Vogeleier; die Ohrringe; weggehen; der Eichbaum; dreierlei Weine gab es zu trinken; das Nachthemd; die Füchsin; der Weg gabelt sich, die Weggabelung; ein Bild aufhängen; der Holzhaufe; eine Herde wilder Pferde; Hosenträger (suspenders); käseweiß im Gesicht werden; die Ladentür; westlich, westwärts, südwärts; die Schlechtigkeit; die Hausschuhe, Tennisschuhe; das Schulterstück; breitstirnig; der Tannenbaum; die Ähnlichkeit; doppelte Freude; der Dummkopf; durstig; die Fürstin; geheim halten; die Knabenschule; er ist sehr musikliebend; das ist keinen Pfennig wert; der Prüfer; weder rechts noch links; der Unterricht; der Vorschlag; zufällig

VI

Translate the following isolated sentences into English: 1. Wenn du wüßtest, wie sehr ich mich darauf freue. 2. Wäre ich an seiner Stelle, hättest du nicht eine einzige Minute warten müssen. 3. Wenn er hätte kommen können, wäre er schon hier. 4. Ich bleibe hier, denn in der Dunkelheit fände ich doch nicht den Weg durch den Wald. 5. Das wäre mein Tod. 6. Hätten sie dich nur gleich geholt! 7. Wäre er gleich ins Wasser gesprungen, vielleicht lebte das Kind noch. 8. Ich ginge nicht hinein, wenn ich du wäre. 9. Wenn er nur nicht so unfreundlich wäre! 10. Sie hätte sehr gern gewußt, wer gesprochen hatte. 11. Er wäre, da er den Weg nicht kannte, bei den ersten Schritten ins Wasser gefallen. 12. Ich fragte mich, was geschehen wäre, wenn ich den Mut gefunden hätte, mit ihr zu sprechen. 13. Die alte Frau schlief weiter, als ob der neue Reisende überhaupt nicht eingestiegen wäre. 14. Fürchten Sie, daß, wenn Sie eine Reise machten, Ihr Schatz Ihnen untreu werden könnte? 15. Ich wäre jetzt tot, wenn ich nicht eines Tages geflohen (fled) wäre und mich in das Land der Freiheit gerettet hätte. 16. Ich käme viel zu spät in Würzburg an. 17. Es war ihm, als ob er nicht müde werden könnte. 18. Ich hätte dich nicht zurückgehalten, wenn es dein fester Wunsch gewesen wäre. (These sentences were taken from literary works. Only two or three changes were made in them.)

VII

Make up six original sentences using the imaginative subjunctive in each one. Some of the sentences should refer to present and the others to past time.

VIII

Give the third person singular of the present imaginative subjunctive (example: kommen, er käme) of:

schreiben	finden	fahren	mögen
fangen	helfen	schlafen	können
ziehen	gehen	tun	sollen
fliegen	sitzen	wissen	spielen

IX

Give the third person singular of the past imaginative subjunctive of the verbs above (example: er wäre gekommen).

LESSON XIX

TEXT A

[Fortsetzung der Münchhausen-Geschichte]

„Aber Herr Graf," riefen die Damen und Herren der Gesellschaft wie aus einem Munde, „Sie tun uns unrecht! Wir kennen Ihre Wahrheitsliebe und wissen, daß wir Ihnen trauen dürfen. Wir glauben Ihnen daher jedes Wort." Da lächelte der Graf zufrieden. „Jawohl, Wahrheitsliebe," wiederholte er und nickte mit dem Kopf, „das haben Sie sehr fein gesagt. Wir alle sollten für die Wahrheit kämpfen, und wenn sich jeder an mir ein Beispiel nähme, so hätte die Wahrheit bald gesiegt." Dann griff er nach dem Glas, das ihm ein Diener mit feurigem Wein gefüllt hatte, und begann wieder:

„Ich machte also aus dem eben genannten Grunde meine Reise nach Moskau mitten im Winter, eine Reise, die ich, das muß ich sagen, nicht vergessen werde, auch wenn ich hundert Jahre alt würde. Es gelang mir, viel schneller über das Eis zu kommen, als ich erwartet hatte, und zwar indem ich meinen Mantel aufmachte, beide Arme ausstreckte und mich von dem diesmal ganz besonders starken Rückenwind treiben ließ. Zwar kam der Wind oft von der Seite, aber mein braves Pferd hielt sich, indem es den Schwanz als Steuer gebrauchte,[1] trotzdem auf einer vollkommen geraden Linie. Die Dörfer, die Rathäuser und die Schulen flogen an uns vorbei, und ich wäre, nachdem wir festen Boden unter den Füßen hatten, sicher in einem Tage nach Moskau gekommen, wenn ich nicht noch zuletzt auf eine mir zuerst ganz unerklärliche Art und Weise den Weg verloren hätte. Das war unangenehm und hätte bei der strengen Kälte noch viel unangenehmer werden können. Jedoch tröstete ich mich und traute meinem Glück. Ich ritt, bis Nacht und Dunkelheit mich überfielen, und stieg endlich unter freiem Himmel ab.

Kein Dorf war zu sehen. Mir war, als ob der Pfosten,[2] der vor mir aus dem Schnee heraussah und an den ich mein Pferd gebunden hatte, genau in der Mitte eines großen, einsamen Schneefeldes stände. Indes, ich verlor den Mut nicht. Im Gegenteil. Mit dem festen Entschluß, am nächsten Morgen die Suche nach dem verlorenen Wege wieder aufzunehmen, legte ich mich ruhig auf den Schnee, deckte mich mit meinem schweren Mantel zu und war bald fest eingeschlafen. Um ganz sicher zu sein, hatte ich meine Pistole noch unter den Arm gesteckt.

Ich tat ein so gesundes und herrliches Schläfchen, daß ich nicht eher aufwachte, als bis es heller Tag war und die Sonne schon hoch am Himmel stand. Wie groß war aber mein Erstaunen,[3] als ich herausfand, daß ich mitten in einem Dorfe auf dem Kirchhof lag. Sie werden mir das vielleicht nicht glauben, und ich selber glaubte es auch nicht. Aber da standen vor mir ein paar alte Weiber, der Schulmeister und der dicke Pastor. Die wußten sich meine Gegenwart nicht zu erklären und glaubten, jemand vor sich zu sehen, der aus dem Reiche der Toten auf Besuch gekommen war. Mir selbst kam es fast auch so vor. Ich stand auf, setzte mich auf einen Stein und sah um mich. Die Luft, die am Tage vorher noch schneidend kalt gewesen war, war jetzt warm, und die Wassertropfen[4] im Grase glänzten im Lichte der Morgensonne, als ob es Frühling gewesen wäre. Mein Pferd war nicht zu sehen. Doch hörte ich es bald irgendwo über mir wiehern.[5] Als ich hinaufblickte, sah ich es zu meinem Erstaunen von der Spitze des Kirchturms[6] herunterhängen. Es wieherte[5] und klopfte mit den Beinen auf das Dach, weil es sah, daß ich wach war. Da wurde mir langsam klar, was geschehen war: Das ganze Dorf hatte unter einer hohen Schneedecke gelegen und war mir daher verborgen geblieben. Wie mir der Pastor erzählte, war von Sonntag Morgen bis Montag Abend so viel Schnee gefallen, daß das Dorf am Dienstag verschwunden war. In der Nacht von Mittwoch auf Donnerstag war es dann plötzlich warm geworden, der Schnee war geschmolzen,[7] und ich war langsam in den Kirchhof hinabgesunken. Und was ich Narr für einen Pfosten[2] gehalten hatte, war in Wirklichkeit die Spitze des Kirchturms gewesen. Ich nahm also meine Pistole, schoß nach dem Zügel,[8] der Zügel zerriß, mein Pferd kam glücklich wieder auf die Erde, und ich konnte meine Reise fortsetzen.

Am nächsten Tage schon überreichte ich dem Kaiser den Brief, den ihm der König durch mich hatte schicken lassen. Der Kaiser hatte schon Angst um mich gehabt und empfing mich außerordentlich herzlich."

Der Graf sah nach seiner Uhr. „Ich sehe, es ist schon spät geworden", sagte er. „Erlauben Sie mir, daß ich mich zurückziehe. Ich wünsche den Damen und Herren gute Nacht. Auf Wiedersehen!"

NOTES. 1. indem . . . gebrauchte by using its tail as rudder. 2. Pfosten post. 3. Erstaunen amazement. 4. Wassertropfen dewdrops. 5. wiehern, wieherte whinny, whinnied. 6. Kirchturm church steeple. 7. geschmolzen melted. 8. Zügel reins.

VOCABULARY

aufmachen (*sep. prefix*) to open
die Beere, -n the *berry*
blühen to *bloom*
breit *broad*
die Brücke, -n the *bridge*
darstellen (*sep. prefix*) to present; represent
drucken to print
der Eifer the zeal, ardor, eagerness
England *England*
sich erkälten to catch *cold*
fliehen to *flee*
das Futter the *fodder*, *feed*
die Gunst the favor
das Heft, -e the notebook
das Heim, -e the *home*
hinzu besides, in addition; there
hohl *hollow*
indem while (*cf.* § 127)
die Karte, -n the *card*; map; ticket
die Katze, -n the *cat*
krank ill, sick
die Kuh, ¨e the *cow*
die Kunst, ¨e the art; skill
die Lampe, -n the *lamp*
das Mahl, -e the *meal*
die Mahlzeit, -en the *meal*
der Marsch, ¨e the *march*
der Norden the *north*
die Nuß, ¨e the *nut*
oben *above*, upstairs
der Ofen, ¨ the stove, *oven*
das Salz the *salt*
sammeln to collect, gather
schwierig difficult
selten *seldom*, rare
der Sommer the *summer*
der Stamm, ¨e *stem*; trunk; tribe, race
stets always
der Stoff, -e the material; cloth
stören to disturb, interrupt
das Stroh the straw
der Strom, ¨e the large river; *stream*, current
der Stuhl, ¨e the chair
verfassen to write, compose
das Volk, ¨er the people, nation, *folk*
vollständig complete
das Werk, -e the *work*
wiegen to *weigh*
die Wurzel, -n the root
der Zahn, ¨e the tooth
die Ziege, -n the goat

IDIOMS

auf einmal suddenly
her ago
nicht einmal not even
zuerst at first
zuletzt at last

TEXT B

Peter Schlemihl [Schluß]

Mein lieber Freund, man redet nicht gerne von Dingen, die einem heilig sind. Und mit Recht. Das Beste und Tiefste läßt sich nicht mit Worten sagen. Gerade für das, was unser Herz ausfüllt zum Zerspringen, ist die Sprache viel zu arm. Aber das muß und darf ich sagen: Was ich in jener Stunde, als es mir klar wurde, daß ich Siebenmeilenstiefel[1] an den Füßen hatte, in mir aufsteigen fühlte, das zwang mich nieder auf die Kniee und ließ mich meine Blicke voll Dank nach oben wenden. Worte, um zu sagen, was ich fühlte, fand ich nicht. Aber ich bin sicher, der Allmächtige hat meinen Dank auch so verstanden.

Noch am Tage vorher hatte die Zukunft schwarz und dunkel und trostlos vor mir gelegen. Eine Zeitlang hatte ich sogar gezweifelt, ob es für mich nicht besser wäre, aus dem Leben zu scheiden. Und nun stand auf einmal eine Möglichkeit vor mir, die auch das Herz in Deiner Brust, mein Freund, hätte schneller schlagen lassen. Mir, der sich durch eigene Schuld für immer von menschlicher Gesellschaft ausgeschlossen, mir, für den es keine Hoffnung gab, je wieder als Bürger unter Bürgern leben zu können, mir Armem hatte Gott in seiner Güte ein Arbeitsfeld gegeben. Mein Leben hatte auf einmal wieder einen Sinn, ein Ziel: das Studium der Natur. Die ganze Erde stand mir offen. Pflanzen, Tiere, Menschen, Völker, über die sich die meisten Leute nur durch Bücher unterrichten können, konnte ich in Zukunft mit eigenen Augen sehen. Und Länder, die, weil Menschen nicht darin leben können, allen andern außer mir stets unerreichbar bleiben werden, konnte ich von nun an in schnellem Marsch durcheilen. Ich habe damals nicht gewählt, mich nicht nach langem Suchen zu etwas entschlossen, sondern nur aus der Hand des Allmächtigen ein Geschenk genommen. Und seitdem habe ich mit heiligem Eifer in stiller Arbeit Material für ein Werk gesammelt, das den Titel „Unsere Erde, ihre Geographie, ihre Fauna und Flora" tragen soll. Ich werde darin die Pflanzen- und Tierwelt mit einer Vollständigkeit darstellen, wie sie bis jetzt noch niemand erreicht hat. Ich weiß, dieses Werk wird, wie alles, was aus Menschenhänden kommt, unvollkommen bleiben; und das Ideal, das mir in jener Stunde auf den Bergen Tibets vor mein inneres Auge trat, werde ich nicht erreichen. Aber was ich tun konnte, habe ich getan, und ich bin nur dann mit mir selbst zufrieden gewesen, wenn es mir gelungen war, das gesammelte Material klar und verständlich darzustellen.

Ich stand also, wie gesagt, auf einer Hochebene im Inneren Asiens,[2] und die Sonne, die mir in Deutschland erst vor wenigen Stunden aufgegangen war, stand hier schon ziemlich tief am Abendhimmel. Ich durcheilte Asien von Osten nach Westen, sah die Sonne bald wieder über mir stehen, ging durch Palästina nach Afrika hinüber und durcheilte auch diesen Kontinent noch am selben Tage mehrere Male von Osten nach Westen und von Süden nach Norden.

Nur wenige Schritte von den Pyramiden Ägyptens fand ich eine Oase,[3] deren Namen Du aus dem einfachen Grunde auf keiner Karte finden wirst, weil sie außer mir noch niemand gesehen hat. Und in dieser Oase fand ich in einem Felsen eine große Höhle. M e i n e Höhle darf ich sie wohl nennen, denn sie ist mir in den letzten Jahren Haus, Heim und Studierzimmer gewesen. (Auch jetzt, mein Freund, sitze ich im Schatten einer hohen Kokosnußpalme vor dieser meiner Höhle, halte das Heft, das Du bald in Deinen Händen halten wirst, auf den Knieen und schreibe.)

Ich war müde. Und da es kühl wurde und ich nicht wußte, ob etwa wilde Tiere in der Nähe waren, zündete ich vor dem engen Eingang der Höhle ein Feuer an, legte den Kopf auf meinen Mantel und war bald fest eingeschlafen.

In der folgenden Woche ließ ich es dann meine erste Sorge sein, die Höhle etwas wohnlicher zu machen und alles herbeizuholen, was ich zum Leben und zum Studium dringend brauchte.

Zunächst kaufte ich mir von den wenigen Goldstücken, die mir geblieben waren, ein Paar Überschuhe, denn ich hatte erfahren, wie unangenehm es war, meine Schritte nicht anders kürzer machen zu können, als indem ich meine Siebenmeilenstiefel auszog. Ein Paar Schuhe aus Stoff, über die Stiefel[1] gezogen, hatte ganz die Wirkung, die ich mir davon versprach. Später habe ich sogar immer zwei Paar bei mir getragen, weil ich oft ein Paar in aller Eile von den Füßen werfen mußte, wenn mich Löwen, Tiger, Wildkatzen oder Menschen beim Sammeln störten.

Die für meine Arbeit notwendigen Instrumente holte ich nach und nach in Deutschland, England oder Amerika, und zwar immer dort, wo es gerade regnete oder wo Nebel und Wolken den Leuten meine Schattenlosigkeit verbargen. Natürlich mußte ich alles auf meinen Schultern selber in die Oase tragen. Es hatte also keinen Zweck, etwas zu kaufen, was ich nicht in meine Taschen stecken oder auf die Schultern nehmen konnte. Sachen, die viel wiegen, sind daher in meiner Höhle nicht zu finden. Ich habe einen Strohsack, auf dem ich schlafe, nur einen einzigen Stuhl, einen Tisch, an dem ich esse und schreibe, eine Lampe, einen sehr kleinen Ofen, auf dem ich mir meine Mahlzeiten koche, und das ist alles.

Ich lebe außerordentlich einfach. Eßbare Wurzeln, Beeren und Früchte finde ich auf meinen Expeditionen mehr als genug. Und in Alaska und anderen nördlichen Ländern gibt es wilde Vögel in solchen Mengen, daß es mir auch an frischen Eiern nicht fehlt. Ich nehme sie einfach aus den Nestern. Meine brave Ziege, die ich als ganz junges Tier hierher gebracht habe — ich hätte ja lieber eine Kuh gehabt, und es dauerte lange, bis mir die Ziegenmilch wirklich gut schmeckte. Aber wie hätte ich eine Kuh in meine Oase bringen sollen? — meine Ziege gibt so viel Milch, daß auch mein Hund noch etwas davon bekommt. Zu füttern brauche ich sie nicht, denn Gras und frisches Wasser hat meine Oase genug. Oft bringe ich ihr eine Handvoll Salz mit. Wenn ich Geld brauche, suche ich mir in den afrikanischen Wäldern einen Elephantenzahn und verkaufe ihn in London.

Doch genug von diesen unwichtigen Dingen.

Nachdem ich so aus der Höhle ein Schlaf-, Studier- und Wohnzimmer gemacht hatte, begann ich sogleich mit meiner Arbeit. Das ist jetzt etwa fünfundzwanzig (25) Jahre her. Und in diesen fünfundzwanzig Jahren habe ich alle Länder und Kontinente durchsucht, die ich mit meinen Wunderschuhen erreichen konnte. Ich habe seltene Steine, Pflanzen und Tiere gesammelt, habe die Stärke der Winde und die Temperaturen von Luft und Wasser gemessen. Ich habe — und das war das Interessanteste — die Lebensweise und die Kunst von Völkerstämmen studiert, von deren Existenz ich vorher noch nicht einmal etwas gehört hatte. Wurde es auf der nördlichen Hälfte unserer Erde Winter, so habe ich auf der südlichen weitergearbeitet, solange es da Sommer war und die Pflanzen blühten, die ich sammeln wollte. Hohe Berge, Flüsse, ja Ströme haben mich bei meinen Märschen nicht gehindert. Selbst über den Amazonenstrom, der mehrere Kilometer breit ist, komme ich ohne Brücke hinüber. Meine botanische, zoologische und anthropologische Sammlung ist so von Jahr zu Jahr gewachsen.

Vor etwa zwei Jahren habe ich meine Materialsammlung dann abgeschlossen, und seitdem ist fast nichts Neues mehr hinzugekommen. Ich fühlte damals, daß ich schwächer wurde und alle Kraft, die mir geblieben war, für die Ausarbeitung der Darstellung gebrauchen mußte, wenn meine Arbeit nicht verlorengehen sollte. In wenigen Wochen werde ich mein Werk im Manuskript fertig haben. Ich werde mir dann erlauben, es Dir, mein Freund, in Berlin zu überreichen. Wahrscheinlich werde ich es, ehe die Sonne aufgegangen ist, Deinem Diener geben.

Niemand hat den Frieden meines kleinen Königreiches je gestört. Weder gesellschaftliche Pflichten, noch Familiensorgen oder Geldschwierigkeiten haben mir jemals Zeit und Energie genommen. Und was den Frieden meiner Seele angeht, diesen Frieden habe ich auch wiedergefunden.

Als ich einst nicht weit vom Nordpol seltene Vogeleier sammelte, trat mir plötzlich um die Ecke eines Felsens ein Eisbär[4] entgegen.[5] Ich warf die Überschuhe weg und wollte auf eine Insel[6] fliehen. Ich trat auch richtig fest auf einen Felsen auf, der zwischen mir und der Insel aus dem Wasser heraussah. Dann aber stürzte ich auf der anderen Seite des Felsens ins Meer, weil mir der eine Überschuh am rechten Fuße hängen geblieben war. Ich fühlte sehr bald einen stechenden Schmerz in der Brust, glaubte zuerst aber, ich hätte mich nur erkältet, und blieb noch einige Tage in der Nähe des Pols. Dann aber wurde ich doch plötzlich so krank, daß ich meine Oase nicht mehr erreichen konnte und irgendwo in Deutschland in Ohnmacht fiel.

Als ich aufwachte, lag ich in einem Krankenhaus, das zu meinem Erstaunen[7] „Schlemihlium" hieß. Mein alter Diener Bendel, so erfuhr ich, hatte es von dem Golde, das ich in meiner Wohnung hinter mir hatte zurücklassen müssen, zusammen mit Minna gegründet. Ich erfuhr ferner, daß Raskal nach ganz kurzer Ehe gestorben war. Minna selbst kam täglich mit Bendel ins Krankenhaus und ging durch alle Zimmer. Für jeden hatte sie ein Wort des Trostes, auch für mich, den sie nicht erkannte. Aber vielleicht erinnerte sie mein Gesicht doch an alte Zeiten, denn eines Tages fing sie vor meinem Bett mit Bendel von mir zu reden an. „Ich bin sicher," sagte sie, „daß es unserm Freunde Peter nun besser geht. Ich selbst bin ja mit meinem Leben zufrieden und freue mich auf ein Wiedersehen mit ihm in einer andern Welt." Ich aber wollte den Frieden ihrer Seele nicht stören. Nur diese Worte ließ ich für sie zurück: „Deinem Freunde geht es wirklich besser. Auch er freut sich auf ein Wiedersehen in einer andern Welt."

Die Gewißheit, daß Minna nicht an der Seite eines Mannes leben muß, den sie nicht liebt, hat mir seitdem meine Arbeit leichter gemacht.

Ich werde versuchen, Dich, wenn möglich, nicht zu sehen. Du wirst verstehen, daß ich mich auch Dir nicht ohne Schatten zeigen möchte. Du könntest Fragen stellen, die Dir mein Brief viel besser beantworten wird, als meine Worte es könnten. Und ich hoffe, Du wirst mir, wenn Du diesen Brief gelesen hast, meine Unhöflichkeit vergeben.

Nun möchte ich Dich, mein Freund, um eine Gunst bitten. Laß mein Werk, wenn Deine Zeit es erlaubt, möglichst bald drucken! Ich bin nicht mehr jung und möchte noch die Freude haben, ein Buch in den Händen zu halten, das einen gewissen Peter Schlemihl zum Verfasser hat. Dafür werde ich Dir immer dankbar sein.

Dein alter Freund
Peter Schlemihl.

NOTES. 1. Siebenmeilenstiefel, Stiefel seven-league boots, boots. 2. Hochebene . . . Asiens plateau in inner Asia. 3. Oase oasis. 4. Eisbär (ice bear) polar bear. 5. entgegen toward. 6. Insel island. 7. Erstaunen astonishment.

BUILDING A PASSIVE VOCABULARY

auszog aus out (*here*, off), ziehen to pull, auszog pulled off, drew off, took off
Eingang ein in, gang *from* gehen to go, Eingang entrance
erkannte kennen to know, erkennen to recognize
erreichen reichen reach, hand to, be sufficient, erreichen to attain
der Fluß fließen to flow, der Fluß the river
gegründet der Grund the ground, gründen to ground, establish
das Geschenk schenken to give, das Geschenk the gift
das Glück *here*, luck
die Höhle hohl hollow, die Höhle the cave
der Kirchhof die Kirche the church, der Hof the yard, der Kirchhof the churchyard, cemetery
mehrere mehr more, mehrere several
nördlich der Norden the north, nördlich northern. *Similarly* südlich, westlich, östlich
die Ohnmacht ohne without, die Macht the might, power, (die) Ohnmacht (the) faint
das Studium studieren to study, das Studium the study
unerreichbar *see* erreichen *above*

LESSON XIX

GRAMMAR

124. The Future Tense.* This tense consists of the present of werden, used as an auxiliary, and the infinitive of the main verb (which stands at the end of a main clause):

ich werde arbeiten	ich werde schneiden	ich werde bringen
du wirst arbeiten	du wirst schneiden	du wirst bringen
er wird arbeiten	er wird schneiden	er wird bringen
wir werden arbeiten	wir werden schneiden	wir werden bringen
ihr werdet arbeiten	ihr werdet schneiden	ihr werdet bringen
sie werden arbeiten	sie werden schneiden	sie werden bringen

125. Inseparable Prefixes. The six prefixes which were listed in § 79 have meanings which they give the verbs to which they are prefixed. Two of the prefixes, ent= and zer=, have meanings which the student can readily learn:

Ent= denotes *separation* (*away from*):

entgehen to escape
entdecken to discover (take away the cover)
entehren to dishonor
entkleiden to undress

Zer= means *to pieces*, *in pieces*:

zerbrechen to break to pieces, to smash
zerreißen to tear to pieces
zergliedern to dissect, analyze
zerspringen to burst

---

* The future perfect tense (*I shall have eaten*) is seldom used in English or in German. It is formed like the simple future, except that the past infinitive is used instead of the present infinitive. Thus:

I shall have eaten, ich werde gegessen haben; you will have seen him, du wirst ihn gesehen haben; he will have gone, er wird gegangen sein.

This tense is frequently used to express past probability:

Er wird es (wohl) gegessen haben; er wird (wohl) zu Hause gewesen sein.

The prefix be= is frequently used to form transitive verbs from nouns and verbs:

antworten, beantworten (Er antwortete mir auf meine Frage. Er beantwortete meine Frage. He answered my question); treten, betreten (Er trat ins Haus. Er betrat das Haus. He entered the house); begrenzen (*from* Grenze), to limit (Amerika iſt das Land der unbegrenzten Mög=lichkeiten. America is the land of unlimited possibilities.)

126. Man. The pronoun man is declined as follows:

NOM.	man
GEN.	—
DAT.	einem
ACC.	einen

127. Indem clauses denote (*a*) simultaneousness or, frequently, (*b*) the method used to accomplish something:

a. Simultaneousness:

„Guten Tag", ſagte er, indem er den Hut abnahm. "Good day," he said, as he took off his hat.

b. Method:

Ich kam ſchnell vorwärts, indem ich meinen Mantel aufmachte und mich vom Wind vorwärts treiben ließ. I made rapid progress by opening my coat and letting the wind push me ahead.

Er rettete Frau Meyer, indem er ſie aus dem Waſſer zog. He saved Mrs. Meyer by pulling her out of the water.

Learn the principal parts of the following verbs:

ziehen	zōg	hat gezōgen	zieht	to pull
fliehen	flōh	iſt geflōhen	flieht	to flee
wiegen	wōg	hat gewōgen	wiegt	to weigh

EXERCISES

I

Answer in German (Beantworten Sie auf Deutſch!): 1. Wovon redet man nicht gern? 2. Was läßt ſich nicht mit Worten ſagen? 3. Wer hat Peters Dank ſicher verſtanden? 4. Wie hatte die Zukunft vor Peter gelegen? 5. Was ſtand plötzlich als Ziel vor ihm? 6. Was ſtand ihm nun offen? 7. Wofür hat Peter Material gesammelt? 8. Was bleibt immer unvollkommen? 9. Wann war Peter mit sich selbst zufrieden? 10. Wo stand in Asien schon die Sonne? 11. Wo fand Peter eine Oase? 12. Warum steht der Name der Oase auf keiner Karte? 13. Was fand er in einem Felsen? 14. Warum zündete Peter vor dem Eingang der Höhle ein Feuer an? 15. Was machte Peter in der folgenden Woche? 16. Wovon kaufte er sich ein Paar Überschuhe? 17. Welche Wirkung hatten die Überschuhe? 18. Warum trug Peter immer zwei Paar bei sich? 19. Wo holte er die notwendigen Instrumente? 20. Wie brachte er die Sachen in seine Oase? 21. Warum kaufte er nichts, was viel wiegt? 22. Worauf schlief er? 23. Wie viele Stühle waren in seiner Höhle? 24. Worauf kochte er seine Mahlzeiten? 25. Wie lebte er? 26. Hatte er anfangs Ziegenmilch gern? 27. Wie viele lebende Wesen gab es in der Oase? 28. Wo gibt es Elephantenzähne? 29. Womit begann Peter, nachdem er seine Höhle wohnlich gemacht hatte? 30. Was sammelte er? 31. Was maß er? 32. Warum schloß er seine Materialsammlung ab? 33. Wann will er sein Manuskript fertig haben? 34. Wo sammelte er einst seltene Eier? 35. Warum stürzte er ins Wasser? 36. Warum konnte er seine Oase nicht erreichen? 37. Wo lag er, als er aufwachte? 38. Wer hatte das Krankenhaus gegründet? 39. Wer war nach kurzer Ehe gestorben? 40. Wer hatte für jeden ein Wort des Trostes? 41. Mit wem redete Minna über Peter? 42. Worauf freute sich Minna? 43. Warum wollte Peter seinen Freund nicht sehen? 44. Was soll der Freund mit Peters Werk tun?

II

Translate into German: 1. I shall see you Friday. 2. He will be here next week. 3. That will cost you your head. 4. In the summer we shall go to the country. 5. He will help you if you wish (*use* wollen). 6. He would help you if you did not sleep so long. 7. I know that you will be very happy. 8. We shall have to drink goat's milk. 9. We should (would) have to drink wine. 10. I shall show you how I do that. 11. He will report [to] us what he has seen. 12. We shall not be permitted to see him. 13. Shall you be able to come? 14. With your book you will have a big success. 15. You will soon be as slender as I. 16. We shall soon be ready.

III

Translate into English:

weh tun	die Dame	der Knochen	das Brot
rühren	freilich	März	der Fürst
gelingen	jagen	das Maul	leer
der Fuß	streiten	das Hemd	prüfen
dringen	stumpf	der Bach	überall
die Blume	der Punkt	bellen	vier

IV

Translate into German:

thick	the wood	the office	to be sure
the thief	the trousers	to meet	thoroughly
seven	the fool	to cover	the neck
six	the ring	the thing	ripe
eight	the knife	double	the sin
holy	the middle	the fire	to report

V

Translate the following compounds and derivatives:

blühende Apfelbäume; breitstirnig; die Rheinbrücke, eine Hängebrücke; die Darstellung, der Darsteller, die Darstellerin; der Druck, drucken, der Drucker, druckfertig, der Druckfehler; der Eifer, eifrig, eifrig bei (at) der Arbeit sein; England, der Engländer, die Engländerin; eine Erkältung haben; das Pferdefutter, das Hundefutter, Fütterung der Löwen um sechs Uhr; die Gunst, die Mißgunst, ein günstiger Wind; ich bin auf der Heimfahrt, die Heimreise; der Hohlkopf; die Spielkarten, der Kartenspieler; die Katzenmusik, das Kätzlein, die Hauskatze; krank, der Kranke, ein Kranker, die Kranken, das Krankenhaus (hospital), das Krankenbett; die Kunst, der Künstler (the artist), die Kunstgeschichte, die Kunstschule; das Festmahl (banquet); die Marschmusik; eine hohle Nuß, der Nußbaum, das Nüßchen; die Ofentür, der Gasofen; salzig, das Salzwasser; sammeln, die Sammlung, der Sammler; der Sommerregen, sommerlich, Sommernachtstraum; der Baumstamm; entlaufen, zerfallen, zerkleinern, entführen, entziehen; der Apfelsinenbaum, der Lindenbaum; die Mischung; gelblich; der Feiertag; das Ladenfenster; das Löffelchen, das Tellerchen; vorauseilen; „die lustigen Weiber von Windsor"

VI

Change to the future tense: 1. Wir besuchen sie jedes Jahr. 2. Ich sehe ihn nie wieder. 3. Ich habe nichts zu verlieren. 4. Ich schreibe Dir bald einen längeren Brief. 5. Jeden Morgen arbeite ich drei Stunden. 6. Ich verkaufe heute gar nichts. 7. Ich trinke eine Tasse Tee. 8. Im Sommer essen wir neue Kartoffeln und frische Erbsen. 9. Schicken dir deine Eltern Geld? 10. Wann beginnen wir?

VII

Conjugate in the future tense:

rufen laufen kommen eilen finden schreiben

VIII

Give the plural of the following nouns:

der Lehrer	die Rose	das Blatt	die Hand	die Karte
das Buch	der Mantel	der Brief	der Tag	das Lied
der Mann	der Bleistift	der Finger	die Mutter	

IX

Give the third person plural indicative of the present, past, present perfect, past perfect, and future of the following verbs:

danken	essen	helfen	arbeiten	einschlafen
aufmachen	fahren	machen	schneiden	frieren

X

Make up four original sentences using the future tense; make up four sentences using the imaginative subjunctive; make up two sentences using indem. Be sure to use at least three verbs with inseparable prefixes in the ten sentences.

LESSON XX

TEXT A

Im Eßzimmer war der Tisch schon gedeckt.*

Er ist gerettet.

Man hat mir alles genommen, was ich hatte; auch die Kuh ist verkauft.

Ein Fenster im Zimmer war weit geöffnet.

„Das Geld ist gefunden! Das Geld ist gefunden!" rief sie und lief auf die leere Straße.

Da klopfte es hart an die Tür; fast gleichzeitig wurde die Tür aufgerissen.

Als er merkte, daß keine weitere Antwort von ihm erwartet wurde, schwieg er.

Dann kam die Frau mit einem heißen Stein. Der wurde dem Kranken zu den kalten Füßen gelegt.

Unser Leben wird von Gott geleitet, und unsere Aufgabe ist es, den Weg zu gehen, auf welchen er uns stellt. Aber das ist es: Nicht immer sehen wir den Weg, auf den wir gestellt sind.

Meyer wurde gestern von einem Auto überfahren (run over).

Meyer ist gestern von einem Auto überfahren worden.

Meyer soll gestern von einem Auto überfahren worden sein.

Meyer wäre bestimmt überfahren worden, wenn er nicht im letzten Augenblick noch auf die Seite gesprungen wäre.

Ihr Vater sagte: „Du bist noch zu jung zum Heiraten und das Mädchen auch." — „Jung bin ich, das ist richtig. Aber es braucht nicht gleich geheiratet zu werden."

Er hatte ja gewußt, daß hier nicht mehr gearbeitet wurde.

Im Frühling muß doch auf dem Felde gearbeitet werden.

Es wurde geschossen.

Der Zeitsinn der Bienen

Der Mensch hat nicht im selben Sinne des Wortes einen Sinn für die Zeit, wie er einen Sinn für Farben oder für Wärme und Kälte hat. Der Leiter eines Warenhauses kann sein Auge mit Leichtigkeit dazu erziehen,

* This sentence and all except the Meyer sentences were taken from literary works.

Hunderte von Farben für Kleiderstoffe zu unterscheiden. Eine Mutter, die ihr Kind jeden Tag selber badet, wird sehr schnell ein genaues Gefühl dafür entwickeln, ob die Temperatur des Bades gerade richtig ist oder nicht. Nach einiger Übung wird sie sogar mit ziemlicher Genauigkeit auch ohne Thermometer sagen können, ob das Wasser dreißig (30) oder dreiunddreißig (33) Grad[1] (Celsius) warm ist. Aber dieselbe Mutter kann, ohne auf die Uhr zu sehen, nicht sagen, ob ihr Kind vor drei Stunden oder vor dreieinhalb Stunden zum letzten Mal gefüttert worden ist. Wir haben eben kein Organ, welches die Zeit registriert.

Ein und dasselbe Zeitintervall kommt uns manchmal kürzer und manchmal länger vor, als es in Wirklichkeit ist. Das Alter eines Menschen, die Art seiner Tätigkeit, sein Charakter und, wie wir sehen werden, physiologische Prozesse im Körper sind hier entscheidende Faktoren. Die Zeit zwischen zwei Weihnachtsfesten ist für die kleinen Neffen und Nichten viel länger als für die Tante, von der das Paket[2] mit der Wollweste und der elektrischen Eisenbahn nur darum im letzten Augenblick aufs Postamt gebracht wird, weil das Jahr für die würdige alte Dame so schnell vorbeigegangen ist. Und vier Wochen Ferien sind, wie Sie wissen, viel kürzer als vier Wochen Unterricht in der Kunst, in zwei Meter langen Sätzen das Subjekt zu suchen — auch für den Lehrer.

Aber auch kurze Zeitintervalle können von uns ohne Instrumente (und dazu gehören Sonne und Sterne) nicht genau geschätzt werden. Es läßt sich experimentell beweisen, daß solche Schätzungen nur in höchst unvollkommener Weise gelingen. Es ist sehr unwahrscheinlich, daß alle Fehler dieser Art durch rein psychologische Faktoren erklärt werden können.

Daß aber wirklich auch physiologische Faktoren hier im Spiele sind, das ist erst durch Experimente der letzten Jahre bewiesen worden.

Gewisse Insekten nämlich haben — wie von mehreren Beobachtern berichtet wurde — einen Zeitsinn, der mit unglaublicher Präzision,[3] und zwar ganz unabhängig von der Umwelt, arbeitet. Die ersten Versuche über den Zeitsinn solcher Insekten sind mit Bienen gemacht worden.

Durch einen im Freien aufgestellten, mit Zuckerwasser gefüllten Teller wurden Bienen angelockt.[4] Mehrere Dutzend wurden mit Farbpünktchen gezeichnet. Diese Fütterung wurde mehrere Tage lang zu stets gleicher Tageszeit wiederholt, bis sich die Bienen an diese Zeit gewöhnt hatten, und jeden Tag zur selben Stunde zum Futterplatz kamen. Eines Tages wurde jedoch kein Futter gereicht. Dennoch kamen die Bienen zum Futterplatz und flogen über dem leeren Teller eifrig hin und her. Der Versuch gelang selbst dann, wenn zwei- und dreimal am Tage, zu jedesmal ganz bestimmten Zeiten, Futter gereicht wurde, ganz gleich, ob der Teller immer am selben Platz oder jedesmal an einem andern Ort aufgestellt war.

Hier stellt sich nun die Frage: Woher wissen die Bienen, wann die Stunde der Fütterung gekommen ist? Hunger kann sie schon darum nicht dazu treiben, zu einer bestimmten Stunde zum Futterplatz zu fliegen, weil sie den Zucker ja gar nicht fressen, sondern nach Hause tragen. (D.h. sie „fressen" ihn schon. Sie tragen ihn nämlich im Magen nach Hause und entleeren den Magen dann.) Der Stand der Sonne hilft ihnen auch nicht, denn man hat Bienen in geschlossene Räume gebracht, die Tag und Nacht durch elektrisches Licht erleuchtet wurden. Aber selbst wenn während der Nacht gefüttert wurde, gelang es, die Bienen an eine bestimmte Futterzeit zu gewöhnen.

Dennoch war es höchst wahrscheinlich, daß Bienen die Zeit von einer Fütterung zur anderen nicht einfach raten, sondern daß sie auf eine uns unverständliche Weise die Tages- oder Nachtstunde wirklich wissen. Man hat nämlich die Erfahrung gemacht, daß der Zeitsinn der Bienen an den Vierundzwanzig-(24)-Stunden-Rhythmus gebunden ist. Die Gewöhnung an eine Futterzeit gelingt nämlich nur dann, wenn die Fütterung jeden Tag genau auf die gleiche Stunde fällt, und zwar ist es ganz gleich, ob man in freier Natur oder in Räumen experimentiert, die Tag und Nacht erleuchtet sind.

Versuche der letzten Zeit haben das Problem, vor dem man hier anfangs stand, gelöst. Wir wissen heute, daß der Lebensrhythmus der Bienen derselbe ist wie der der Blumen, die sie besuchen. Der Honig wird nämlich in den Blumen meist nur zu ganz bestimmten Tagesstunden gebildet, und zwar, und das ist wichtig, nicht bei allen Pflanzenarten zur selben Stunde. Die Erdbeere im Garten, die Kartoffel auf dem Acker, der Birnbaum auf dem Felde und das Vergißmeinnicht auf der Wiese bilden den Honignektar in der Regel nicht zur selben Tageszeit. Nur wenn die Biene jede einzelne Blumen- und Obstbaumart ihrer Umgebung zur richtigen Zeit besucht, findet sie reichen Lohn für ihre Arbeit. Die biologische Bedeutung des an den Vierundzwanzig-Stunden-Rhythmus gebundenen Zeitsinns ist damit erklärt. Es muß noch erwähnt werden, daß ähnliche Experimente auch mit anderen staatenbildenden Insekten gemacht worden sind und daß bei solchen Arten, die, wie die Bienen, gerne Blumen besuchen, der Vierundzwanzig-Stunden-Rhythmus ebenfalls beobachtet werden konnte.

Weitere Versuche brachten Klarheit über das „Organ" dieses Zeitsinnes. Tiere nämlich, die mit Chloroform oder Äther behandelt[5] wurden, ließen sich dadurch in ihrem Rhythmus nicht stören, ein Zeichen dafür, daß ihr Zeitsinn physiologischer, nicht psychologischer Natur ist. Anders war es jedoch, wenn man etwas fütterte, was auf den Stoffwechsel wirkte. Euchinin, das den Stoffwechsel verlangsamt,[6] hatte z. B. die Wirkung, daß die Tiere vier Stunden zu spät an die Futterstelle kamen. Jodthyreoglubin, das den Stoffwechsel beschleunigt,[7] hatte die Wirkung, daß sie fünf Stunden zu früh ankamen. Der innere Rhythmus des Stoffwechsels ist also jene Uhr, die es den Bienen erlaubt, jede Blume zur richtigen Zeit zu besuchen.

NOTES. 1. Grad degrees. 2. Paket package. 3. Präzision precision. 4. angelockt attracted. 5. behandelt treated. 6. Euchinin . . . verlangsamt euquinine, which retards metabolism. 7. Jodthyreoglubin . . . beschleunigt thyroiodine-globulin (an iodine-containing globulin in the thyroid gland), which accelerates metabolism.

BUILDING A PASSIVE VOCABULARY

abhängig ab off, hängen to hang, abhängig dependent on

das Alter alt old, das Alter the age

aufgestellt *here same as* gestellt

erleuchtet das Licht light, erleuchten illuminate

im Freien frei free, unoccupied, vacant, im Freien in the open

mehrere mehr more, mehrere several

schätzen der Schatz the treasure, valued object, schätzen to treasure, value, estimate, geschätzt (*past part.*) estimated, die Schätzungen estimates, guesses

der Stoffwechsel der Stoff the material, wechseln to change, der Stoffwechsel metabolism

die Tätigkeit tun to do, to act, die Tat the act, die Tätigkeit the activity

die Umwelt um around, die Welt the world, die Umwelt the surroundings, environment

unterscheiden scheiden to separate, unterscheiden to distinguish

das Warenhaus die Ware the merchandise, das Haus the house, das Warenhaus the house in which there is merchandise (for sale), the department store

VOCABULARY

achten to esteem
achten auf to pay attention to
der Acker, ⸗ the (cultivated) field
aufpassen (*sep. prefix*) to pay attention to; take care of
baden to *bathe*
bedeuten to mean, signify
die Biene, –n the *bee*
die Birne, –n the *pear*
die Bohne, –n the *bean*
darum therefore; for the reason
das Dutzend, –e the *dozen*
ebenfalls likewise
die Eisenbahn, –en railway, railroad
entscheiden to decide, determine
entwickeln to develop
der Erbe, –n, –n the heir
die Erdbeere, –n the strawberry
erwähnen to mention
erziehen to educate; rear
die Ferien (*pl.*) the vacation
flach *flat*; shallow
der Honig the *honey*
der Körper, – the body
leiten to *lead*; direct
lohnen to reward, to pay
der Magen, – the stomach
der Mord, –e the *murder*
der Neffe, –n, –n the *nephew*
die Nichte, –n the *niece*
das Obst the fruit
die Post the mail; *post* office
die Regel, –n the rule
rein clear; pure
der Satz, ⸗e the sentence
der Schaden, ⸗ the harm, damage
schwimmen to *swim*
der Staat, –en the *state*
streichen to *stroke*
die Tante, –n the aunt
üben to practice; exercise
umgeben to surround
die Ware, –n the merchandise, goods
Weihnachten Christmas
die Weste, –n the *vest*
wichtig important
die Wiese, –n the meadow
die Wolle the *wool*
die Würde, –n the dignity
zart tender, delicate
zeichnen to sketch; mark
der Zucker the *sugar*

IDIOMS

d. h. (das heißt) that is
erst recht all the more
es geht nicht it can't be done

TEXT B

Psyche*

Es war an einem Vormittage im August, und die Sonne schien; aber das Wetter war stürmisch, der Wind kam hart aus Nordwest, und Wind und

* Theodor Storm, one of the best German authors of the nineteenth century, wrote *Psyche* in 1875. He based his tale on the story of "Cupid and Psyche" in

Flut[1] trieben die See in den breiten Meeresarm,[2] der zwischen zwei Deichen[2] von draußen bis an die Stadt reichte. Die Holzgebäude der beiden Badeflöße,[2] welche in einiger Entfernung voneinander nicht weit vom Ufer lagen, bewegten sich auf und ab. Der sonst so belebte Badeplatz war heute gänzlich leer. Nur dort vor dem Holzhäuschen, das auf dem Vorlande[2] neben dem Frauenfloß[2] lag, stand die knochige Gestalt der alten Badefrau. Die langen Bänder ihres großen Hutes flogen im Winde, den Rock hielt sie sich mit beiden Händen fest. Sie hatte nichts zu tun; die Handtücher der Damen und Kinder lagen drinnen im Hause ruhig in ihren Fächern. „Ich geh nach Haus," sagte sie bei sich selber; „es kommt niemand in dem Nordwetter."

Sie sah den Deich entlang nach der Stadt hinab. Die Schafe auf dem Vorlande hatten sich mit dem Rücken gegen den Wind gestellt; sonst war nichts zu sehen. — Aber doch! Dort auf dem Deiche kamen zwei Männer und stiegen dem Männerfloße[2] gegenüber an der Außenseite des Deiches herab; ihre Handtücher ließen sie über ihren Köpfen fliegen; ihre jugendlichen Stimmen, ihr helles Lachen konnte nicht zu der Alten dringen, denn der Wind nahm es ihnen vom Munde.

„Hätten auch zu Haus bleiben können," brummte[3] die Alte, als sie die beiden in eine der Türen des Badefloßes hatte verschwinden sehen; „aber mir kann's gleich sein; ich geh' nach Haus! Es könnte nur *eine* kommen bei dem[4] Wetter, aber ihre Zeit ist schon vorbei; die Flut muß bald eine halbe Stunde stehen, und *die*, die kann immer kaum warten, bis das erste Wasser da ist."

Schon hatte sie die Tür des kleinen Hauses in der Hand, als sie bei einem Blick, den sie noch zur Stadt hinüberwarf, mit beiden Händen ihren Hut festhielt. „Heilige Mutter Maria!" rief sie, „da kommt sie!"

Und wirklich, dort auf dem Deiche von der Stadt her kam ein junges Mädchen; und sie kam schnell trotz Wind und Wetter näher. Der flache Strohhut war ihr längst vom Kopfe gerissen, und sie trug ihn am Bande in der Hand; ihr sonnenblondes Haar flog im Winde. Als sie die knochige Gestalt der Alten, die noch immer vor dem Holzhause stand, erkannt hatte,

---

The Golden Ass, by Apuleius, and on a newspaper account of the saving of a girl from drowning by a young man. A brief portion of "Cupid and Psyche" is retold in a later part of *Psyche*. The story presented here in an abbreviated form follows as closely as possible (that is, within the vocabulary limits of the Minimum Standard German Vocabulary) Storm's original version.

flog sie an der Seite des Deiches hinunter und dann über das Vorland zu ihr hinüber. „Kathi," rief sie, „Kathi, ich konnte nicht eher kommen; gut, daß du nicht nach Hause gegangen bist."

„Ja, ja," brummte[3] die Alte, „hätte ich das nur getan!"

„Kathi! Nicht brummen!" lachte das Mädchen und sah der Alten fast zärtlich in die Augen.

„Aber es geht ja doch nicht, Fräulein!" meinte noch einmal die Alte, indem sie dem Mädchen das blonde Haar von der Stirn zurückstrich.

„Aber es geht erst recht, Kathi! Heute gibt's hier weder kleine Kinder noch alte Tanten; ganz allein hab' ich heute das Reich, ich und über mir die Vögel in der Luft! Hurrah, Kathi, es wird eine Lust!"

„Aber, Kind, so sehen Sie doch nur, wie sich das Floß[2] auf und ab bewegt; der Weg dahin ist fußtief unter Wasser!"

Die junge Dame blickte zum Ufer hinab. „Freilich," sagte sie, lustig nickend, „ich muß mir Schuhe und Strümpfe in deinem Häuschen ausziehen."

Das Haus, in dem die beiden nun verschwanden, sah von außen nicht gerade freundlich aus. Aber innen war es doch ganz wohnlich. Der Tür gegenüber stand eine Ruhebank. Durch das kleine Fenster auf der einen Seite schien die Mittagssonne, und der ganze Raum war daher warm und hell. Auf der anderen Seite stand der Tisch, an dem die älteren Damen nach dem Bade gewöhnlich ihr Täßchen Kaffee tranken, zu dem sie sich die Bohnen und den Zucker selber mitbrachten.

Aber heute waren die alten Damen zu Hause geblieben, und es war niemand da, dem Kathi Kaffee hätte kochen können. Die Mutter der badelustigen jungen Dame mußte das wohl gewußt haben, denn sie hatte ihrer Tochter Mokka und Zucker mitgegeben, damit Kathi, die zu arm war, um sich selber Kaffee kaufen zu können, doch noch ihr Täßchen bekam.

Kathi war in ihrer Jugend beim Bürgermeister des kleinen Städtchens, dem Großvater[5] der jungen Dame, Kindermädchen gewesen. „Mama", von der das Fräulein nicht nur das blonde Haar und die schlanke Gestalt, sondern auch die Freude am Baden geerbt hatte, war damals genau so wild gewesen wie heute die Tochter. Und so wie Kathi damals auf die Mutter aufgepaßt hatte, achtete sie jetzt darauf, daß die Tochter in ihrer Wildheit nichts tat, was ihr schaden konnte. Und das Baden bei diesem Wetter hätte ihr schaden können. Um das Mädchen davon zurückzuhalten, erzählte Kathi daher etwas aus Mamas Jugend, denn in einer halben Stunde, das wußte sie, mußte

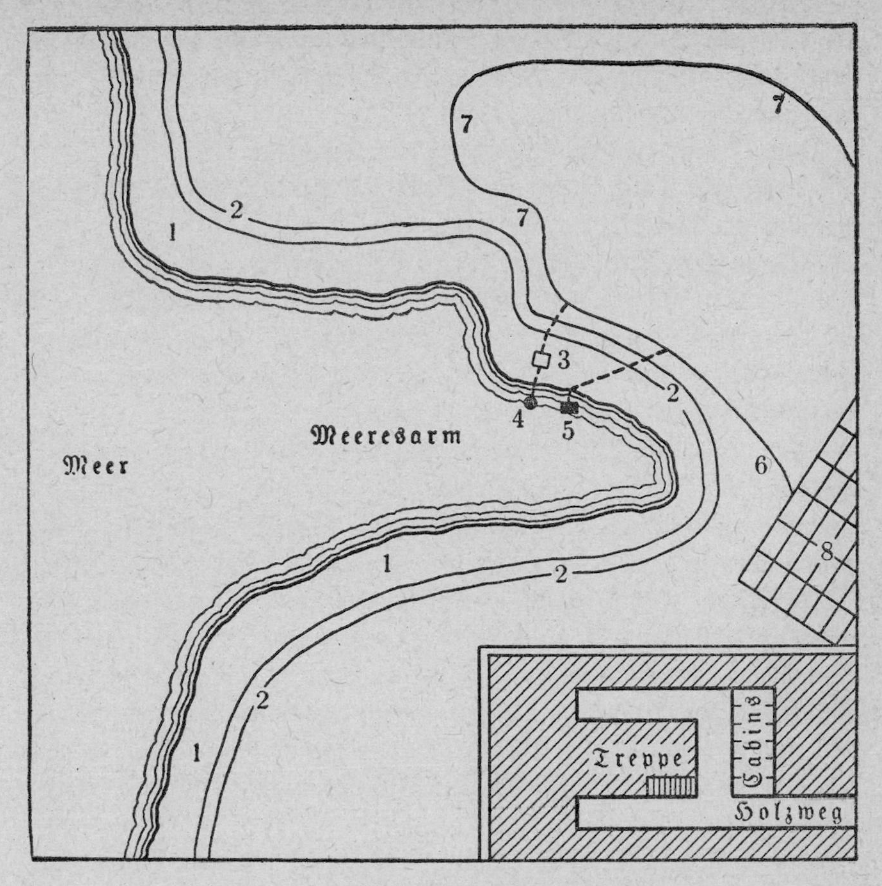

Plan for Psyche

1. Vorland land between the sea and the dike. 2. Deich dike. 3. Kathis Holzhaus. 4. Frauenfloß (Floß float) women's floating bathhouse. The floating bathhouses in our story are U-shaped, and the people swam only within the area enclosed in the U. Kathi feared that the girl would swim out of the enclosed space, into the open and, on this day, dangerous ocean. To understand the story it is necessary to remember that the protection afforded by the enclosures made nude bathing possible. For the plan of a floating bathhouse, see the lower right-hand corner of the map. 5. Männerfloß men's bathing float. 6. Direkter Weg zur Stadt. 7. Indirekter Weg zur Stadt. 8. Stadt.

die Flut zurückgehen, und wenn die Tochter solange zuhörte, mußte sie nach Hause gehen, ohne gebadet zu haben.

Die Augen des jungen Mädchens glänzten, während die Alte erzählte. „Weißt du, Kathi," sagte sie, „Mama muß reizend gewesen sein. Hätte ich sie so nur einmal sehen können! — Meine Mama ist noch reizend, und jung, Kathi! Ich glaub', sie könnt' noch heute von einer Mauer springen."

„Was das Fräulein für Gedanken hat! Aber freilich, damals gab's Tag für Tag etwas Neues mit dem Kindchen."

Sie hatte eben zu weiterem Erzählen die Hände aufs Knie gelegt, als die Tür von einem Windstoß aufgerissen wurde; ein vorbeifliegender Vogel stieß einen lauten Schrei aus; vom Ufer herauf konnte man das Wasser gegen das Floß schlagen hören.

Die leichte Gestalt des Mädchens stand plötzlich hoch vor der Alten. „Kathi!" rief sie und hob böse den Finger; „nun merk' ich's erst, du wolltest mich hier festhalten, bis deine große Uhr eins schlüge und ich dann zu Mama nach Hause müßte! Aber diesmal, Kathi!" — Und schon war sie draußen und machte mit den kleinen Händen eine Schwimmbewegung in die Luft.

Die Alte war mit hinausgelaufen; aber sie sah ihr Spiel verloren. „Nur um's Himmels willen, Kind! Sie wollen doch heute nicht aus dem Floß hinausschwimmen?"

„Und warum nicht, Kathi? Du weißt ja, ich versteh's! Und ich sag' dir, es wird eine Lust!"

Und singend schritt sie über das grüne Vorland zum Ufer hinab, den schönen Kopf dem Winde zugewandt.

Die Alte ging in ihr Häuschen zurück. Strümpfe und Schuhe des Mädchens, die diese auf dem Boden hatte liegen lassen, legte sie fein unter die Ruhebank; dann stellte sie das Kaffeewasser auf und zündete in ihrem kleinen Ofen ein Feuer an. „Das Kind wird heute auch wohl eine Tasse nehmen", sagte sie. Aber sie hatte doch keine Ruhe. Ein paarmal hatte sie schon den Kopf zur Tür hinausgesteckt; jetzt lief sie sogar an den Strand hinab. Der Weg zum Badefloß war völlig unter Wasser, so daß das Floß ohne alle Verbindung mit dem Lande schien. — „Fräulein!" rief sie; „Fräulein!"

Es kam keine Antwort, aber ein Plätschern[6] kam aus dem Floß herauf. Und zufrieden nickend, ging die Alte wieder in ihr Haus.

[Fortsetzung folgt]

NOTES. 1. Flut flood tide, flood, water. 2. See plan, p. 199. 3. brummte muttered, mumbled. 4. dem this (miserable). 5. Großvater grandfather. 6. Plätschern splashing.

BUILDING A PASSIVE VOCABULARY

aussehen sehen to see, aussehen to look
ausziehen aus out, ziehen to pull, ausziehen to pull off, take off
das Band, die Bänder (*pl.*) binden to tie, das Band the ribbon, tie
belebte leben to live, belebte lively
die Entfernung fern far, distant, die Entfernung the distance
erkannt kennen to know, erkennen to recognize
der Gedanke denken to think, der Gedanke the thought
die Handtücher die Hand the hand, das Tuch the cloth, das Handtuch the hand towel
das Kindermädchen das Kind the child, das Mädchen the girl, das Kindermädchen the children's girl, *that is*, the nursemaid
knochige der Knochen the bone, knochig bony
längst lange long, längst long since
die Verbindung binden to bind, tie, *that is*, connect, die Verbindung the connection
der Windstoß der Wind the wind, stoßen to push, thrust, der Windstoß the gust of wind

GRAMMAR

128. The Passive Voice. The passive voice is formed by using the past participle of the verb in question with the auxiliary for the passive, which is werden: er wird gerufen, er wurde gerufen, *he is called, he was called.* In compound tenses werden itself requires, as in the active, the auxiliary sein; in these tenses the past participle of werden becomes worden, the ge-prefix being dropped: er ist gerufen worden, er war gerufen worden. (Note the position of the main verb.)

As in English, the accusative object of a transitive verb in the active becomes the subject in the passive. The subject of the active becomes the agent in the passive.

English *by* is in German usually von when the agent is a person. The cause is expressed by durch, the instrument is expressed by mit.

Ich wurde von meinem Vater nach Hause gebracht. I was taken home by my father.
Die Stadt wurde durch Feuer vernichtet. The city was destroyed by fire.
Die Bienen wurden mit Farbpünktchen gezeichnet. The bees were marked with dots of paint.

129. Synopsis of the Passive (and of werden in the Active)

	Active	Passive
PRESENT	er wird	er wird gerufen
PAST	er wurde	er wurde gerufen
PRESENT PERFECT	er ist geworden	er ist gerufen worden
PAST PERFECT	er war geworden	er war gerufen worden
FUTURE	er wird werden	er wird gerufen werden

The forms of the imaginative subjunctive, as might be expected, are:

Present time: ich würde gerufen, du würdest gerufen, and so on.

Past time: ich wäre gerufen worden, du wärest gerufen worden, and so on.

130. Apparent Passive. In § 85 it was explained that past participles may be used as attributive or predicate adjectives. When used predicatively, as in the example Die Tür war geschlossen, the student might easily mistake the phrase war geschlossen to be passive because he translates both war geschlossen and wurde geschlossen by *was closed.* Die Tür war geschlossen (apparent passive) describes a state already existing: the door was closed (someone had previously closed it). Die Tür wurde geschlossen (passive) describes an action: someone was closing the door. (If you had to withdraw $10,000 from a bank, would you rather arrive at the bank when the door war geschlossen or when it wurde geschlossen?)

Examples of the passive and the apparent passive:

Passive	Apparent Passive
Der Brief wird gerade geschrieben.	Der Brief ist schon geschrieben.
The letter is just being written.	The letter is already written.
Die Äpfel wurden gerade gewaschen.	Die Äpfel waren schon gewaschen.
The apples were just being washed.	The apples were already washed.
Herr Meyer starb, und sein Haus wurde verkauft.	Gustav starb und war bald vergessen.
Mr. Meyer died, and his house was sold.	Gustav died and soon he was forgotten.

131. Use of the Passive. The passive in German is less frequent than in English. In its place German may use:

a. The active with man: Man sagte, daß ... *It was said that ...*

b. Reflexive constructions: Die Tür öffnete sich. *The door (was) opened.*

132. Impersonal Passive. All English passives have a subject. German may use passives with no subject or an indefinite es instead of a subject. This so-called impersonal passive indicates an activity without reference to a logical subject:

Hier wird gearbeitet. People are working here, *or* Work is going on here.

Morgen wird geheiratet. Tomorrow a wedding will take place, *or* they are going to marry tomorrow.

Es wurde viel gesungen. There was much singing.

133. Participial Phrases. It was pointed out in §§ 49 and 85 that present and past participles may serve as attributive adjectives, as ein weinendes Kind, das versprochene Buch. Not infrequently in written German and particularly in scientific writings this participle is preceded by its own object, prepositional phrase, or other qualifying element. As can be seen in the following examples, such participial phrases are usually best translated by using dependent clauses:

Ein durch die Stadt fließender Fluß. A river (which was) flowing through the city.

Die Bienen wurden durch einen im Freien aufgestellten Teller angelockt. The bees were attracted by a dish (which was) placed in the open.

Ein mit Zuckerwasser gefüllter Teller. A dish filled with sweetened water.

Die biologische Bedeutung des an den Vierundzwanzig-Stunden-Rhythmus gebundenen Zeitsinns ist damit erklärt. The biological importance of the sense of time which is connected with the twenty-four-hour rhythm is thus explained.

Erst später gab man dem neuen, von Kolumbus entdeckten Land den Namen Amerika. Not until later did they give the new land which was discovered by Columbus the name America.

Note this rule: If the noun does not follow the modifying der=word, ein=word, or attributive adjective in its expected place, the student should always read on until he finds that noun following the participle and then go back and fill in the sentence with the dependent clause.

134. Anticipative Pronouns. In the sentence Ich warte auf mein Geld, auf mein Geld is the object of warten. In Ich warte, daß er mein Geld bringt, the dependent clause is the object of warten; there is no object in the main clause. In many such cases the German feels that there is a grammatical gap in the main clause which needs to be filled. He does this by inserting a pronoun, es, das, dies, or a pronoun substitute (da plus preposition) in the main clause, anticipating thereby something which is to be expressed in detail in the following dependent clause. Thus the sentence above will usually read:

Ich warte **darauf**, daß er mein Geld bringt.

Further examples:

Eine Mutter wird sehr schnell ein genaues Gefühl **dafür** entwickeln, ob die Temperatur des Bades gerade richtig ist oder nicht. A mother will very quickly develop an accurate feeling whether, etc.

Ein Zeichen **dafür**, daß . . . A sign that . . .

Cf. English *bring* **it** *about that* . . .; *see to* **it** *that* . . .

Learn the principal parts of the following verbs:

schreiben	schrieb	hat geschrieben	schreibt	to write
entscheiden	entschied	hat entschieden	entscheidet	to decide
beißen	biß	hat gebissen	beißt	to bite
streichen	strich	hat gestrichen	streicht	to stroke
ziehen	zōg	hat gezōgen	zieht	to pull
erziehen	erzōg	hat erzōgen	erzieht	to educate
gewinnen	gewann	hat gewonnen	gewinnt	to win
schwimmen	schwamm	ist geschwommen	schwimmt	to swim
gēben	gāb	hat gegēben	gībt	to give
umgēben	umgāb	hat umgēben	umgībt	to surround

EXERCISES

I

A. Beantworten Sie folgende Fragen über Text A auf deutsch: 1. Wer kann sein Auge dazu erziehen, hunderte von Farben zu unterscheiden? 2. Wer entwickelt bald ein Gefühl für die Temperatur des Badewassers? 3. Für wen ist die Zeit zwischen zwei Weihnachtsfesten zu kurz? 4. Wann bringt die Tante das Paket zur Post? 5. Was haben Sie lieber, vier Wochen Ferien oder vier Wochen Unterricht? 6. Was ist in den letzten Jahren bewiesen worden? 7. Wodurch wurden die Bienen angelockt? 8. Womit wurden die Bienen gezeichnet? 9. Was wurde zu stets gleicher Tageszeit wiederholt? 10. Was wurde eines Tages nicht gereicht? 11. Wohin tragen die Bienen den Honig? 12. Wodurch wurden die Räume erleuchtet? 13. Woran ist der Zeitsinn der Bienen gebunden? 14. Wann wird der Honig in den Blumen gebildet? 15. Womit sind ähnliche Experimente gemacht worden? 16. Was für eine Wirkung hatte Euchinin auf den Stoffwechsel?

B. Beantworten Sie folgende Fragen über Text B auf deutsch: 1. Wie war das Wetter an jenem Vormittage im August? 2. Woher kam der Wind? 3. Wohin trieben Wind und Flut die See? 4. Wie war sonst der Badeplatz? 5. Was hielt die alte Frau mit beiden Händen fest? 6. Wo grasten die Schafe? 7. Was ließen die jungen Männer über ihren Köpfen fliegen? 8. Wer kam von der Stadt her? 9. Wie war das Haar des Mädchens? 10. Wer brummte? 11. Wer hatte heute das Reich ganz allein? 12. Wie sah das Haus von innen aus? 13. Warum war der Raum warm und hell? 14. Für wen kochte die Alte sonst Kaffee? 15. Was war Kathi in ihrer Jugend gewesen? 16. Von wem hatte das Mädchen das blonde Haar und die schlanke Gestalt geerbt? 17. Wovon begann die Alte zu erzählen? 18. Von wem wurde die Tür aufgemacht? 19. Warum sollte das Mädchen nicht aus dem Floß hinausschwimmen? 20. Wie ging sie über das grüne Vorland? 21. Wo hatte das Mädchen ihre Strümpfe und Schuhe liegen lassen? 22. Wohin legte Kathi sie? 23. Was zündete Kathi in ihrem Ofen an? 24. Wohin lief Kathi? 25. Was lag völlig unter Wasser? 26. War das Floß wirklich ohne alle Verbindung mit dem Lande? 27. Was rief Kathi? 28. Warum ging die Alte zufrieden nickend in ihr Haus zurück?

II

Translate into German: 1. He was seen by three men. 2. I have never weighed as much as now. 3. Have you the book he was reading? 4. Why was the first German kaiser also called Karl der Große (Charlemagne)? (Charles, Karl) 5. The most beautiful girls are not always found in the cities. 6. The cake must be eaten soon. 7. It was already eaten when we arrived. 8. The sentences had already been written. 9. The Rhine (Rhein) is loved by all Germans. 10. Last evening (Gestern abend) a song by Schubert was played. 11. Much coffee is drunk each year in Germany. 12. This book has been read by the entire class. 13. This letter must have been written three years ago. 14. Mr. Meyer won the first prize. 15. The first prize was won by Mr. Meyer. 16. The carriage was drawn by two white horses.

III

Translate into English:

der Bach	neidisch	auswendig	fassen
die Backe	die Menge	scheiden	der Fels
das Gegenteil	streng	schmecken	oben
klingeln	dick	die Gewalt	der Osten
die Gans	trocken	die Apfelsine	der Zufall
der Gast	die Sache	einsam	Freitag

IV

Translate into German:

stupid	the piece	eleven
dark	the peace	seven
the ice	to pour	to bark
to receive	usually	the bread
the fish	exactly	to flee
to continue	explain	the prince
to be sure	twelve	the spoon

V

Translate the following compounds and derivatives:

achten, die Achtung, aus Achtung gegen die Eltern, achte auf das Kind! Sturm und Regen nicht beachten; der Kartoffelacker; baden, das Badesalz; bedeuten, die Bedeutung, ein bedeutendes Werk, bedeutungslos, die Wortbedeutung; der Bienenhonig; die Birne, birnenförmig; entscheiden, die Entscheidung, unentschieden, ein entscheidender Augenblick, der Entscheidungskampf, mit großer Entschiedenheit sprechen; überentwickelt, unterentwickelt, die Entwicklung; erben, der Erbe, etwas von jemand erben, die Erbin; der Erzieher, die Erzieherin, ein schwer erziehbares Kind, vergiß deine gute Erziehung nicht! die Ferienreise, Weihnachtsferien, Sommerferien; der Mord, morden, der Mörder, der Selbstmord, mörderisches Feuer in der Schlacht; der Obstgarten, der Obstbaum; honigsüß; er ist ein guter Bergsteiger; mach die Ohren auf! die Begleitung; wählen, die Wahl; die Milchkuh; die Kühle, kühlen; das Ladenmädchen; mit dem Löffel rühren; Schulter an Schulter kämpfen; schwierig, die Schwierigkeit; selten, die Seltenheit; bei Lampenlicht arbeiten; der Marschbefehl; nebelgrau; einen Strom überbrücken; das Stuhlbein; ein stumpfes Messer; das Eigelb; die Grenze, grenzen; ein hohler Baum; das Knäblein

VI

Give the following sentences in the past, present perfect, past perfect, and future: 1. Die Zeitung wird von der ganzen Familie gelesen. 2. Der Vogel wird von der Katze gefangen. 3. Der Ball wird in die Luft geworfen. 4. Das Buch wird von Frauen gern gelesen. 5. Fritzchen wird von seiner Mutter jeden Tag gebadet.

VII

Change to the passive: 1. Wir vergessen alles. 2. Columbus hat Amerika entdeckt. 3. Mein Vater hat diesen Baum gepflanzt. 4. Jedes Jahr besuchen viele Leute diese Kirche. 5. Seine Tante erzieht ihn.

VIII

Change to the active: 1. Das Problem wurde endlich von Herrn Müller gelöst. 2. Der Krug ist von August ins Haus gebracht worden. 3. Diese Arbeit wird schlecht bezahlt.* 4. Bist du gesehen worden?*

---

* Use *man* as the subject.

IX

Translate the following sentences into English: 1. Es wurde viel getrunken. 2. Hier wird Englisch gesprochen. 3. Am Sonntag wird nicht gespielt. 4. Es ist viel geredet, aber wenig gesagt worden. 5. Viel wurde für die Armen nicht getan. 6. Es wurde laut gesungen. 7. Morgen wird gearbeitet. 8. Ein in Heidelberg wohnender Student verlor einmal sein Herz. 9. Die vielen während des Krieges gesungenen Lieder sind heute meist vergessen. 10. Sein mit Wein gefülltes Glas fiel ihm aus der Hand. 11. Das im letzten Jahre entdeckte Land wird im Laufe der nächsten Jahre schon vergessen werden. 12. Wir haben das im letzten Sommer verlorene und von uns schon fast vergessene Geld heute wieder gefunden. 13. Man behauptet, daß amerikanische Studenten nicht genug studieren.

X

Give the passive third person neuter singular in the present, past, present perfect, past perfect, and future of the following verbs:

fangen sagen beißen schließen empfangen lernen schreiben

LESSON XXI

TEXT A

Er meinte, es sei gar nicht so einfach, eine Geschichte für sein Buch zu schreiben, wie ich vielleicht glaube. Wenn die Geschichte nämlich zu schwer sei, dann werfe der Student das Buch in die Ecke. Wenn die Geschichte aber zu leicht sei, dann glaube der Student, das könne er schon, und gehe einfach ins Bett, und im Bett lerne man den Dativ natürlich auch nicht. (Cf. Lesson V.)

Er erzählte, es habe nicht lange gedauert, da sei der Mann nach Hause gekommen. Die Frau habe ihm alles erzählt. Dem Mann aber habe es gar nicht gefallen, daß der Strumpf mit dem Geld auf dem Weg zum Paradies gewesen sei. Er habe aber nichts gesagt, sondern nur sein Pferd geholt, und nach kurzer Zeit habe er einen Mann am Wege sitzen sehen. Es sei Joseph gewesen, der mit dem Strumpf ins Paradies gewollt habe. Aber der Mann habe nicht den Strumpf mit dem Geld, sondern nur ein ehrliches Gesicht gesehen und habe Joseph gefragt, ob er einen Mann mit einem Strumpf gesehen habe. Joseph habe geantwortet, der sei gerade im Wald. Der Bauer habe darauf Joseph gebeten, sein Pferd zu halten, und sei in den Wald gelaufen. Joseph aber sei mit dem Pferde verschwunden. (Cf. Lesson V.)

Der Redner stellte dann die Frage, ob die Maschine also doch die Schuld an unserer Not trage. Nein, meinte er, nicht die Maschine, sondern nur die Art und Weise, in der wir von der Maschine Gebrauch machten. Wir würfen noch immer ein Produkt auf den Markt, ohne zu wissen, ob der Markt dieses Produkt aufnehmen könne. Es sei daher ganz natürlich, daß jeder Versuch, die Arbeitslosigkeit zu bekämpfen, erfolglos bleibe. Wenn wir jedem Arbeiter seine Arbeit geben wollten, müßten wir lernen, die Arbeit besser zu verteilen. Einen anderen Weg gebe es nicht; es sei d e r Weg zur Lösung des Problems. (Cf. Lesson VI.)

Er schrieb, alle Zukunft müsse Gegenwart, alle Gegenwart Vergangenheit werden. Man könne daher auch in einer Grammatik leider nicht immer nur die Gegenwart gebrauchen. Die Sprache sei, was die Zeit angehe, ganz wie das Leben: ein Verb habe wie der Mensch, von dem es etwas berichte, oft eine Vergangenheit und oft eine Zukunft. Und wie im Leben sei die

Zukunft immer besser als die Vergangenheit. Die Zukunft im Deutschen sei nämlich leicht, die Vergangenheit schwer, und wenn ich die Grammatik dieser Lektion verstehen wolle, müsse ich in der kommenden Woche schwer arbeiten. Damit ich aber das Buch nicht wieder in die Ecke würfe, gebrauche er nur wenige Wörter. Und er hoffe, ich würde es ihm vergeben, wenn er wieder eine Liebesgeschichte erzähle. (Cf. Lesson IX.)

Er nahm sogleich das Wort und sagte, ich solle den Mut nicht sinken lassen. Noch sei der Kampf nicht verloren. Ich hätte in meiner Rechnung einen Fehler gemacht und ihn einen Tag zu früh erwartet. Ich solle seinem Rate folgen und gleich wieder zurückkehren. Meinen Schatten würde er mir gerne wiedergeben. (Cf. Lesson XVI.)

Er sagte, er denke vor allem an seinen eigenen Vorteil. Andere Leute, die lieber ein Mädchen ins Unglück stürzen als ihre Seele verkaufen, täten das zwar auch. Aber solche Leute seien nicht so ehrlich wie er. Ich solle ihm glauben, daß er zugleich an meinen Vorteil denke, wenn er mir noch einmal dringend rate, doch endlich zu unterschreiben. Unterschriebe ich nicht, so dürfe ich die Hoffnung, je wieder friedlich unter Menschen wohnen zu können, ruhig aufgeben. Einen Schattenlosen, das hätte ich erfahren, wolle niemand unter seinem Dach haben. Er verstehe ja, daß man sich nicht gern von etwas trenne, was man noch nie gesehen habe. Ich sei nicht der erste Fall dieser Art. Aber ich dürfe ihm glauben, daß bis jetzt noch jeder, der ihm einmal den Schatten verkauft habe, diesen Schatten auch wieder zurückgekauft habe. (Cf. Lesson XVIII.)

Sie fragte, ob ich viel von ihm wisse aus der Zeit, ehe sie ihn gekannt; ob ich nicht glaube, daß er glücklicher gewesen sei als jetzt (G. Keller, „Sinngedicht").

Aus der Geschichte unsrer Sprache

Sie alle kennen wahrscheinlich die Geschichte vom Turmbau[1] zu Babel, jene altehrwürdige Erzählung des Alten Testaments, die davon berichtet, daß die Leute von Babylon[2] einst an einem Turm[1] bauten,[1] der bis an den Himmel reichen sollte, daß aber Gott, als er sah, wie das Volk ihn über seiner Arbeit vergaß, diesem Volk zur Strafe die Klarheit des Geistes nahm. Man entdeckte eines Tages in Babylon,[2] daß man sich nicht mehr verstand; jeder glaubte, der andere rede eine fremde Sprache, und der Turm blieb daher ungebaut.[1]

Wie hinter vielen Berichten des Alten Testaments aus den Kindheitstagen der Menschheit, so verbirgt sich auch hinter den kindlich einfachen Worten dieser Erzählung eine tiefe praktische Wahrheit. Bürger eines Staates, Angehörige eines Volkes, die den Turm ihrer Zivilisation höher und höher bauen wollen, müssen vor allem — und zwar in mehr als in einem Sinne — miteinander dieselbe Sprache reden. Wenn aber ein Volk das Wort „Liebe deinen Nächsten wie dich selbst!" vergißt und in einzelne Klassen zerfällt, die sich untereinander hassen, sich nicht mehr verstehen, nicht mehr — symbolisch[3] gesprochen — dieselbe Sprache reden, dann ist es mit der Zivilisation eines solchen Volkes, ja mit seiner Existenz als Volk sehr bald zu Ende. Und wie bei den Babyloniern[2] kommt dies Ende gerade dann, wenn man sich auf dem Gipfel der Macht glaubt.

Diese tiefe symbolische Wahrheit der alten Erzählung hat man nicht immer erkannt. Man hat statt dessen sehr oft den Bericht buchstäblich genommen und geglaubt, Gott habe wirklich jeden einzelnen Babylonier, oder doch wenigstens jede einzelne Familie eine fremde, den andern gänzlich unbekannte Sprache reden lassen, so daß einer Englisch, ein anderer Deutsch und ein dritter Russisch[4] gesprochen habe.

Aber unsere heutigen Sprachen sind gar nicht so alt, wie man vielleicht glauben möchte. Das Englische, das Sie sprechen, und das Deutsche, das Sie gerade lernen, haben nicht immer ihre heutige Form gehabt. Das moderne Englisch ist ebensowenig über Nacht entstanden, ebensowenig eines Tages plötzlich dagewesen, wie die Pflanzenarten Englands über Nacht entstanden oder die Kreidefelsen von Dover eines Tages einfach dagewesen sind.

Alles, was ist, alles, was Form und Struktur hat, das hat auch eine Geschichte, hat diese Form meist erst nach langer Entwicklung erreicht.

Auch Sprachen entwickeln und ändern sich langsam. Nicht nur werden von jeder Generation neue Wörter gebildet und alte Wörter vergessen, sondern auch die Aussprache der einzelnen Laute selber wird verändert, absichtlich oder unabsichtlich. Ebenso wie der junge Mann, der frisch vom Lande nach Oxford kommt, sein möglichstes tut, um den typischen[5] Akzent des Oxford-Studenten anzunehmen und den ländlichen Akzent seines Dorfes zu verlieren, so haben schon immer die unteren Klassen eines Volkes danach gestrebt, den Akzent und die Sprechweise der führenden Klassen anzunehmen. Der englische Bauer des zwölften Jahrhunderts trieb zwar richtige Schweine und Schafe auf den Markt, aber die normannischen Herren[6] des Landes, für die das Fleisch gebraten wurde, sagten nicht swine und sheep sondern pork und mutton. Und jeder, der zu den oberen „Vierhundert" gehörte oder gehören wollte, sagte daher auch pork und mutton. Und noch heute wird daher auch das bravste englische Schaf nur unter dem Namen mutton in die gute Gesellschaft aufgenommen. Und jeder Kellner in London wird zwar seinem Gast mit dem größten Vergnügen einen pork-roast bringen, wird aber wahrscheinlich verächtlich lächeln, wenn jemand einen pig roast verlangen sollte. Man macht eben nicht gern einen Fehler, weder in der Aussprache der einzelnen Laute noch in der Wahl der Worte, und zwar nicht nur aus Liebe zu seiner Muttersprache, sondern auch darum, weil man von seinen lieben Nachbarn nicht nur nach seiner Kleidung und nach seinem Auto, sondern auch nach seiner Sprache beurteilt wird.

Aber trotz aller Arbeit, die sich die Eltern machen, ihre Kinder zu guten Sprechgewohnheiten zu erziehen, kommt der Sohn eines Tages doch nach Hause und sagt sump'n statt something, oder he ain't statt he isn't. Und wenn Papa und Mama auch die Hände über dem Kopf zusammenschlagen, eines Tages wird sich diese Aussprache oder dieser Fehler zum Schrecken der Eltern und Lehrer doch durchsetzen; ebenso wie es sich durchgesetzt hat, daß man das Wort light, das früher einmal wie das deutsche Wort „Licht" ausgesprochen wurde, heute ohne den ch-Laut ausspricht.

Die Veränderung, welche eine Sprache auf diese Art und Weise in zwei oder drei Generationen erfährt, ist natürlich unbedeutend. Aber in 400 oder 500 Jahren führt dieser für die Angehörigen eines Volkes fast unmerkliche Prozeß doch dazu, daß sich ihre Sprache sehr merklich ändert.

[Fortsetzung folgt]

NOTES. 1. Turm tower; bauen to build; ungebaut unbuilt. 2. Leute von Babylon, Babylon, Babyloniern inhabitants of Babylon, Babylon, Babylonians. 3. symbolisch symbolically, figuratively. 4. russisch Russian. 5. typischen typical. 6. normannischen Herren Norman lords.

BUILDING A PASSIVE VOCABULARY

altehrwürdig alt old, ehren to honor, würdig worthy, altehrwürdig venerable
Angehörige gehören an belong to, Angehörige those belonging to, *hence* members
buchstäblich der Buchstabe the letter, buchstäblich literal(ly)

durchsetzen durch through, setzen to set, durchsetzen to achieve, accomplish, carry through, win out
erkannt kennen to know, erkennen to recognize
das Jahrhundert das Jahr the year, hundert hundred, das Jahrhundert the century
die Laute laut loud, der Laut the sound, die Laute the sounds
Nächsten (*acc.*) nah near, der Nächste the next, the one living next to you, neighbor
oberen *cf.* oben
die Sprechgewohnheiten sprechen to speak, gewöhnlich usual, customary, habitual, die Sprechgewohnheiten the speech habits
unbekannte kennen to know, unbekannte unknown
verächtlich achten to esteem, verachten to despise, scorn, verächtlich scornfully

VOCABULARY

der Bauer, -n the farmer, peasant
braten to roast; fry
braun *brown*
der Buchstabe, -n, -n the letter (of the alphabet)
der Donner the *thunder*
das Eisen, - the *iron*
empor up, upwards; high
entstehen to originate
die Flamme, -n the *flame*
das Fleisch the meat
fremd strange; foreign
der Gipfel, - the peak; height
der Kellner, - the waiter
das Kinn, -e the *chin*
klagen to complain
die Kohle, -n the *coal*
die Kreide the chalk
praktisch *practical*
rauschen to roar; rustle
das Schwein, -e the *swine*, pig
der Sohn, ⸗e the *son*
die Strafe, -n the punishment; penalty, fine
streben to *strive*
die Treppe, -n the staircase; stair
das Vergnügen the pleasure, enjoyment
die Welle, -n the wave
zumachen (*sep. prefix*) to close, shut

IDIOMS

bald . . . bald now . . . now
dann und wann now and then
vor sich hinblicken to look aimlessly (dreamily)
was hast du? what is the matter?

TEXT B

Psyche

[Fortsetzung]

Auf dem ersten Floß[1] hatten indes die jungen Männer ihre Kleider abgeworfen und traten nun auf die offene Galerie hinaus, bereit, sich ins Meer zu stürzen.

Der größere mit dem dichten braunen Haar und den grauen hellblickenden Augen war ein junger Bildhauer[2] und erst vor einem Vierteljahr aus Rom in die nordische Hauptstadt, seinen Geburtsort, zurückgekehrt; vor einigen Tagen war er noch eine Strecke weiter nördlich, in diese kleine Stadt am Meer, gegangen, um endlich den Freund wiederzusehen, den jungen Baron von X, mit dem er im südlichen Deutschland zusammen studiert hatte.

Noch standen sie versunken in den Anblick der bewegten Wasserfläche. Ruhelos rollten die Wellen in nicht enden wollendem Wechsel über die Tiefe, wurden für einen kurzen Augenblick von der Sonne durchleuchtet und brachen sich dann, und andere rollten nach. Die Luft tönte von Sturm und Meeresrauschen. Eine starke Welle schlug eben an die eiserne Treppe, auf der die jungen Männer standen, und bedeckte sie mit ihrem Schaum.[3]

„Komm jetzt," rief der Baron, „und wie Meeresgötter wollen wir durch den grünen Kristall hindurchschießen."

Aber sein Freund, der Künstler, blickte in die Ferne und schien ihn nicht zu hören.

„Was hast du, Franz?"

„Dort! Vom Frauenfloß[1] her! Sieh doch!" Und er zeigte mit ausgestrecktem Arm auf die schäumende[3] Wasserfläche.

Der andere stieß einen Laut des Schreckens aus. „Ein Weib! — Ein Kind!"

„So scheint es; aber keine Meeresgöttin!"

„Nein, nein; sie kämpft vergebens[4] mit den Wellen."

Der junge Baron wollte sich gerade ins Wasser stürzen, als ihn sein Freund mit schneller Hand zurückhielt.

„Du nicht, Ernst! Du weißt, ich bin der bessere Schwimmer, und e i n e r ist genug. Lauf zu der alten Badefrau und sag ihr, was zu sagen ist!"

Kaum war das letzte Wort gesprochen, so schlugen auch schon die Wasser hoch empor, und bald, auf Armeslänge von dem Floß, erschien der Kopf des

Schwimmers. Mit den kräftigen Armen die Wellen teilend, flog er dahin; je nach ein paar Schlägen stieg er mit der Brust über die Flut[5] empor, und seine hellen Blicke flogen über die schäumenden Wasser.

Noch fern von ihm spielten die Wellen mit dem schönen sonnenblonden Haar des Mädchens; zwei kleine Hände griffen zwar noch mit letzter Kraft durch den beweglichen Kristall, aber auch mit ihnen spielten schon die Wellen. Ein Seevogel stieß dicht daneben in die Flut, stieg wieder hoch und schoß, seinen scharfen Schrei ausstoßend, seitwärts vor dem Wind über die Wasserfläche dahin.

Die alte Frau Kathi, die eine Zeitlang vor ihrem kleinen Kohlenofen gesessen und in die Flammen gesehen hatte, war doch wieder unruhig geworden. Der Sturm riß mit wachsender Stärke am Dache ihres Häuschens, dann und wann trug er von draußen aus der Luft einen Vogelschrei herein; es litt sie nicht mehr auf ihrem Holzstuhle. Sie war wieder hinausgegangen, ja sie hatte ebenfalls ihre Schuhe ausgezogen, um zum Floß hinüberzugehen, und stand jetzt dort, mit ihrer harten Hand bald an diese, bald an jene Badezelle[6] klopfend. Niemand antwortete. Ängstlich machte sie eine Türe nach der anderen auf und wieder zu. „Fräulein, ach liebes Fräulein, so antworten Sie mir doch!" rief sie mit klagender Stimme.

Aber es kam keine Antwort; nur das Rauschen der Wellen schlug eintönig an ihr Ohr.

Als sie hilflos nach dem Land zurückblickte, sah sie einen Mann auf ihr Häuschen zulaufen, und gleich darauf hörte sie ihn rufen. — „Frau Kathi! Frau Kathi!" rief er durch den Wind hindurch.

„Hier! Um Gottes willen, hier!" — Und eilig lief die Alte ans Land zurück. „Oh, mein Gott, Herr Baron, Sie sind es! Ach, das Kind, das Kind!"

Er faßte sie, ohne etwas zu sagen, an den Armen und zeigte mit der Hand auf die offene Wasserfläche.

„Ist das der andere Herr? Sucht er das Kind?"

Der junge Mann nickte.

„Guter Gott! Man soll nicht räsonieren![7] Ich räsonierte, Herr Baron, als ich Sie beide herauskommen sah! Man soll nicht räsonieren; nein, nie, niemals!"

Der Baron antwortete nicht; er sah mit scharfem Blick auf die Flut hinaus. Ein paar Augenblicke noch — weit von draußen her kam jetzt der

Donner der offenen See — und er faßte wieder den Arm der Alten: „Jetzt, Frau Kathi, da sehen Sie hin! Nun sucht er sie nicht mehr; er trägt sie schon in seinen Armen!"

Die Alte stieß einen lauten Schrei aus.

Da hob sich die Gestalt des Schwimmers mit der breiten Brust aus den schäumenden Wellen, und bald darauf sah man ihn langsam, aber sicher am Ufer emporsteigen. In seinen Armen, an seiner Brust ruhte ein junger Körper, gleich weit entfernt von der Fülle des Weibes wie von den knabengleichen Formen[8] des Kindes; ein Bild der Psyche, wenn es je eins gegeben hatte. Aber der kleine Kopf war zurückgesunken; leblos hing der eine Arm herab.

Aus der Mittagshöhe des Himmels fiel der volle Sonnenschein auf die beiden Gestalten, deren Körper vom Wasser glänzten.

„Wie in den Tagen der Götter!" sagte leise der junge Baron, der atemlos diesem Geschehen zugesehen hatte. — „Aber jetzt, Frau Kathi, nehmen Sie das Kind in Empfang; ich laufe zur Stadt und bringe einen Arzt; er könnte nötig sein!"

Noch ein paar kurze Befehle über die zunächst von der Alten vorzunehmenden[9] Dinge, dann eilte er fort; nicht einmal den Namen des Mädchens hatte er erfahren.

Einige Minuten später lag drinnen im Hause die zarte Gestalt in ihrer ganzen Hilflosigkeit auf dem Ruhebette, bis zum Kinn von dem roten Umschlagetuch der Alten zugedeckt. Zitternd, ihr lautes Weinen niederkämpfend, stand diese vor ihr; sie hatte eben ein Handtuch genommen und wollte gerade mit dem jungen Körper alles vornehmen,[9] was ihr von dem einen wie dann auch von dem andern der beiden Männer befohlen worden war. — „Kathi!"

Die jungen Lippen hatten es gerufen, und die jungen Augen blickten sie voll und lebenskräftig an. „Kathi, ich bin ja nicht ertrunken!"

Die Alte stürzte vor ihr nieder und bedeckte die Hände des Kindes mit ihren Küssen. „Ach, Fräulein, Herzenskindchen, was haben Sie uns für Angst gemacht! Wenn nun der liebe junge Herr nicht gewesen wäre! Und ich räsonierte,[7] als ich ihn aus der Stadt herauskommen sah!"

Das Mädchen legte mit angstvoller Bewegung ihr die Hand auf den Mund. „Um Gottes willen, Kathi, schweig! Ich will seinen Namen nicht wissen, nie!"

„Fräulein, ich weiß ihn ja selber nicht; ich habe den jungen Herrn heute zum ersten Male gesehen; er muß wohl ein Fremder sein."

Das junge Mädchen setzte sich auf und blickte unglücklich vor sich hin. „Kathi," sagte sie, „Kathi, — ich wollte, er wäre tot."

„Kind, Kind!" rief die Alte, „Sie vergessen sich! — Ach, Fräulein, der gute junge Mann; er hat ja doch auch sein Leben um Sie gewagt!"

„Sein Leben! Wirklich, sein Leben? — Ach, ich habe nicht daran gedacht!"

„Nun, Fräulein, hätten Sie nicht beide da ertrinken können?"

„Beide! Wir beide!" — Und sie schloß wie im Traum die Augen, aber dennoch sah sie das schöne Gesicht eines jungen Mannes, das in Angst und Zärtlichkeit auf sie hernieder blickte.

[Fortsetzung folgt]

NOTES. 1. Cf. plan, Lesson XX. 2. Bildhauer sculptor. 3. Schaum, schäumende foam, foaming. 4. vergebens in vain. 5. Flut water. 6. Badezelle bathing cabin, dressing room. 7. räsonieren grumble. 8. Formen form (*singular in English*). 9. vornehmen to undertake, do.

BUILDING A PASSIVE VOCABULARY

der Anblick blicken to look, an on, at, der Anblick the sight, view

durchleuchtet durch through, leuchten *from* Licht; durchleuchten to illuminate, fill with light

eintönig ein one, der Ton the tone, eintönig monotonous(ly)

eiserne *cf.* das Eisen

entfernt fern far, distant, entfernt removed, far, distant

ertrinken, ertrunken (*cf.* trinken *and meaning of* er=, *Lesson XXII*) to drown, drowned

der Geburtsort geboren born, die Geburt the birth, der Ort the place, der Geburtsort the birthplace

Laut *here* cry

die Mittagshöhe der Mittag the midday, die Höhe (*from* hoch), the height, die Mittagshöhe the midday height(s)

das Umschlagetuch um around, schlagen to beat, *here* to throw, das Tuch the cloth, das Umschlagetuch the shawl

versunken *here* lost in thought

die Wasserfläche das Wasser the water, flach flat, plain, die Fläche the plain, surface, die Wasserfläche the surface of the water

GRAMMAR

135. Indirect Discourse

Yesterday Hans said, "I have no money." (*Direct discourse*)
Hans said (yesterday) he had no money. (*Indirect discourse*)

In changing the words of Hans from direct discourse to indirect discourse English changes the tense. German does not change the *time*, but changes from indicative to subjunctive. The forms of the present (time) and past (time) imaginative subjunctive were given in Lesson XVIII. These forms may always be used in indirect discourse. There are, however, some subjunctive forms which occur only in indirect discourse; and where these extra forms exist, they are always preferable to the forms of the imaginative subjunctive.

Sein has a complete set of extra forms. The beginner need learn only the singular forms of all other verbs.

I

If the original statement was made in the *present*, use:

A. FIRST CHOICE PRESENT

	haben	ſein	werden	geben	ſagen	können
ich	(habe)*	ſei	(werde)	(gebe)	(ſage)	könne
du	(habeſt)	ſeieſt	(werdeſt)	(gebeſt)	(ſageſt)	könneſt
er	habe	ſei	werde	gebe	ſage	könne
wir	—	ſeien	—	—	—	—
ihr	—	ſeiet	—	—	—	—
ſie	—	ſeien	—	—	—	—

B. SECOND CHOICE PRESENT

ich	hätte	wäre	würde	gäbe	ſagte	könnte
du	hätteſt	wäreſt	würdeſt	gäbeſt	ſagteſt	könnteſt
er	hätte	wäre	würde	gäbe	ſagte	könnte
wir	hätten	wären	würden	gäben	ſagten	könnten
ihr	hättet	wäret	würdet	gäbet	ſagtet	könntet
ſie	hätten	wären	würden	gäben	ſagten	könnten

* The forms in parentheses occur mainly in literary style.

II

If the original statement was made in *any past* tense (past, present perfect, past perfect, or historical present), use:

A. FIRST CHOICE PAST				B. SECOND CHOICE PAST		
ich	(habe)	sei	plus past participle	hätte	wäre	plus past participle
du	(habest)	seiest		hättest	wärest	
er	habe	sei		hätte	wäre	
	or				or	
wir	—	seien		hätten	wären	
ihr	—	seiet		hättet	wäret	
sie	—	seien		hätten	wären	

III

If the original statement was made in the *future*, use:

A. FIRST CHOICE FUTURE			B. SECOND CHOICE FUTURE	
ich	(werde)	plus infinitive	würde	plus infinitive
du	(werdest)		würdest	
er	werde		würde	
wir	—		würden	
ihr	—		würdet	
sie	—		würden	

IV

The forms of the passive in indirect discourse are:

PRESENT	PAST
er werde geliebt	er sei geliebt worden
er würde geliebt	er wäre geliebt worden

136. Influence of the Governing Verb. Since all indirect discourse is the restatement of someone's words, thoughts, or ideas, the governing verb is, of course, one of saying, thinking, believing, asking, reporting, and the like. One introductory or governing verb frequently introduces a series of indirect statements. When this verb is in the present tense, there is a growing tendency to use the indicative in the indirect statement:

Sie sagt, daß er recht hat. She says that he is right.

When the governing verb is first person singular present, the indicative must be used:

Ich glaube, daß ich krank bin. I believe that I am sick.

137. Indirect Commands. In changing imperative forms from direct to indirect discourse German may employ:

a. Infinitives:

Er befahl mir, zu kommen. He commanded me to come.

b. Patterns using sollen plus the infinitive:

Er sagte, ich solle kommen. He said I was to come.
Er sagte, ich solle ihm glauben. He said I should believe him.

138. Omission of daß. In German the conjunction daß may be omitted when introducing indirect discourse, just as in English the conjunction *that* is frequently lacking. In such cases verb-second position is used:

Er sagte, { daß Otto in Berlin sei.
Otto sei in Berlin. }

139. Cardinal Numbers. The numbers from one to twelve were listed in § 102. Numbers above twelve are as follows:

13	dreizehn	30	dreißig
14	vierzehn	40	vierzig
15	fünfzehn	50	fünfzig
16	sechzehn	60	sechzig
17	siebzehn	70	siebzig
18	achtzehn	80	achtzig
19	neunzehn	90	neunzig
20	zwanzig	100	hundert

1000 tausend

Starting with 21, German uses the "four-and-twenty blackbirds" scheme: einundzwanzig, zweiundzwanzig, sechsunddreißig, achtundvierzig, neunundachtzig, and so on.

Numbers may be written as one word: hundertsiebzig, achthundert-siebenundvierzig; or when long they may be divided: sechzehnhundert achtundvierzig.

140. Ordinal Numbers. These are formed by adding -te (from *second* to *nineteenth* inclusive) and -ste (from *twentieth* up) to the cardinals. Since they are attributive adjectives, they take the attributive adjective endings:

NOM. der zweite König, die zweite Königin, das zweite Kind
GEN. des vierten Königs, der vierten Königin, des vierten Kindes

Note the irregular forms:

the first der erste the third der dritte the eighth der achte

141. Fractions. Fractions are formed by adding the following suffixes to the cardinals:

a. -tel (contraction of Teil) from $\frac{1}{3}$ to $\frac{1}{19}$ inclusive: ein (das) Viertel, ein (das) Fünftel. Note the irregular forms $\frac{1}{3}$ ein (das) Drittel, $\frac{1}{8}$ ein (das) Achtel.

b. -stel from $\frac{1}{20}$ up; ein (das) Zwanzigstel, ein (das) Hundertstel.

Note that *a* (*the*) *half* is eine (die) Hälfte.

142. Time. Es ist (*It is*):

zwölf Uhr	12 o'clock	halb acht	7.30
ein Uhr	1 o'clock	zwanzig Minuten vor neun	8.40
zwei Uhr	2 o'clock	ein Viertel vor zehn *or* drei Viertel zehn	9.45
fünf Minuten nach drei	3.05	fünfzehn Minuten vor zehn	9.45
zehn Minuten nach vier	4.10	zehn Minuten vor elf	10.50
fünfzehn Minuten nach fünf	5.15	fünf Minuten vor zwölf	11.55
ein Viertel nach fünf	5.15	zwanzig Uhr fünfzehn	8.15 (P.M.)
zwanzig Minuten nach sechs	6.20		

Learn the principal parts of the following verbs:

schlāfen	schlief	hat geschlāfen	schläft	to sleep
brāten	briet	hat gebrāten	brät	to roast
stēhen	stand	hat gestanden	stēht	to stand
entstēhen	entstand	ist entstanden	entstēht	to originate

EXERCISES

I

A. Beantworten Sie folgende Fragen über Text A auf deutsch: 1. Wen vergaß das Volk? 2. Was nahm Gott dem Volk? 3. Was verbirgt sich hinter den kindlich einfachen Worten dieser Erzählung? 4. Womit ist es zu Ende, wenn ein Volk in einzelne Klassen zerfällt? 5. Wann kommt dieses Ende? 6. Was hat man nicht immer erkannt? 7. Was ist gar nicht so alt, wie man vielleicht glauben möchte? 8. Was ändert sich langsam? 9. Was tut der junge Mann, der frisch vom Lande nach Oxford kommt? 10. Was möchte er verlieren? 11. Wonach haben die unteren Klassen immer gestrebt? 12. Wonach wird man von seinen Nachbarn beurteilt?

B. Beantworten Sie folgende Fragen über Text B auf deutsch: 1. Wozu waren die jungen Männer bereit? 2. Wann war der junge Bildhauer aus Rom in die Hauptstadt zurückgekehrt? 3. Mit wem hatte er im südlichen Deutschland studiert? 4. Wovon tönte die Luft? 5. Wohin blickte der Künstler? 6. Wer wollte sich gerade ins Wasser stürzen? 7. Wer hielt den Baron zurück? 8. Womit spielten die Wellen? 9. Wie griffen die kleinen Hände durch den beweglichen Kristall? 10. Wo hatte Kathi eine Zeitlang gesessen? 11. Was riß mit wachsender Stärke am Dache des Häuschens? 12. Was trug der Wind von draußen herein? 13. Warum zog Kathi ebenfalls die Schuhe aus? 14. Wo klopfte sie? 15. Was rief Kathi? 16. Was schlug eintönig an ihr Ohr? 17. Wie blickte sie nach dem Lande zurück? 18. Wen sah sie auf ihr Häuschen zulaufen? 19. Wohin zeigte der Baron? 20. Wann hatte die Alte räsoniert? 21. Woher kam der Donner der offenen See? 22. Wer trug das Mädchen in seinen Armen? 23. Wie stieg der Schwimmer am Ufer empor? 24. Wie hing der eine Arm des Mädchens herab? 25. Was sagte der junge Baron? 26. Wer hatte atemlos diesem Geschehen zugesehen? 27. Wen wollte der Baron holen? 28. Was hatte der Baron nicht erfahren? 29. Wo lag das Mädchen? 30. Womit war sie zugedeckt? 31. Wer rief „Kathi!" 32. Wer war froh, daß das Fräulein gerettet worden war? 33. Was wollte das Fräulein nie erfahren? 34. Woran hatte das Fräulein nicht gedacht? 35. Was sah das Mädchen, als sie die Augen schloß?

II

Translate into German: 1. He said he had lost everything. 2. He asked them if (ob) they had enough money. 3. They claimed they had not eaten since Friday. 4. She believed she was dying. 5. He reported he had not been able to see them. 6. Mr. Schulz said they were his best friends. 7. He wrote that I could come now. 8. I know that I can do it. 9. He answered he was happy. 10. They wrote they were coming today. 11. That book was written two years ago. 12. If he were my father, I should help him. 13. If he were still living, he would be a very old man. 14. Not all flowers are planted in the spring. 15. Why did he say he had arrived in Hamburg? 16. I shall see you tomorrow. 17. How long have you been eating?

III

Translate into English:

begegnen	die Ehe	empfehlen	die Absicht	die Butter
biegen	der Eifer	entlang	der Teller	bedeuten
der Bleistift	einschlafen	die Familie	ähnlich	der Berg
schwierig	das Eis	fangen	allerdings	die Birne

IV

Translate into German:

false	to fill	the company	the fish
the bridge	the foot	healthy	the barrel
the bread	the guest	yesterday	nine
the grandchild	the present (time)	yellow	the straw
the pen	exactly	foreign	to bloom
ready	the business	the fox	the parents

V

Translate the following compounds and derivatives:

die Post, das Postamt, das Hauptpostamt; die Regel, die Regellosigkeit, die Spielregel; rein, die Reinheit, die Unreinheit, reinigen, zur Reinlichkeit erziehen, der Reiniger; üben, nicht mehr in der Übung sein; die schöne Umgebung dieser Stadt; Weihnachten, das Weihnachtsfest, das Weihnachtslied, der Weihnachtsbaum, der Weihnachtsmann; wichtig, von großer Wichtigkeit; würdig, ehrwürdig; zart, die Zärtlichkeit, ein zartfühlender Mensch; zeichnen, der Zeichner, eine Handzeichnung, das Zeichen, ein Fragezeichen; der Zucker, zuckerkrank; der Zahnarzt; der Schaden, schädlich; streichen, der Strich; fremd, der Fremde, ein Fremder; achtzehnhundertachtundvierzig, neunzehnhundert einundvierzig; das Bächlein; trockene Blätter; auf den Busch klopfen; der Begleiter; die Dummheit; marschbereit; ein wertvolles Bild; der Knochen, knochig; der Koch; das Krankenbett; das Lämpchen; der Teelöffel; das Obst ist dieses Jahr früh reif geworden; die Reihe, reihen; breitschultrig; eine seltene Pflanze; die Einsamkeit; der Eisenbahnwagen; grenzenlos; das Taschenmesser; nebelig; Ostafrika; Lesestoff

VI

Give the third person singular present and past subjunctive forms of the indirect discourse of the following verbs:

lernen	lachen	können	singen	machen	schlagen
zeigen	helfen	tun	geben	kommen	vorschlagen
schwimmen	fahren	tun können	reden	fliegen	fliehen

VII

Change the following quotations to indirect discourse, introducing each sentence with the words Er sagte (thus: „Ich habe mein Buch verloren." Er sagte, er habe (hätte) sein Buch verloren.): 1. „Wir wollen durch den grünen Kristall hindurchschießen." 2. „Sie kämpft vergebens mit den Wellen." 3. „Ich bin der bessere Schwimmer, und einer ist genug." 4. „Man soll nicht räsonieren." 5. „Ich bin ja nicht ertrunken." 6. „Ich will seinen Namen nicht wissen." 7. „Ich weiß ihn ja selber nicht." 8. „Ich habe den jungen Herrn heute zum ersten Male gesehen." 9. „Er muß wohl ein Fremder sein." 10. „Er hat ja doch auch sein Leben um Sie gewagt." 11. „Ich habe daran nicht gedacht." 12. „Meyer ist gestern von einem Auto überfahren worden." 13. „Meyer wurde gestern von einem Auto überfahren." 14. „Das Geld ist gefunden!" 15. „Du bist zu jung zum Heiraten." 16. „Es braucht nicht gleich geheiratet zu werden." 17. „Niemand hat den Frieden meines kleinen Königreiches je gestört." 18. „Ich ließ es dann meine erste Sorge sein, die Höhle etwas wohnlicher zu machen." 19. „Ich holte die für meine Arbeit notwendigen Instrumente in Deutschland, England oder Amerika." 20. „Ich machte meine Reise nach Moskau mitten im Winter." 21. „Es gelang mir, viel schneller über das Eis zu kommen, als ich erwartet hatte." 22. „Ich nahm also meine Pistole und schoß nach dem Zügel." 23. „Ich konnte meine Reise fortsetzen." 24. „Die anderen Häuser sind aus Holz und treiben zur Regenzeit wie Schiffe auf dem Wasser."

VIII

Translate into German:

the first book, the second book, a third book; the first man, the second man; the first murder, a fourth murder; the fifth flower; my sixth orange; the seventh sentence, the eighth sentence; the ninth example; the tenth day; the eleventh dog, the twelfth egg; the thirteenth [of] August, the fourteenth [of] September, the fifteenth [of] November, the sixteenth [of] December, the seventeenth [of] January; the eighteenth house; the twenty-first [of] March; the twenty-eighth day of February; one fourth, one fifth, one third, one sixth, two sevenths

IX

Translate into English: 1. Dieses im Jahre siebzehnhundertneunzehn gedruckte Buch wird heute noch viel gelesen. 2. Diese Uhr hat mir meine vor etwa zehn Jahren gestorbene Tante geschenkt. 3. Heute ist die erst nach der Entdeckung Amerikas nach Deutschland gebrachte Kartoffel eine der wichtigsten Feldfrüchte. 4. Die mit Farbpünktchen gezeichneten Bienen kamen jeden Tag an den Futterplatz. 5. Diese in großen Tiefen lebenden Fische können nicht lebend an die Oberfläche (surface) gebracht werden.

X

Count in German by fives to one hundred; count by tens to one hundred.

LESSON XXII

TEXT A*

Ich würde mich sehr freuen, wenn Sie Weihnachten kommen könnten. — Wenn du deinen Mantel trügest, würdest du dich nicht erkälten. — Herr Meyer, Sie sehen gar nicht gut aus (aussehen to look). Ich würde an Ihrer Stelle einmal zum Arzt gehen. Vielleicht kann er Ihnen eine Medizin empfehlen, daß Sie abends besser einschlafen können. — Ich würde es niemals wagen, in seiner Gegenwart zu lachen. — Wir würden ja lieber mit der Eisenbahn fahren, aber das Auto ist billiger. — Sie würden mir und meiner Familie eine große Freude bereiten, wenn Sie mit Ihren Eltern auf ein paar Wochen zu uns kommen könnten.

Wenn man von jemandem sagen würde: er ist ein Dichter, aber er hat keine Gabe der Darstellung, so würde man ihm ganz gewiß den Rat geben, seine Arbeiten nicht drucken zu lassen; und man hätte sehr recht.

Wie wäre es, wenn wir uns heiraten würden?

Wenn du mich lange bitten würdest, ich würde hingehen, und er würde mich nehmen.

In einer anderen Zeit würde mein Versuch nicht nötig sein.

An deiner Stelle würde ich sehen, daß ich Offizier würde.

Was würden wir geben, wenn wir zu ihnen zurück könnten!

Wenn man ihn aus dem Graben (trench) ließe, würde er ohne Deckung (protection, cover) irgendwohin laufen.

Uns, den Soldaten in den Gräben (trenches), ist das Land unserer Jugend verloren. Und selbst wenn man es uns wiedergäbe, würden wir nicht wissen, was wir darin tun sollten. Wir würden in ihm sein und in ihm umgehen; wir würden uns erinnern und es lieben und bewegt sein von seinem Anblick. Aber es wäre das gleiche, wie wenn wir traurig werden vor dem Bild eines toten Kameraden (comrade). Wir würden nicht mehr verbunden sein mit ihm, wie wir es waren. Heute würden wir in dem Lande unserer Jugend umhergehen wie Reisende. Wir würden da sein; aber würden wir leben? (Aus „Im Westen nichts Neues“, von Remarque)

---

* The sentences following the first paragraph were taken, with minor changes, from works of literature.

Und dennoch würden wir wieder auf sie schießen und sie auf uns, wenn sie frei wären.

„Wen würden Sie denn wohl an meiner Stelle entlassen (dismiss)? Sie würden sich also nicht entlassen, wenn Sie ich wären?" fragte er.

Das genügt mir. Meinem Freunde würde das nicht genügen.

Da sagt Pinneberg: „Ich habe eine große Bitte, Heilbutt." Heilbutt ist etwas erstaunt (surprised): „Ja? Natürlich, Pinneberg." Und Pinneberg: „Wenn Sie uns einmal besuchen würden?" Heilbutt ist noch erstaunter. „Ich habe nämlich meiner Frau so viel von Ihnen erzählt, und sie würde Sie gern einmal sehen. Wenn Sie einmal Zeit haben? Natürlich nur zu einem Butterbrot" (cold supper). Heilbutt lächelt wieder, aber es ist ein reizendes Lächeln: „Aber natürlich, Pinneberg. Ich wußte gar nicht, daß es Ihnen Freude machen würde. Ich komme gern einmal." (Aus „Kleiner Mann, was nun?" von Fallada)

Aus der Geschichte unsrer Sprache

[Fortsetzung]

Wenn Chaucer heute aus seinem Grabe aufstände, so würde er auch nicht *einen* mit normalem Tempo gesprochenen englischen Satz verstehen können. Kein Mensch würde auf den Gedanken kommen, daß er mit droughte (wie deutsch „druchte" ausgesprochen) unser modernes drought meinen könnte. Und wenn er in einen Laden ginge und soote win (mit stimmlosem, scharfem „s", langem „o" wie in „Strom", mit englischem „w" und langem „i" wie in „biegen") verlangte, so riete wohl auch der intelligenteste Verkäufer nicht, daß er damit „süßen Wein" meinte.

Einzig und allein die alte, seit Jahrhunderten kaum geänderte Orthographie des Englischen erlaubt es dem heutigen Leser, die Werke Chaucers ohne große Schwierigkeiten zu lesen. Gehen wir aber noch weiter zurück, etwa in die Zeit um 900 nach Christo,[1] so ist es auch mit der uns bekannten Orthographie zu Ende; und der moderne Leser sieht sich plötzlich gezwungen, die englische Sprache der damaligen Zeit genau so zu lernen, als sei es eine Fremdsprache. Denn daß man für altenglisch cyning (künning), dagas und fremedon heute king, days und did sagt, das kann man wirklich nicht raten.

Aber woher kommt das Altenglische? Wie weit ist uns seine Geschichte bekannt? Denn wir dürfen ja wohl kaum erwarten, daß schon Adam und Eva im Paradies mit der Schlange[2] altenglisch gesprochen haben.

Nun, um 200 nach Christo war zwischen dem Altenglischen, dem Altdeutschen und dem Altskandinavischen[3] kein größerer Unterschied, als heute zwischen den Dialekten Nord- und Südenglands. Wer damals Englisch verstand, hat wahrscheinlich auch ohne große Schwierigkeit Deutsch verstehen können. Nicht das Deutsch, natürlich, das man heute spricht, sondern jenes ältere „Deutsch," das man eben um diese Zeit sprach. „Deutsch" und „Englisch" waren damals wirklich nur Dialekte einer einzigen Sprache, der man den Namen „Urgermanisch", d.h. primitive Germanic gegeben hat. Urgermanisch ist sozusagen die Muttersprache: Englisch, Deutsch, Schwedisch, Dänisch usw. sind Tochtersprachen. Die Mutter ist tot und längst vergessen, die Töchter leben noch.

Weil aber das heutige Englisch und das moderne Deutsch Töchter e i n e r Mutter sind, darum gibt es auch in den beiden Sprachen noch eine große Zahl von Wörtern, die sich sehr ähnlich sind. Daß „Maus" und mouse, „sauer" und sour, „backen" und bake, „Schinken" und shank, „Hahn" und hen, „Haut" und hide miteinander verwandt sein müssen, obgleich sie nicht mehr alle dieselbe Bedeutung haben, ist leicht zu sehen. Auch daß „Fliege" und fly, „Zweig" und twig, „Daumen" und thumb, „Knopf" und knob irgendwie zusammenhängen müssen, läßt sich vielleicht noch erkennen. Nach einiger Übung wird man vielleicht auch noch auf den Gedanken kommen, daß der erste Teil des deutschen Wortes „Streichholz" mit englisch to strike verwandt ist. Daß aber englisch tinder mit deutsch „entzünden", englisch meat mit deutsch „Gemüse" und englisch crumple mit deutsch „krumm" zusammenhängt, das sieht man erst, wenn man ein Wörterbuch liest, das auf die Geschichte der einzelnen Wörter eingeht.

Natürlich darf man nun nicht glauben, daß jedes englische Wort, das einem deutschen Wort ähnlich ist, aus dem Urgermanischen in die Gegenwart gerettet worden ist. Beide Sprachen haben eine große Zahl von Wörtern aus dem Lateinischen[4] übernommen, „Keller" und „Literatur" zum Beispiel, aber auch „Tinte" und „Pult", die von tincta und pulpitum herkommen. Außerdem gibt es natürlich ganz gewöhnliche Wörter im Deutschen, deren „Verwandte" im Englischen ausgestorben sind, wie z.B. „billig" und „Heer".

Aber obgleich Deutsch und Englisch viele Wörter und Formen des alten Urgermanischen „vergessen" haben, so kann man doch durch Vergleich der Tochtersprachen miteinander noch ein genaues Bild der Muttersprache gewinnen. In jedem größeren Wörterbuch findet man heute hinter jedem englischen oder deutschen Wort, das aus der Zeit des Urgermanischen in die Gegenwart gerettet worden ist, die Form und die Aussprache, die dieses Wort vor etwa zweitausend Jahren einmal gehabt hat. Man weiß also z.B., daß tooth und „Zahn" damals noch tanthaz hießen, daß day und „Tag" noch dagaz lauteten[5] und daß man statt (I) have noch habaejo sagte.

Aber obgleich die Form habaejo, überhaupt die ganze urgermanische Sprache als solche, heute nicht mehr gesprochen wird, so sollte man doch vielleicht nicht einfach sagen, sie sei ausgestorben; denn von einer Bakterie, die sich teilt und deren Teile als selbständige Organismen weiterleben, kann man ja auch nicht sagen, sie sterbe. Die Mutter lebt eben in den Töchtern weiter.

[Schluß folgt]

NOTES. 1. Christo Christ; vor Christo B.C.; nach Christo A.D. 2. Schlange snake, serpent. 3. Altskandinavischen Old Scandinavian. 4. Lateinischen Latin. 5. lauteten sounded, were pronounced; were.

BUILDING A PASSIVE VOCABULARY

ausgesprochen, die Aussprache *cf. Lesson XXI*
bekannt (*cf.* kennen) known
ebenso just as
Jahrhundert *cf. Lesson XXI*
selbständig (*cf.* selbst stehen) independent
der Unterschied scheiden to separate, divide, der Unterschied the difference, distinction
der Vergleich gleich like, same, vergleichen to compare, *that is*, to see where things are alike (*or* unlike), der Vergleich the comparison
zusammenhängen zusammen together, hängen to hang, zusammenhängen to be connected, related

VOCABULARY

backen to *bake*
billig cheap
der Daumen, – the *thumb*
der Dichter, – the author, poet
entzünden to inflame
erwidern to reply
der Esel, – the donkey, *ass*
die Fliege, –n the *fly*
das Gemüse, – the vegetable
glatt smooth
das Grab, ⸚er the *grave*
der Graben, ⸚ the ditch, trench
der Hahn, ⸚e the rooster
die Haut, ⸚e the skin; *hide*

das Heer, -e the army
der Keller, - the *cellar*
der Knopf, ⸚e the button
krumm crooked
die Literatur, -en the *literature*
die Maus, ⸚e the *mouse*
der Offizier, -e the *officer*
das Pult, -e the desk
rund *round*
die Sahne the cream
sauer *sour*
der Schinken, - the ham
das Streichholz, ⸚er the match
die Tinte, -n the ink
träge idle; lazy
verwandt related
das Vieh the cattle
wider against
zahm *tame*
der Zweig, -e the *twig*, branch

IDIOMS

sich etwas gefallen lassen to put up with something; approve of something; *here* accept
usw. (u.s.w.) (und so weiter) etc. (and so forth)

TEXT B

Psyche

[Fortsetzung]

Die Alte hatte wieder das Tuch genommen und begann, ihr das lange Haar zu trocknen; manchmal strich sie leise mit ihrer harten Hand über die weiße Stirn des Mädchens.

„Kathi," begann diese wieder, „nein, nicht er, aber ich! Ich wollte, ich wäre tot! Kathi! Ich kann ihm nicht danken. Nie, niemals! O, wie unglücklich bin ich!"

„Nun," meinte Kathi, das junge Mädchen beruhigend, „Sie brauchen das ja auch nicht zu tun, Fräulein; Mama wird das ja alles schon besorgen."

„Mama!" rief das Mädchen.

„Mein Gott, Fräulein, hat Sie das erschreckt?"

Aber das Kind saß da, die nackten[1] Arme vor sich hingestreckt, in ihrer hilflosen Schönheit selbst für die Augen des armen alten Weibes ein bezaubernder[2] Anblick. „Mama!" rief sie wieder. „Ja, ja, Kathi, die würde es tun; und wenn ich sie noch so viel bäte, sie würde es dennoch tun.— Kathi, sie darf es nie erfahren; versprich es mir, Kathi!" Sie hatte die Arme um den Hals der alten Frau gelegt, die neben ihr niedergekniet war.

„Ja, ja, Fräulein, wenn Sie nur ruhig werden, ich will schweigen wie das Grab."

„Nein, Kathi, sage: Bei Gott! daß du schweigen willst."

Nun, Fräulein; bei Gott! — Ich hätt's auch ohnedies getan."

„Ich danke dir, alte Kathi! Aber es war noch einer da, nicht wahr?"

„Ja, Fräulein, es war —"

„Nein, nein, nicht seinen Namen, Kathi!" Und sie verschloß den Mund der Alten mit ihrer kleinen kalten Hand. „Sage nur, hat er mich erkannt, kann er mich erkannt haben?"

„Ich glaube nicht, Fräulein. Als Sie hier ankamen, war er mit dem anderen schon auf dem Männerfloß.[3] Nachher war er zu weit entfernt; auch ist er gleich zur Stadt zurückgegangen."

Das Mädchen nickte und legte sich auf die harte Ruhebank zurück, die Hände hinter den Kopf gelegt.

Die Alte war aufgestanden. „Ich komme gleich zurück," sagte sie; „ich geh' nur, um dem anderen Herrn zu sagen, daß es Ihnen wieder gut geht, und daß wir keinen Doktor brauchen."

Als die Alte nach einiger Zeit zurückkam, fand sie ihren jungen Gast schon völlig angekleidet, das Mädchen band sich gerade ein weißes Taschentuch um den Kopf. Aber die gute Alte ließ sie nicht so fort; der Kaffee war ja noch heiß, und das Kind, da es so fror, ließ sich eine Tasse schon gefallen. Die Alte goß ihr selber ein, holte Zucker und Sahne und sagte: „Wenn das Fräulein warten will, können wir gleich zusammen gehen."

Aber das Fräulein wollte nicht auf dem geraden Wege nach der Stadt zurück. Das Fräulein wollte den weiten Umweg durch die hinter dem Deich[3] liegenden Wiesen machen. Die Alte meinte zwar: „Um Gottes willen, Kind, wenn Sie eine solche Angst haben vor dem jungen Herrn, er wird gleich von dem Floß[3] herauskommen; wir warten nur ein Weilchen, dann ist er lange vor uns schon zur Stadt."

Aber das Fräulein wollte doch nicht.

„Nun," sagte die Alte, „so geh' ich mit Ihnen; bei mir zu Hause wartet keiner als mein Hinz, und der wartet auch nicht, der schläft unterm Ofen; — Sie können da nicht allein gehen, durch all das Vieh hindurch."

Aber das Fräulein wollte auch das nicht, sie wollte eben ganz allein gehen. „Kathi, alte Kathi," sagte sie und strich mit ihrer kleinen Hand der alten Frau über die Stirn; „die Kühe tun mir nichts. Sie sind ja so zahm. Und dann bin ich ja auch ganz in Weiß; kein bißchen Rotes habe ich an mir!" Und sie schlug mit beiden Händen das luftige Sommerkleid zurück. „Da ist ja festes Land; ich laufe schnell hindurch; dann komme ich unbeobachtet von hinten in unseren Garten, und — siehst du, niemand hat mich gesehen als du, alte Kathi; und du — du hast mir versprochen, niemand etwas zu sagen."

Die Alte wollte noch etwas erwidern. Aber schon war das Mädchen zur Tür hinaus, und wie ein aufgeschreckter Vogel flog sie die Grasdecke des Deiches hinan und ebenso an der anderen Seite wieder hinunter. Einen Augenblick stand sie still, als sei sie hier sicher. Die großen Augen blickten fast mehr als ernst über die grünen Wiesen, die sich endlos ihr zur Seite ausbreiteten. Es war nicht viel zu sehen dort; zwischen den silbrigen Wassergräben, die auf eine Strecke hinaus ihrem Auge sichtbar blieben, war nichts auf der weiten Fläche zu sehen als die glatten runden Kühe und die träge grasenden Schafe und Esel und die niedrigen Treppenbrücken, welche über die Gräben führten; sie kannte das alles, sie hatte es oft gesehen. Und jetzt ging sie, die Stadt im Rücken lassend, auf dem engen Wege weiter, der zwischen den zu ihrer Rechten[4] sich hinziehenden Gräben und dem hohen Deiche entlang führte. Da der Wind aus Nordwest kam, so war er hier noch viel stärker als an der Seeseite des Deiches. Einmal wurde der Strohhut, den sie auch jetzt in der Hand trug, ihr entrissen und gegen den Deich geworfen; ein paarmal mußte sie stehenbleiben, um sich das Taschentuch fester unter das Kinn zu binden. Dann blickte sie ängstlich hinter sich zurück, aber kein Mensch war zu sehen; nur über ihrem Kopf schoß manchmal ein Seevogel von draußen in das Land hinein.

Bald machte der Deich gegen Westen eine Biegung und von hier aus führte ein enger, grasbewachsener Weg zwischen Gräben in die Wiesen hinein. Als das Mädchen das Ende desselben erreicht hatte, von wo es nur noch von Brücke zu Brücke über die Gräben zur Stadt hinaufging, erblickte sie unten am Ende des Deiches die Gestalt eines Mannes; fern, fast nur wie einen Schatten.

Erschrocken blieb sie stehen. Ihre geöffneten Lippen bewegten sich nicht, nur ihre dunklen Augen waren lebendig; sie folgten dem fernen Schatten, wie er mehr und mehr auf dem Hintergrund der Stadt verschwand. Dann stieg sie über die Brücke und ging wie[5] träumend weiter.

Hinter ihr auf dem Deiche aber stand, unbeachtet von den jungen Augen, noch eine andere Gestalt und hob[6] sich wie eine große Silhouette von dem hellen Mittagshimmel ab[6]; es war eine weibliche Gestalt, die nach oben zu in einem breiten Hute abschloß, wie ihn die Damenwelt vor etwa dreißig Jahren trug.

Dieser Hut stand so lange am Himmel, bis drunten auf den Wiesen das weiße Kleid verschwunden war.

[Fortsetzung folgt]

NOTES. 1. nackten bare. 2. bezaubernder charming, enchanting. 3. Männerfloß, Deich, Floß. See plan, Lesson XX. 4. Rechten. Either Seite or Hand is understood. 5. wie as if. 6. hob ab contrasted with.

BUILDING A PASSIVE VOCABULARY

der Anblick *cf. Lesson XXI*
ausbreiten breit broad, wide, ausbreiten to spread out (*that is*, to make broad)
das Bißchen beißen to bite, das Bißchen the little bit(e)
drunten da *plus* unten (*adv. to* unter) down there
ebenso likewise, in a similar manner
sichtbar sehen to see, sichtbar visible
das Taschentuch die Tasche the pocket, das Tuch the cloth, das Taschentuch the handkerchief
der Umweg um around, der Weg the way, der Umweg the detour, roundabout way
unbeachtet achten to esteem, beachten to notice, heed, unbeachtet unnoticed
unten *adv. to* unter
weiblich das Weib the woman, weiblich womanly, feminine

143. The Future Imaginative Subjunctive (Usually Called the Conditional*). The present and past imaginative subjunctive was treated in Lesson XVIII. Since present forms (ich ginge, ich täte, ich stürbe) can be used with future meaning (cf. §§ 21 and 116), it was not necessary at that time to introduce the future forms of the imaginative subjunctive. There are cases, however, where an author or speaker, in order to stress the futurity or prospective nature of some imagined situation, prefers to use the special future forms of the imaginative subjunctive. These forms, which have *only future* meaning, are identical with the "second-choice" set

* This treatment of the so-called conditional is based on its use in literary works.

of the future indirect discourse (cf. § 135, III, *B*): ich würde plus infinitive.† Thus:

Ich fühle, daß meine Kräfte wachsen würden, wenn du mit mir gingest. I feel that my powers would grow if you would go with me.

To express imagined situations in *present* time the forms with würde are not found in best literary usage. Example of correct form (present imaginative):

Wenn das Unglück nicht gekommen wäre, wäre heute manches anders. If the misfortune had not come (that is, if it weren't for the misfortune), many things would be different now.

To express *future* time the present imaginative subjunctive and the würde-plus-infinitive forms may be used interchangeably, as long as the idea of futurity is not stressed:

Ich bleibe hier, denn in der Dunkelheit fände ich doch nicht den Weg durch den Wald; *or* Ich bleibe hier, denn in der Dunkelheit würde ich den Weg durch den Wald doch nicht finden. I shall remain here; for I should not be able to find my way through the forest in the darkness anyhow.

144. Compound Adverbs. German uses many compound adverbs like dahin, daher, umher, herum, davon, hinzu, vorbei, and the like. The first element in such compounds is usually rather meaningless, and the sense of such compounds can therefore usually be derived from the latter element:

Er lief davon. He ran away. Er kam hinzu. He walked up (to a group). Er flog über das Wasser [dahin. He flew across the water (away from the recent scene of action). Sie dürfen den Hund nicht frei herumlaufen lassen. You must not let the dog run around loose. Er blickte umher. He looked around. (Herum and umher both mean *around*.)

145. Repetition of Prepositions. In expressions like er ging in das Haus hinein, er lief durch den Wald hindurch, nach oben zu, the adverbs

† The forms würde plus past infinitive (second conditional) are not introduced because of the infrequency of their occurrence. In a count Professor B. Q. Morgan found that not one such form occurred in more than six thousand verbal forms.

hinein, hindurch, and zu repeat the idea expressed by the preposition and are best left out in translation.

146. Ein=Words as Pronouns. When ein=words are used as pronouns, that is, when they do not modify a noun, they take strong endings:

Hier kann mich kein Mensch sehen. Hier kann mich keiner sehen. No one (no person) can see me here. Ich kann nur eines (eins) sagen. I can say only one thing.

147. Word Formation: the Prefix ver=. The syllable ver= is prefixed:

a. To nouns and adjectives to form verbs indicating that the quality expressed in the original noun or adjective is gained or transferred:

verarmen to grow poor
veralten to grow old *or* obsolete
verdummen to grow stupid *or* silly
vereinsamen to become isolated
vereisen to turn into ice
verändern to vary, change
verdeutschen to render (*or* translate) into German
veredeln to ennoble

b. To verbs to indicate completion of the activity or that the material is used up:

verbluten to bleed to death
verblühen to cease blooming, to wither
verbrennen to burn up *or* away
verhungern to die of hunger
verdecken to cover up
verbrauchen to use up

c. To verbs to express an error in the activity or to indicate that the effect is not desirable (note that most of these verbs are reflexive):

sich verlaufen to run the wrong way, to lose one's way
sich verschlafen to sleep too long
verführen to lead astray

148. Word Formation: the Prefix er=. The syllable er= is frequently prefixed to verbs to indicate the completion of the activity indicated in the verb:

erblicken to behold, discover
erreichen to reach, attain
ertöten to kill, exterminate
ergreifen to seize hold of
ertrinken to drown

Learn the principal parts of backen.

backen	(buk) backte	hat gebacken	bäckt	to bake

EXERCISES

I

A. Beantworten Sie folgende Fragen über Text A auf deutsch: 1. Wen würden wir nicht verstehen, wenn er heute aus seinem Grabe aufstände? 2. Wer würde das heutige Englisch nicht verstehen? 3. Wer würde auf den Gedanken kommen, daß er mit droughte unser modernes drought meinen könnte? 4. Was würden Sie bekommen, wenn Sie in einen Laden gingen und soote win verlangten? 5. Was erlaubt es dem heutigen Leser, die Werke Chaucers ohne große Schwierigkeiten lesen zu können? 6. Was können wir von Adam und Eva kaum erwarten? 7. Zwischen welchen Sprachen war um 200 nach Christo kein großer Unterschied? 8. Mit welchem englischen Wort ist das deutsche Wort „Schinken" verwandt? 9. Wo kann man erfahren, ob ein englisches Wort mit einem deutschen Wort verwandt ist? 10. Aus welcher Sprache haben Deutsch und Englisch Wörter übernommen? 11. Wie kann man ein Bild des Urgermanischen gewinnen? 12. Wie wurde das deutsche Wort „Zahn" einmal ausgesprochen?

B. Beantworten Sie folgende Fragen über Text B auf deutsch: 1. Was machte die Alte mit dem Tuch? 2. Wie war die Stirn des Mädchens? 3. Wer wollte, er wäre tot? 4. Wer könnte dem jungen Mann danken, wenn das Fräulein es nicht kann? 5. Wer würde es bestimmt tun, wenn sie etwas von der Rettung erführe? 6. Was darf die Mutter des Mädchens nie erfahren? 7. Wie will Kathi schweigen? 8. Womit verschloß das Fräulein den Mund der Alten? 9. Wo war der junge Bildhauer, als das Mädchen ankam? 10. Wer von den beiden Männern ging gleich zur Stadt zurück? 11. Wem wollte Kathi sagen, daß es dem Fräulein wieder gut ging? 12. Was band das Mädchen sich um den Kopf? 13. Wie war der Kaffee? 14. Wer ließ sich eine Tasse gefallen? 15. Wer goß den Kaffee ein? 16. Was hätte das Fräulein tun müssen, wenn die Alte mit ihr zur Stadt zurückgegangen wäre? 17. Welchen Weg wollte das Fräulein machen? 18. Vor wem hatte das Mädchen Angst? 19. Wo lag Hinz? 20. Warum meinte die Alte, das Fräulein solle nicht durch die Wiesen gehen? 21. Wie waren die Kühe und Ochsen? 22. Wie wissen wir, daß hinter dem Hause der Mutter ein Garten war? 23. Wie flog das Mädchen die Grasdecke des Deiches hinan? 24. Was konnte das Fräulein auf den Wiesen sehen? 25. Wie waren die Kühe? 26. Woher kam der Wind? 27. Was wurde ihr einmal entrissen? 28. Wie trug sie ihren Strohhut? 29. Warum mußte sie ein paarmal stehenbleiben? 30. Wie blickte sie hinter sich zurück? 31. Womit war der Weg bewachsen, der zwischen den Gräben in die Wiesen hineinführte? 32. Was erblickte das Mädchen unten am Ende des Deiches, als sie das Ende des Weges erreicht hatte? 33. Wer stand hinter ihr auf dem Deiche? 34. Wann hatte Kathi den Hut gekauft, den sie in der Hand hielt? 35. Wie lange blieb sie auf dem Deiche stehen?

II

Translate the following sentences into German: 1. He is getting old. 2. He will go with you tomorrow. 3. He would see them tomorrow if he were there. 4. Hans cannot come out (heraus); he is just being bathed. 5. She is getting more and more beautiful. 6. She will help you with (bei) your work. 7. She would probably come if everything were ready. 8. She is often sent (*use* schicken) to Berlin. 9. What would you do if you had two thousand marks (Mark)? 10. If I had more money I would buy a house. 11. He would not travel (fahren) to England in winter. 12. I should like to stay longer, but I must be in Hamburg tomorrow. 13. Would you visit Munich (München) if you were to take (machen) a trip to Germany?

III

Translate into English:

trösten | das Messer | der Preis | gelb
der Stoff | die Gabel | die Schlacht | gering
streng | schwach | selten | gestern
die Mauer | der Schmerz | setzen | glatt
messen | notwendig | der Schaden | gesund
der Löffel | der Nachbar | scharf | der Käse

IV

Translate into German:

seven | the tea | to quarrel
seventeen | to divide | the chair
seventy | Saturday | the cup
satisfied | the state | the plate
the goal | the star | the tree trunk
to open | the knee | ill
to close | proud | the orange
to return | to disturb (interrupt) | to fetch

V

Translate the following compounds and derivatives:

Einen Rundgang durch die Stadt machen, eine Rundreise durch Europa machen; Kellner, ich nehme Erdbeeren mit Schlagsahne; grasende Viehherden; widersprich mir nicht! du sollst mir nicht immer Widerworte geben; der Bäckerladen, der Kuchenbäcker; die Halsentzündung, Lungenentzündung; das erste Frühgemüse; er ist unnahbar; der Schweinebraten; es donnert und blitzt; das Pferdefleisch; der Fremdenhaß; die Braunkohle, der Kohlenbaron, die Kohlenförderung (output) ist gestiegen, die Kohlenpreise sind gefallen; Einbruch ist strafbar; der Weg verengt sich; auf vereisten Straßen ist das Autofahren gefährlich; man muß sich einmal vergegenwärtigen, daß . . .; von diesem Bilde mußt du eine Vergrößerung machen lassen; verjüngt und mit frischem Mut aus den Ferien wiederkommen; nur noch verkohlte Knochen waren von ihm übriggeblieben; verbilligen, verbessern, verdünnen, verkürzen, verdoppeln, verbrauchen; er hat sein ganzes Geld verspielt; er vertrinkt alles, was er verdient; versalzen; sich versprechen; erfrieren, erfüllen, ergänzen, erhärten, erkämpfen, erlernen; der Waldbach; das Bad, das Badezimmer; der Birnbaum; felsenfest; die Hohlheit; das Eichenholz; körperlicher Schmerz; die Kuhmilch; mit Flugpost; die Selbstmörderin; etwas Wichtiges

VI

Translate the following idioms: 1. Fritz ist jetzt auf dem Lande. 2. Mit einem Male wurde es wieder hell. 3. Sagen Sie es bitte noch einmal. 4. Wollen Sie nicht Platz nehmen? 5. Er hat jedenfalls genug für die erste Reise. 6. Wir würden ihn heute abend empfangen können. 7. Beim ersten Wort schon wurde er über und über rot. 8. Ich will vor allem mit ihrer Mutter reden. 9. Wir sind ihn endlich los.

VII

Make up five sentences in the prospective future using the conditional in the main clause.

VIII

Make up five sentences in which you use quotations, and then rewrite the same sentences in indirect-discourse subjunctive.

IX

Change the following indirect-discourse sentences into the indicative: 1. Er sagte, er habe die ganze Nacht gearbeitet. 2. Er schrieb, daß die Gefahr zu groß sei und daß er nicht mehr fliege. 3. Er meinte, er sei mir nicht im Wege. 4. Er sagte, ich solle nicht vom Dache fallen. 5. Sie sagte, es gehe ihr besser. 6. Du schriebst, du hättest ihn gesehen. 7. Ich lachte und sagte, es wäre mir sehr angenehm. 8. Die Biene sagte zu ihrer Freundin, sie würde selten Honig in den Taschen der Menschen finden. 9. Er behauptete, Fritz sei nicht gekommen.

X

Translate into English: 1. Nun schien die Sonne auf den vor der Tür liegenden, über Nacht gefallenen Schnee, und bald lief das Wasser ins Haus. 2. Ein großer Teil der in den ägyptischen Königsgräbern gefundenen Schätze ist heute im Britischen Museum. 3. Als Kolumbus Amerika entdeckte, waren die gegen Ende des zehnten Jahrhunderts von isländischen Wikingern gemachten Fahrten schon längst vergessen.

LESSON XXIII

TEXT A

Aus der Geschichte unsrer Sprache

[Schluß]

Mit dem Urgermanischen ist jedoch die Geschichte des Englischen und des Deutschen noch nicht zu Ende. Auch diese in den Jahrhunderten vor und nach Christo[1] gesprochene Sprache war nur ein Dialekt, ein Zweig eines großen Baumes, nur die „Tochter"sprache einer noch älteren „Mutter"-sprache.

Es kann nämlich kein Zufall sein, daß in jedem englischen Wörterbuche das Wort

*p*aternal durch *f*atherly,
*p*lain durch *f*lat or level country

und noch viele andere Wörter unter dem Buchstaben *p*, die das Englische aus dem Lateinischen[2] übernommen hat, durch Wörter mit einem *f* im Wortanfang erklärt werden. Es muß doch einen Grund haben, daß

*d*entist etwas mit *t*ooth und „Zahn",
*d*ouble etwas mit *t*wo und „zwei",
*d*ecade etwas mit *t*en und „zehn"

zu tun hat, daß also viele lateinische Wörter mit *d* durch englische Wörter mit *t* und deutsche Wörter mit „z" übersetzt werden.

Nun, haben nicht viele englische Wörter mit *d*, wie deep, daughter, death, dream, drive, drink, door, deutsche „Verwandte", die alle mit einem „t" anfangen? Wenn also neben vielen englischen Wörtern mit *t* im Wortanfang lateinische Wörter mit *d* stehen, dann müssen eben Lateinisch und Englisch auch miteinander verwandt sein.

Wirklich wissen wir heute und haben die Beweise dafür, daß das Urgermanische, die Mutter des Englischen und des Deutschen, selber die Tochter einer Mutter war, die außerdem noch viele andere solche „Töchter" hatte, nämlich Lateinisch, Griechisch, Persisch, Keltisch[3] und andere. Ja, fast alle Sprachen, die heute in Europa und Westasien[4] gesprochen werden, sind Zweige eines einzigen Baumes, Tochtersprachen einer einzigen Muttersprache, der man in England den Namen *Indo-European* und in Deutschland den Namen Indogermanisch gegeben hat.

Die Menschen, welche dieses Indogermanische einmal sprachen, heißen nach ihrer Sprache Indogermanen.[5] Der Streit um die Heimat der Indogermanen, der nun schon länger als hundert Jahre dauert, ist zwar immer noch nicht abgeschlossen. Man sucht diese Urheimat heute mit einiger Sicherheit im nördlichen Europa, während man sie früher in Asien,[4] später im östlichen Europa suchte. Die Möglichkeit, daß heute ein großer Teil dieser indogermanischen Heimat im Meere versunken ist, darf man dabei nicht außer Acht lassen. Wir wissen z.B., daß noch in historischer Zeit große Teile Dänemarks[6] im Meere versanken.

Noch heute haben wir in den gewaltigen Steingräbern aus der jüngeren Steinzeit im nördlichen Deutschland Zeugen der einfachen Zivilisation jener Indogermanen, die etwa seit dem sechsten Jahrtausend vor Christo dort gewohnt haben müssen. Von hier aus sind dann gegen Ende der Steinzeit die ersten Stämme nach dem Osten, und etwas später, wohl während der älteren Bronzezeit, andere Stämme nach Süd- und Westeuropa gezogen.

Jeder der abziehenden Stämme nahm seine Muttersprache, das Indogermanische, mit in seine neue Heimat, deren Bewohner sie mit Waffengewalt unterwarfen. Die Unterworfenen nahmen dann zwar im Laufe der Zeit die Sprache der neuen Herren an, vermischten sich aber bald mit ihnen und bildeten so ein neues Volk, dessen Sprache sich zwar immer mehr von der indogermanischen Ursprache entfernte, jedoch nie ihren indogermanischen Charakter ganz verlor.

Die Germanen blieben am längsten in der alten Urheimat oder wenigstens in deren Nähe. Gegen fünfhundert vor Christo aber lösen sich auch von diesem anfangs einheitlichen Volke einzelne Stämme los und ziehen, wie die Goten,[7] auf der Suche nach neuem Land fast tausend Jahre lang durch Europa. Die Angelsachsen[8] ziehen nach England, die Franken nach Westdeutschland und Frankreich,[9] die Vandalen sogar nach Nordafrika. Erst gegen sechshundert nach Christo kommt Europa langsam wieder zur Ruhe. Indessen aber haben die neuentstandenen Völker ihre alte Sprache schon so stark verändert, daß man von nun an nicht mehr von Germanisch sondern nur noch von Altenglisch oder Altdeutsch reden kann.

Noch heute aber erkennt ein geschultes Auge mit Leichtigkeit die Verwandtschaft der neuentstandenen Sprachen mit der indogermanischen

Ursprache. Noch heute kann man beweisen, daß das „st" in „Nest" identisch[10] ist mit dem *s* und dem *t* in sit, weil „Nest" früher „Sitzplatz" hieß. Noch heute kann man zeigen, daß eat zum lateinischen edo gehört und daß das *t* oder das *d* von eat oder von edo identisch[10] ist mit dem *t* und dem *d* in tooth und dentist, weil Zahn ursprünglich „der Essende" hieß.

Vom Englischen oder vom Deutschen aus führt so eine gerade Linie über das Urgermanische in das Indogermanische. Von da ab aber verliert sich diese Linie im Dunkel der Vergangenheit.

NOTES. 1. vor Christo B.C., nach Christo A.D. 2. Lateinischen Latin. 3. Griechisch, Persisch, Keltisch Greek, Persian, Celtic (Keltic). 4. Asien Asia. 5. Indogermanen Indo-Europeans. 6. Dänemarks of Denmark. 7. Goten Goths. 8. Angelsachsen Anglo-Saxons. 9. Frankreich France. 10. identisch identical.

BUILDING A PASSIVE VOCABULARY

Acht (außer Acht lassen) achten to esteem, außer Acht lassen to leave out of consideration

Bewohner wohnen to dwell, live, bewohnen to live in, inhabit, die Bewohner the inhabitants

einheitlich ein one, Einheit unit(y), einheitlich unified

die Heimat das Heim the home, die Heimat the home, native place

Jahrhundert, Jahrtausend das Jahr the year, hundert hundred, Jahrhundert century, tausend thousand, Jahrtausend millennium, thousand years

loslösen lösen *from* los loose, loslösen to sever, free, release

unterwerfen, die Unterworfenen unter under, werfen to throw, unterwerfen to subject, subdue, subjugate, die Unterworfenen the ones defeated, subdued, the vanquished

die Verwandtschaft verwandt related, die Verwandtschaft the relationship

VOCABULARY

das Datum, *pl.* die Daten the *date*
gelten to be valid, worth, of value
die Großmutter the *grandmother*
der Kaiser, – the emperor
die Kusine, –n the *cousin* (female)
lehnen to *lean*
der Prinz, –en, –en the *prince*
die Schwester, –n the *sister*
übersetzen to translate
der Vetter the cousin (*male*)
die Waffe, –n the *weapon*
der Zeuge, –n, –n the witness

TEXT B

Psyche

[Fortsetzung]

Es war indessen wieder Winter geworden. — Der erste Schein des Dezember-Morgenrotes stand am Himmel und warf sein warmes Licht in das Halbdunkel einer Künstlerwerkstatt. Abgüsse antiker Bilderwerke und einzelne Modelle[1] von des Künstlers eigener Hand standen überall umher. Aber alles warf noch tiefe Schatten.

Jetzt hörte man von draußen Schritte, und gleich darauf wurde die Eingangstür geöffnet. Der Künstler selbst war es, der jetzt in seine Werkstatt trat, ein schlanker, jugendlicher Mann mit grauen, hellblickenden Augen und dunklem braunem Haar. Doch weder fremde noch eigene Werke schienen heute seinen Blick zu reizen; achtlos ging er an ihnen vorbei und griff nach einem offenen Briefe, der vor ihm auf einem Tische lag und der, nach dem Datum zu urteilen, schon einige Tage alt war. Dann warf er sich in einen daneben stehenden Lehnstuhl und begann zu lesen. Aber nur an einer bestimmten Stelle des Briefes, die er schon mehr als einmal gelesen hatte, hingen seine Augen.

„Du zweifelst wohl nicht daran," so las er heute wieder, „daß ich mein Versprechen gehalten habe. Weder vor profanen[2] noch vor heiligen Ohren habe ich Deine Tat erwähnt; pflichttreu habe ich jedes Verlangen, Person und Namen Deiner Geretteten zu erfahren, in mir ertötet; ja, selbst als eines Tages das Geheimnis mir so nahe schien, daß ich nur einen Rosenbusch auseinander zu biegen brauchte, bin ich, obgleich ich mich dazu zwingen mußte, mit katonischer[3] Strenge vorbeigegangen. — Auch auf der anderen Seite hat niemand das Schweigen gebrochen, und selbst unserer alten Badefrau, außer dir und mir der einzige Augenzeuge der Rettung, muß durch irgend welche geheime Kraft der Mund verschlossen sein. — Und dennoch, langsam beginnt das Dunkel sich zu erhellen.

Es gibt eine sehr junge Dame in unserer Stadt, wagemutig wie ein Knabe und zart wie eine Blume. Obgleich sie erst mit dem letzten Frühling aus dem Klassenzimmer ans Tageslicht gekommen ist, mag doch schon mancher junge Mann in warmer Sommernacht davon geträumt haben, sie im Winter auf einem Feste für sich gewinnen zu können. Aber das blonde Götterkind erschien auf keinem Feste, nicht einmal auf dem Ball, den die alte

Bürgermeisterin, ihre Großmutter, für die Offiziere vom Regiment Prinz August am Geburtstag des Kaisers gab. Nur Alltagsmenschenkinder mit erhitzten Gesichtern, keines Künstlerauges würdig, waren zu sehen. Nur im engsten Kreise,[4] zu dem ich leider nicht gehöre, soll sie zu erblicken sein; ja schon seit dem Spätsommer soll sie das Haus und den Garten ihrer Mutter nicht mehr verlassen haben; und eine gewisse sehr jugendliche mutige Schwimmerin ist seit jenem Tage nicht wieder auf dem Badeplatz gesehen worden.

Geredet wird viel darüber. Einige meinen, sie sei irgend einem entfernten Verwandten, einem Vetter versprochen, der das Schwimmen seiner Kusine nicht leiden könne, und der nun plötzlich seine Rechte geltend mache.[5] Andere sagen einfach, sie sei — verliebt.

Nein, nein, fürchte nicht, daß ich den Namen nenne! Ich kenne Dich ja.

Die Wirklichkeit mit ihrem kalten Licht soll Deine Träume nicht durchbrechen. So seid ihr beide sicher, Du in Deinem Künstlertraum und sie in ihrer heiligen Jungfräulichkeit,[6] die Du mir übrigens — o unerklärlicher Widerspruch des Menschenherzens! — mit fast eigennützigem[7] Eifer zu bewachen scheinst."

Er las nicht weiter, er hatte den Brief aus der Hand fallen lassen. Er stand auf und in Gedanken versunken ergriff er einen auf dem Tische liegenden Tonklumpen,[8] dann auch bald eins der Modellierhölzchen,[9] die dicht daneben lagen.

„Was erzählt doch der Dichter von Psyche? — ‚Psyche, das arme leichtgläubige Königskind, hatte auf ihre neidischen Schwestern gehört: Der Geliebte, der nur in dunkler Nacht sie besuche, sei ein Ungeheuer.[10] Nach dem Rate der Schwestern war sie mit brennender Lampe und scharfer Waffe an das Bett des Schlafenden getreten und erkannte, zitternd vor unsagbarer Freude, den schönsten aller Götter. Aber die Lampe schwankte in der kleinen Hand, ein Tropfen heißen Öls erweckte[11] den Schlafenden, und mit harten Worten für die Geliebte erhob sich der Gott in die Luft und flog davon. Als im leeren Luftraum ihr Auge ihn verlor, da hörte sie den nahen Strom rauschen; da sprang sie auf und stürzte sich hinein; ihr zartes Leben sollte untergehen in den kalten Wassern.

Doch der Gott des Stromes, fürchtend den mächtigeren Gott, trug sie auf seinen Armen empor und legte sie auf die blühenden Blumen des Ufers.' — O, süße Psyche, ich hätte dich an keinen Gott zurückgegeben."

Nur in seinem Inneren, unhörbar hatte er alle diese Worte gesprochen. — Draußen am Himmel war das Morgenrot verschwunden, und dem schönen Aufgang war ein grauer Tag gefolgt. Nur auf dem Gesicht des Künstlers selber schien der Glanz des jungen Lichtes zurückgeblieben zu sein. Aber von den farbenreichen Bildern, die vor seinem inneren Auge vorbeigezogen waren, sah ihn, wie um Gestaltung bittend, das eine Bild nur an. — Und seine Hände hatten nicht geruht; schon war aus dem formlosen Tonklumpen ein zarter Mädchenkopf erkennbar, schon sah man die geschlossenen Augen und den kleinen, leicht geöffneten Mund.

Die Mittagshelle des Wintertages war heraufgezogen; da klopfte es von draußen mit leisem Finger an die Tür. Eine alte Frau trat ein. „Aber Franz, willst du denn gar kein Frühstück?"

„Mutter, du!" — Er war aufgesprungen und hatte eilig ein neben ihm liegendes Tuch über das junge Werk geworfen.

„Soll ich's nicht sehen, Franz? Hast du ein neues Werk begonnen? Du bist ja sonst nicht so geheimnisvoll."

„Ja, Mutter, und diesmal, fühl' ich's, ist's das rechte. — Aber darum — noch nicht sehen. Auch du nicht, meine liebe alte Mutter!"

Der Sohn hatte den Arm um sie gelegt. So führte er sie aus seiner Werkstatt, während sie zärtlich nickend zu ihm aufblickte, und bald traten die beiden in das freundliche Wohnzimmer, wo seit langem der Frühstückstisch für ihn bereitstand.

[Schluß folgt]

NOTES. 1. Abgüsse . . . Modelle casts of ancient statues and single models. 2. profanen profane, unclean. 3. katonischer Catonian, severe. 4. Kreise circle(s). 5. seine . . . mache *literally*, is making his rights valid, is asserting his rights. 6. Jungfräulichkeit virginity. 7. eigennützigem selfish. 8. Tonklumpen lump of clay. 9. Modellierhölzchen modeling tools. 10. Ungeheuer monster. 11. schwankte . . . erweckte wavered in her small hand, a drop of hot oil awakened.

BUILDING A PASSIVE VOCABULARY

Alltagsmenschenkinder everyday, common mortals
bewachen wach wake, awake, wachen to watch, guard, bewachen to guard
die Eingangstür ein (*as prefix in separable compounds means* in), gang *from* gehen, die Tür the door, die Eingangstür the entrance, door through which one enters

erhitzten heiß hot, die Hitze the heat, erhitzen to heat, erhitzt heated, hot

erkennbar erkennen to recognize, erkennbar recognizable

der Geburtstag geboren born, die Geburt the birth, der Tag the day, der Geburtstag the birthday

das Geheimnis, geheimnisvoll geheim secret, das Geheimnis the secret, geheimnisvoll mysterious

die Geliebte lieben to love, die Geliebte the beloved

die Künstlerwerkstatt die Kunst the art, der Künstler the artist, das Werk the work, Statt place (stead), die Werkstatt the workshop, die Künstlerwerkstatt the artist's studio

der Lehnstuhl lehnen to lean, die Lehne the back (of a chair), armrest, der Stuhl the chair, der Lehnstuhl armchair

leichtgläubig leicht light, easy, glauben to believe, leichtgläubig credulous

verliebt lieben to love, verliebt in love

versunken lost, buried

wagemutig wagen to dare, der Mut the courage, wagemutig daring, courageous, venturesome

die Werkstatt *cf.* Künstlerwerkstatt

der Widerspruch wider against, sprechen to speak, der Widerspruch the contradiction

GRAMMAR

149. Word Order. The following suggestions should prove helpful to students who wish to read German correctly and with ease:

a. Look first for the subject (which is in the nominative case). In verb-second position the subject as a rule immediately precedes or follows the inflected verb:

Im Frühling arbeitet **Kurzhals** immer auf dem Felde. **Kurzhals** arbeitet im Frühling immer auf dem Felde.

In verb-first position the subject is usually found immediately following the verb:

Gehen **Sie** heute in die Stadt?

In verb-last position the subject follows the relative pronoun or subordinating conjunction:

Die Maschine ist nicht nur ein Feind des Arbeiters, den **sie** auf die Straße wirft, ... Außer ihrer Freundin sieht kein Mensch, daß **er** schon ein Jahr alt ist.

Sometimes the relative pronoun itself is the subject:

Ein Arbeiter, **der** nichts verdient . . .

b. Find the inflected verb form in verb-first, verb-second, or verb-last position and look to the end of the clause for separable prefixes, participles, and infinitives:

Er fährt heute nach Hause zurück.
Er will heute nach Hause zurückfahren.
Er ist heute nach Hause zurückgefahren.

c. Find the objects, if any, direct and indirect. The indirect object precedes the direct object, except when the direct object is a personal pronoun:

Friedrich gibt der Frau das Geld.
Friedrich gibt ihr das Geld.
Friedrich gibt es ihr.

d. Locate the adverbial elements, which are usually arranged in the following order: time, place, manner (or time, manner, place):

Kurzhals hat gestern auf dem Felde eifrig gearbeitet.
Kurzhals arbeitet im Frühling eifrig auf dem Felde.

e. See if there are negatives (nicht *not*, nie *never*) in the sentence. These negatives modify either

(1) The verb (and therefore the entire clause) and stand as near the end of the sentence as possible: Ich kann heute leider nicht gehen; or

(2) A particular element of the clause and immediately precede that element: Nicht jeder kann Goethe in seiner Muttersprache lesen.

f. Remember that most of the foregoing rules are flexible and vary chiefly according to this principle:

The most important elements of a German sentence are found at the beginning and at the end. As stated in § 6, any sentence element may stand at the beginning in a declarative sentence except, of course, the inflected verb. (In English the subject is usually the first element.) The remaining elements are arranged in such a manner that the more important elements tend toward the end. For that reason prefixes of separable compounds, infinitives, past participles, and negatives are found at or near the end. In a broader sense the specific idea which completes the verb may be considered to be a part of the verb — a separable prefix, as it were; and that part which completes the verbal idea will usually be found at the end of a clause in the position of a separable prefix:

Seit Februar fährt er jeden Morgen mit seinem Auto in die Stadt. Verbal idea: in die Stadt fahren

Die Schwalben arbeiteten unter den Dächern der langen Häuserreihe an ihren Nestern. Verbal idea: arbeiteten an ihren Nestern

Damals hatten ihre Eltern etwa eine halbe Stunde vor der Stadt ein großes Gut. Verbal idea: hatten ein großes Gut

Ich warf das Geld dem Grauen schnell vor die Füße. Verbal idea: warf vor die Füße

Er wurde sehr bald nach dem Tode seines Vaters Offizier. Verbal idea: wurde Offizier. (Cf the position in English: *He became an officer very soon after the death of his father.*)

150. Word Formation: the Prefix ur=. Ur means old or original and is prefixed to nouns:

der Urwald the virgin forest
die Urheimat the original home
der Urgroßvater the great-grandfather
die Urbewohner the original inhabitants, aborigines

Learn the principal parts of gelten:

helfen	half	hat geholfen	hilft	to help
gelten	galt	hat gegolten	gilt	to be worth

EXERCISES

I

A. Beantworten Sie folgende Fragen über Text A auf deutsch: 1. Womit ist die Geschichte des Englischen nicht zu Ende? 2. Von welcher Sprache war das Urgermanische ein Dialekt? 3. Was sind die deutschen „Verwandten" für deep, daughter, drive, thin, thick, thief, thing, three, und thumb? 4. Wofür haben wir Beweise? 5. Nennen Sie vier Schwestersprachen des Urgermanischen. 6. Zu welcher Sprachfamilie gehören fast alle Sprachen, die heute in Europa gesprochen werden? 7. Wie nennt man das Volk, das einmal Indogermanisch sprach? 8. Wo sucht man heute die Urheimat dieses Volkes? 9. Wo hat man sie früher gesucht? 10. Wovon zeugen die Gräber aus der jüngeren Steinzeit? 11. Welche Sprache nahmen die abziehenden Stämme mit in die neue Heimat? 12. Wer wurde mit Waffengewalt unterworfen? 13. Was hat die Sprache der neuen Völker nie verloren? 14. Welcher Stamm blieb am längsten in der Urheimat? 15. Wie lange zogen einzelne Germanenstämme durch Europa? 16. Wann kam Europa langsam wieder zur Ruhe? 17. Welche Sprache wurde um das Jahr siebenhundert (nach Christo) in England gesprochen?

B. Beantworten Sie folgende Fragen über Text B auf deutsch: 1. Woher wissen wir, daß es noch früh am Tage war? 2. Woher kamen die Schritte? 3. Wer trat in die Werkstatt? 4. Was für Augen hatte der junge Mann? 5. Wonach griff er? 6. Wer hatte sein Versprechen gehalten? 7. Welche Tat hatte der Baron nicht erwähnt? 8. Wer war wagemutig wie ein Knabe? 9. Wer gab den Ball? 10. Wann wurde der Ball gegeben? 11. Seit wann hatte die Heldin unsrer Geschichte das Haus ihrer Mutter nicht verlassen? 12. Wie oft ging sie jetzt schwimmen? 13. Was meinten einige? 14. Was sagten andere? 15. Was sollte des Künstlers Träume nicht durchbrechen? 16. Was ließ der Künstler aus der Hand fallen? 17. Wo lag der Tonklumpen? 18. Wer war ein Königskind? 19. Was hatten die Schwestern gesagt? 20. Wann wurde Psyche von ihrem Geliebten besucht? 21. Wen erkannte Psyche? 22. Was erweckte den Schlafenden? 23. Was konnte Psyche rauschen hören? 24. Was tat sie darauf? 25. Wen fürchtete der Stromgott? 26. Was sagte der Künstler? 27. Was war dem schönen Sonnenaufgang gefolgt? 28. Was war schon aus dem formlosen Tonklumpen erkennbar? 29. Wen sollte das neue Werk darstellen? 30. Wer trat nun herein? 31. Was warf Franz über das neue Werk? 32. Was lag für Franz auf dem Tisch bereit?

II

Übersetzen Sie folgende Sätze ins Deutsche: 1. Will he be able to eat by (bis) Wednesday? 2. Are you ill? 3. When are we going?

4. Today we want to work hard. 5. The book I should like to buy is not expensive. 6. We knew him well. 7. We are not happy but sad. 8. I can stay no longer, for I must read thirty-five pages before I go to (zu *or* ins) bed. 9. May I ask why you are going? 10. He claims to have lost much more money than he ever had. 11. Are you not the lady whose hat fell into the water? 12. He gave my friend Marie a ring. 13. He gave it (the ring) to my friend. 14. He gave her the ring. 15. He has already given it to her. 16. If we may use a pencil, we shall be able to write faster tomorrow. 17. Did you see my new knife? 18. We have been studying German about seven or eight months. 19. I know you have not forgotten me. 20. He must have done it. 21. He wrote you he had fallen from a horse. 22. I have never heard her sing. 23. She claimed she could speak English well. (*Verbal idea:* to speak English.) 24. Every morning August drove the only sheep of the family into the forest. 25. I have been looking the whole day, but I cannot find my money.

III

Übersetzen Sie folgende Wörter:

gering	lehren	die Bohne	die Beere	der Laden
entlang	leiten	braten	das Geschäft	die Lampe
der Enkel	begegnen	brav	das Heft	der Marsch
Juni	begleiten	der Brunnen	das Gemüse	stolz
der Leib	bilden	bedeuten	der Kuchen	wirken

IV

Übersetzen Sie folgende Wörter:

the brother	to pay	perfect
May	the tooth	completely
the mouse	twenty	the vest
the punishment	thirty	to weigh
to strike	important	neither . . . nor
the wall	round	the straw
the root	the salt	at the same time

V

Übersetzen Sie folgende Zusammensetzungen, Wortbildungen und Redensarten:

Wir wohnen in der Kaiserstraße; Deutschland war früher ein Kaiserreich; die deutsche Kaiserkrone, die kaiserlichen Prinzen; in vielen Eisenbahnwagen haben die Sitzplätze rechts und links eine Armlehne; für manche Zwecke gebraucht man gern einen Stuhl ohne Rückenlehne; man muß sich nicht gegen eine Wand lehnen, solange die Farbe (paint) noch naß (wet) ist; der Kronprinz; und dann heiratete der Prinz die Prinzessin und sie lebten glücklich bis an ihr Ende; schwesterliche Liebe; ein vom Englischen ins Deutsche übersetztes Buch; das Tragen von Schußwaffen ist nicht erlaubt; jemand bewaffnen, jemanden entwaffnen, bewaffnet oder unbewaffnet sein, leicht- oder schwerbewaffnet sein; der Waffenstillstand wurde am 11. November unterzeichnet (signed); der Tierarzt, eine Kinderärztin; für oder gegen jemanden zeugen; seine Tat zeugt von Mut; ein gutes Zeugnis in der Schule bekommen; jemand nicht achten sondern verachten; mehrere Brücken verbinden die beiden Stadtteile; die Eisenbahnverbindung zwischen den beiden Städten ist schlecht; die Zeit verging wie im Fluge; ihm sind zwei Finger erfroren; einem Arbeiter den Lohn erhöhen; ein Buch aus dem Urtext übersetzen, die Urgeschichte der Menschheit, der Urstamm, der Urzustand; der Donner, der Tag, Donnerstag; das Flachland; körperliche Kraft; die Krankheit; der Brudermord; zuckerig

VI

Conjugate in the present tense:

finden	verlieren	müssen	lachen
abstoßen	fahren	arbeiten können	schlafen

VII

Give a synopsis in the third person singular indicative of the following verbs (thus: er hilft, er half, er hat geholfen, er hatte geholfen, er wird helfen):

machen	schweigen	mögen	halten	halten dürfen
gehen	schwimmen	kaufen	dürfen	aufstehen

VIII

Translate the following sentences containing participial phrases:

1. Die etwa zwei Eisenbahnstunden westlich von Nürnberg liegende Stadt Rothenburg hat heute noch eine schöne alte Stadtmauer. 2. Durch genaue Beobachtung der zum Futterplatz kommenden Bienen läßt sich beweisen, daß staatenbildende Insekten einen mit erstaunlicher (astonishing) Präzision arbeitenden Zeitsinn haben. 3. Trotzdem Fische während ihres ganzen Lebens nicht aufhören (cease, stop) zu wachsen, ist eine genaue Bestimmung des von einem einzelnen Fisch erreichten Alters (age) mit den größten Schwierigkeiten verbunden. 4. Die höchsten Eierpreise werden nicht etwa für frische Eier bezahlt, sondern für die vor vielen Millionen von Jahren gelegten Eier der heute ausgestorbenen Dinosaurier.

LESSON XXIV

TEXT A*

Scheiden. Scheiden ist sozusagen das Gegenteil von „zusammengehören“ oder von „zusammenbringen“. Ein Ehepaar, das nicht mehr zusammenleben will, läßt sich daher manchmal scheiden. Ihn nennt man dann einen geschiedenen Mann und sie eine geschiedene Frau. Beide aber müssen früher oder später aus dem Leben scheiden. Frauen leben meist länger als Männer. Und daher steht dann eines Tages in der Zeitung: „Mein heiß geliebter Mann, unser guter, treusorgender Vater, unser lieber Großvater, Bruder und Onkel ist nach langem, schwerem Leiden in Frieden verschieden. Die Beerdigung findet am Freitag statt (stattfinden to take place). — Die trauernden Hinterbliebenen.“

Am Grabe nimmt die Frau weinend für immer Abschied. Sie ist inzwischen vernünftiger geworden und beurteilt viele Dinge jetzt anders als früher — auch ihren verschiedenen Mann. Den Nachbarn entgeht (entgehen to escape) der Unterschied zwischen ihrem früheren und ihrem jetzigen Urteil nicht; und wirklich sind die beiden Urteile so verschieden, daß man die Verschiedenheit einfach nicht übersehen kann. Die Nachbarn aber sagen: „Jetzt ist es zu spät. Sie hätte früher Wichtiges von Unwichtigem unterscheiden lernen sollen. Denn nur ihre geringe Unterscheidungsgabe hat das Unglück über sie gebracht. Es ist nun einmal so, daß sich in der Ehe sehr oft Menschen von ganz verschiedenartigem Charakter zusammenfinden, und daher kommen dann und wann auch einmal Meinungsverschiedenheiten vor. Man muß dafür sorgen, daß sie nicht zu einer Scheidewand werden, die das Zusammenleben unmöglich macht.

Der Schatz. Ein Schatz ist immer etwas Wertvolles. Und daher nennt ein junger Mann, der seine Freundin für einen Schatz hält, der sie mit anderen Worten also schätzt, diese Freundin oft kurz — und manchmal mit

---

* From the few examples in this Text A the student can gain an idea of the vast number of words which can be formed from the one thousand words introduced in this book. The importance of reading intelligently for context and not for single words will at once become apparent from this text. The Passive Vocabulary, which has purposely been kept small, should not be consulted until the student has made a serious attempt to understand the text without its aid.

Recht — „Schätzchen". „Schätzen" heißt also soviel wie „das Wertvolle oder den Wert in einer Sache erkennen." Dabei kommt es oft vor, daß man eine Sache unter= oder überschätzt. Besonders überschätzen sich die Menschen gerne selbst und leiden dann an Selbstüberschätzung. Wer reif und vernünftig ist und sich während eines langen Lebens einen reichen Schatz von Erfahrungen hat sammeln können, macht selten einen solchen Fehler.

Manche indische (Indian) Fürsten haben Edelsteine (precious stones) von unschätzbarem Wert. — Eisen, Silber, Kohlen, Gold und Petroleum sind Bodenschätze (Boden ground). — Staaten hatten früher oft einen Staatsschatz. Heute haben sie meist nur Schulden.

Die Sache. Der Weihnachtsmann bringt den Kindern Spielsachen. Für die Kleinen ist das beim Weihnachtsfest die Hauptsache. Wenn sich ein Reicher ein Auto kauft, so ist der Preis Nebensache. Für einen Armen ist er die Hauptsache. Nebensächliche Dinge soll man nicht wichtig nehmen. Eine gute Kritik soll sich von allem Persönlichen fernhalten und nur die Sache oder das Objekt selbst beurteilen. Mit anderen Worten: eine Kritik soll sachlich, nicht unsachlich sein. Wir alle sollten nach strenger Sachlichkeit in unseren Urteilen streben. — Daß du ihm Hilfe versprochen hast, ist eine Tatsache (fact); daß du dein Versprechen erfüllst, ist Ehrensache.

BUILDING A PASSIVE VOCABULARY

scheiden der Abschied the leave, farewell, geschieden divorced, unterscheiden to distinguish (between), der Unterschied the difference, verschieden different, verschieden (*as past part. in Text A*) passed away, die Verschiedenheit the difference

die Sache die Hauptsache the main, chief thing, die Nebensache the thing of minor *or* less importance, side issue, subordinate matter, sachlich, objective, die Sachlichkeit the objectivity

VOCABULARY

die Bahn, -en the railroad; road
die Bank, -en the *bank*
der Koffer, - the trunk, suitcase
loben to praise
die Mühle, -n the *mill*
der Ruhm the fame, glory
senden to *send*
der Regenschirm the umbrella
der Sonnenschirm the parasol
der Zug, ⸚e the train; procession

TEXT B

Psyche

[Schluß]

Es war Winter gewesen und Frühling geworden; aber auch **der** und der halbe Sommer waren schon dahingegangen; die Linden auf der breiten Mühlenstraße in der Hauptstadt verloren schon einzelne Blätter. Statt der Natur, die hier so früh schon ihre Schönheit zurückzog, hatte die Kunst ihre Schätze ausgebreitet. Es war das Jahr der Kunstausstellung; die Türen des Akademiegebäudes gegenüber der Stadtbank hatten schon seit einigen Wochen dem Publikum[1] offen gestanden.

Unter den Werken der Bildhauerkunst[2] war es besonders eine Marmorgruppe[3] in halber Lebensgröße, welche bei jung und alt großes Interesse hervorrief. Ein junger Stromgott, an abfallendem Ufer emporsteigend, hielt eine reizende Mädchengestalt auf seinen Armen. Trotz des zurückgesunkenen Hauptes und der geschlossenen Augen der letzteren sah man die Menschen leise an das Bild herantreten, als ob sie in jedem Augenblick den ersten neuerwachten Atemzug in der jungen Brust erwarten müßten. „Die Rettung der Psyche" stand hinter der Nummer des Werkes im Katalog.

Der Name des noch jungen Künstlers ging von Mund zu Mund; stets stand eine Menge von Bewunderern um das Werk herum, die des Lobens und Rühmens kein Ende fanden.

Aber wie es so oft geschieht, nachdem man genug bewundert hatte, entdeckte der eine oder der andere dann auch wohl etwas, was ihm nicht gefiel. Besonders das Herabhängen des einen Armes der Psyche fand man zu naturalistisch.[4]

„Aber, ihr Männer, könnt ihr denn gar nicht sehen?" rief eine hellblickende Dame, die, vor dem Kunstwerk stehend, eben ein solches Urteil hörte; „dieser schöne Arm ist eine Reminiszenz! Glauben Sie mir, das da hat seine lebendige Geschichte, die Gruppe[3] ist ein Denkmal[5]; vielleicht . . ."

„Auf dem Grabe einer Liebe?"

„Vielleicht! Wer weiß!"

„Aber dann wären wir ja mit aller Kritik[6] am Ende!"

„Ich dächte, ja!"

Indessen stand der Künstler selber vor dem Fenster seiner Werkstatt und blickte durch die Bäume ins Feld hinaus. Es stand jetzt kein Wintermorgenrot am Horizont; der Himmel war eintönig weiß von der Mittagssonne des Spätsommers.

In seinen Gedanken wiederholte sich ein Gespräch, das er in den letzten Tagen mit seiner Mutter gehabt hatte. „Du solltest ein wenig reisen, Franz," hatte sie gesagt; „du bist ermüdet von der Arbeit." — „Ja, ja, Mutter," hatte er erwidert, „es mag sein." — „Und daß du nach deiner Art mir jetzt nicht gleich was Neues anfängst!" — „Meinst du? Aber mir ist im Gegenteil, es wäre vielleicht das Beste." — Fast ein wenig böse war die Mutter geworden. „Was redest du denn, Franz! Du widersprichst dir selbst." — „Sorge nicht, Mutter! Ich kann nichts Neues machen." — Es war ein so seltsamer Ton gewesen, womit er das gesprochen; die kleine Frau hatte sich an seinen Arm gehangen: „Aber mein Sohn, du suchst mir etwas zu verbergen!" — Und liebevoll zu ihr niederblickend hatte er erwidert: „Für wen, als für dich, Mutter, habe ich zuerst das Tuch von meiner Psyche aufgehoben? Laß auch dies hier in meiner Brust noch eine kurze Zeit bedeckt, so lange nur, bis ich weiß, ob es Gestalt gewinnen kann. Wenn nicht . . ." Er hatte den Satz nicht ausgesprochen; aber die beiden Arme der Mutter hatten den großen Mann umfangen. „Vergiß es nicht, daß du noch immer unter meinem Herzen liegst!" — Ein paar Tränen[7] hatte sie sich abgetrocknet; dann aber hatten ihre Augen ganz mutig zu ihm aufgeblickt. „Aber du mußt dennoch reisen, Franz! Dein Freund da unten an der Nordsee, der ist der Richtige für dich und hat eine fröhliche Natur; er hat dich ja schon wieder dringend gebeten, ihn doch zu besuchen."

Der Sohn hatte nicht geantwortet, er hatte es vor plötzlichem gewaltigen Herzklopfen nicht gekonnt; aber noch am selben Tage hatte er einen Brief an seinen Freund gesandt.

Die Antwort darauf konnte er heute schon erwarten. Und jetzt wurde die Tür geöffnet. Da war der Brief. Die großen, geraden Buchstaben ließen keinen Zweifel: er war von Ernst!

„Ich wußte wohl," so schrieb der junge Baron, „daß Du kommen würdest. — Seitdem Dein Bild[8] die Stille Deiner Werkstatt verlassen hat, ist es nicht mehr *sie*; es ist, wie anderes, nur noch ein Kunstwerk. Nun streckst Du nach der Lebendigen Deine Arme aus; das ist so natürlich, daß jeder Arzt es Dir vorausgesagt hätte.

Ob Du unerkannt ihr würdest nahen können, ob die Gewalt der

Wellen ihr damals tief genug die hellen Augen geschlossen hat, — wer möchte das entscheiden!

Dein Zimmer und Freundeshände sind für Dich bereit. Aber Franz — und jetzt höre mich ruhig an! — die Rettung einer gewissen jungen Dame durch einen fremden Künstler ist hier inzwischen doch bekannt geworden; wie, das weiß ich nicht, denn die alte Bade-Kathi sieht mir nicht aus wie eine Schwätzerin.[9] Aber die Leute wissen es, wissen es wirklich; sie reden davon, alle und überall; nur Deinen Namen weiß man nicht.

Hundert Hände griffen nach Deinem schönen Schmetterling[10]; und da ist er dann einfach davongeflogen; wohin, das kann ich Dir nicht sagen."

Schon längere Zeit hatte die Mutter vor dem Lesenden gestanden und ihm in das heiße Gesicht geblickt. Jetzt wandte er ihr langsam seine Augen zu.

„Ich werde meine Psyche von der Ausstellung zurückziehen," sagte er traurig, „und dann, Mutter, reise ich; aber nicht nach der Stadt an der Nordsee."

Die Sonne stand am folgenden Tage noch nicht hoch am Himmel, als der junge Künstler schon unter den Linden der Hauptstadt dem Akademiegebäude zueilte.

So viel war sicher, er wollte fort, wollte ganz mit sich allein sein; kein Sohn einer Mutter, kein Freund eines Freundes. Er dachte an den Schwarzwald, in dessen Schatten er sich einmal mit seinem Freunde einen Sommermonat lang verloren. Seine Koffer hatte er schon zur Bahn bringen lassen; aber ehe er mit dem Mittagszug nach Süden fuhr, wollte er noch einmal seine Psyche sehen und dann einem diensteifrigen Freunde alles überlassen, was zur Zurückziehung des Werkes nötig war.

Die Räume des Akademiegebäudes waren zwar schon offen, aber die gewöhnliche Stunde des Besuches war noch nicht gekommen; in den unteren Räumen, wo die Werke der Bildhauerkunst aufgestellt waren, schien noch alles leer.

Und doch, auch hier mußte schon ein Besucher sich eingefunden haben; denn ein leiser Schritt war in dem letzten der drei Räume zu hören gewesen, ehe der junge Bildhauer die Eingangstür hinter sich schloß. Auch er trat, obgleich sicher wie im eigenen Hause, doch leise auf, als fürchte er, das Echo zu wecken,[11] das nur leicht in diesen Räumen schlief.

Sein eigenes Werk war im letzten Raume aufgestellt. Und es war ihm plötzlich, als sei es in der lautlosen Stille dieser Räume noch einmal wieder sein geworden, ja fast, als müsse er durch die offene Tür das Atmen des schönen Steines hören können.

Da schlug von dort ein leiser Klagelaut ihm an das Ohr; schnell war er in die Tür getreten; aber er kam nicht weiter. Dort an einer der großen Säulen,[12] welche hier die Decke tragen, lehnte ein Mädchen, wie in sich zusammenbrechend und sah mit aufgerissenen Augen auf seine Marmorgruppe; ein kleiner Sonnenschirm, ein Sommerhut lagen am Boden neben ihr.

Nun wandte sie den Kopf und ihre Augen trafen sich. Es war nur wie ein Blitz, der zwischen ihnen aufgeleuchtet; aber das schöne, ihm zugewandte Mädchengesicht war von einem Ausdruck des Schreckens wie versteinert. Den schlanken Körper wie zur Flucht gebogen, und doch mit niederhängenden Armen stand sie da; nur ihre Augen irrten jetzt umher, als ob sie einen Ausgang suchten.

Aber dort in der Tür, die allein zur Freiheit führte, stand er, dem — seit wie lange schon! — selbst ihre Gedanken zu entfliehen strebten; zwar, wie sie selbst, noch immer unbeweglich, aber seine Arme waren nach ihr ausgestreckt.

Noch einmal wagte sie, ihn anzublicken; dann, wie ein ratloses Kind, verbarg sie das Gesicht in ihren Händen; all ihr Mut hatte sie verlassen.

„Psyche, süße Psyche!" — Und an beiden Händen hielt er sie gefangen.

Sie bog den Kopf zurück, und wie zwei Sterne sah er ihre Augen untergehen. Er ließ sie nicht; er hob sie auf seine Arme; er bog den Mund zu ihrem kleinen Ohre nieder, und leise, aber mit einer Stimme, die vor übergroßer Freude zitterte, sprach er, was er einst nur fern von ihr gedacht: „Nun laß ich dich nicht mehr; ich geb dich an keinen Gott heraus!"

Seine Augen ruhten auf dem süßen Gesicht, das sie noch immer mit geschlossenen Augen ihm entgegenhielt.[13] Nun aber schlug sie die Augen leise auf; erst noch ein wenig zurückhaltend, dann immer vertrauender blickte sie ihn an, und immer sonniger wurde der Ausdruck ihres lieblichen Gesichtes.

Wie lange er sie so an seiner Brust gehalten? — Wer könnte es sagen! — Ein Vogel, der von draußen aus den Lindenbäumen gegen die Fenster flog, brachte den ersten Laut der Außenwelt zu ihren Ohren.

„Aber du!" sagte er — und es war, als wenn er plötzlich mit Verwunderung sie ansah — „wie bist du nur hierhergekommen?"

„Das da," sagte sie, „ich mußte es allein sehen, ehe die andern mit mir kamen. Mich trieb eine Angst — nein, frag mich nicht! Ich weiß nicht was! Aber hier hab' ich mich sehr gefürchtet."

„Welche andern?" fragte er.

„Die mit mir sind: mein Onkel und meine Mutter. Ich war mit ihnen oben in den anderen Räumen; ganz heimlich bin ich ihnen fortgelaufen. Aber," rief sie lachend, „wie heißt du denn? Ich weiß nicht einmal deinen Namen!"

„Ja, rat einmal!"

„Nein, rate du zuerst!"

„Ich, was soll ich raten?"

„Was du raten sollst? Als ob ich keinen Namen hätte!"

„Aber den kenne ich ja längst!" Er strich das blonde Haar ihr von der Stirn. „Sieh nur hin! Das bist du ja! Und glaub es nur, ich habe jeden Tag zu dir gesprochen in all der langen, langen Zeit."

Von dunklem Rot übergossen legte sie die Hände um seinen Hals und ließ ihn tief in ihre Augen blicken. „O, welch ein Glück, daß du der Künstler bist!"

Mit beiden Armen umfing er die Geliebte und küßte zum ersten Male den jungen Mund. — Dann aber sagten sie sich ganz leise, als seien es Geheimnisse, die selbst die steinernen Gestalten um sie her nicht wissen dürften, ihre Namen; und er konnte es nicht verstehen, daß sie „Maria" hieß.

Es war ihm, als höre er in weiter Ferne das Wellenrauschen der Nordsee. Und auch die Geliebte schien er mit sich dahin gezogen zu haben; denn sie wandte plötzlich den Kopf zu ihm empor und sagte: „Aber du, die alte Bade-Kathi muß doch mit zu unserer Hochzeit!"[14]

Da löste sich die Stille in ein frohes Lachen des Glücks; am Himmel draußen stand in vollem Glanze die Sonne, noch immer die Sonne Homers,[15] und schien wieder einmal auf ein junges aufblühendes Menschenpaar.

NOTES. 1. Publikum public. 2. Bildhauer sculptor. 3. Marmorgruppe, Gruppe marble group, statue, group. 4. naturalistisch naturalistic. 5. Denkmal monument, memorial. 6. Kritik criticism. 7. Tränen tears. 8. Bild work of art, statue. 9. Schwätzerin gossip. 10. Schmetterling butterfly. 11. wecken awaken. 12. Säulen pillars. 13. entgegenhielt turned. 14. Hochzeit wedding. 15. Homers of Homer.

BUILDING A PASSIVE VOCABULARY

anhören zuhören
aufblühen sich blühend öffnen, aufblühend promising
aufgeleuchtet (*cf.* **Licht**) flashed
der Ausdruck aus *Latin* ex, drücken to press, der Ausdruck the expression
der Ausgang aus *Latin* ex, gang *from* gehen to go, der Ausgang the exit, the way out
ausgebreitet aus out, breit broad, wide, ausbreiten to spread out
die Ausstellung aus *Latin* ex, stellen to place, put, die Ausstellung the exhibition, exposition
bekannt (*cf.* kennen) known
die Bewunderer, bewundert das Wunder the wonder, bewundern to admire, die Bewunderer the admirers, bewundert admired
die Eingangstür *cf. Lesson XXIII*
eintönig *cf. Lesson XXI*
die Flucht *noun in verb-noun pair to* fliehen
die Geheimnisse *cf. Lesson XXIII*
das Gespräch sprechen to speak, talk, das Gespräch the conversation
heimlich geheim secret, heimlich secretly, quietly
das Interesse interessant interesting, das Interesse the interest
inzwischen indessen
Klagelaut *cf.* Laut
die Kunstausstellung *cf.* Ausstellung
längst (*from* **lang**) long ago, long since
der Laut *cf. Lesson XXI*
löste sich *cf.* los
nahen nah close, nahen to approach
seltsam selten seldom, seltsam strange
sieht aus, aussehen to look, appear
umfangen, umfing um around, fangen to catch, umfangen to embrace
unerkannt *cf. Lesson XXI*
Verwunderung (*cf.* das Wunder) surprise
vorausgesagt, voraussagen voraus in advance, sagen to say, **voraussagen** to say in advance, to predict
die Werkstatt *cf. Lesson XXIII*
widersprichst *cf. Lesson XXIII*
zurückziehen, die Zurückziehung zurück back, ziehen to pull, draw, zurückziehen to withdraw

zusammenbrechend zusammen together, brechen to break, zusammenbrechen to collapse

Learn the principal parts of senden:

wenden	wandte (wendete)	hat gewandt (gewendet)	to turn
senden	sandte (sendete)	hat gesandt (gesendet)	to send

EXERCISES

I

Beantworten Sie folgende Fragen über Text B auf deutsch: 1. Was verloren die Linden schon? 2. Was hatte die Kunst ausgebreitet? 3. Wer hielt eine reizende Mädchengestalt auf seinen Armen? 4. Wie traten die Menschen an das Bild heran? 5. Wie hieß die Marmorgruppe? 6. Was fand man an dem Bild zu naturalistisch? 7. Wo stand indessen der Künstler? 8. Wohin blickte er? 9. Mit wem hatte er in den letzten Tagen ein Gespräch gehabt? 10. Was hatte seine Mutter ihm gesagt? 11. Wer konnte jetzt nichts Neues machen? 12. Für wen hatte der Künstler zuerst das Tuch von seiner Psyche aufgehoben? 13. Wie blickte die Mutter zu ihrem Sohn hinauf? 14. Wo wohnte der Baron? 15. Worum hatte der Baron seinen Freund gebeten? 16. Warum antwortete der Künstler seiner Mutter nicht? 17. Wann hatte Franz einen Brief an seinen Freund gesandt? 18. Wann konnte er seine Antwort erwarten? 19. Woher wußte Franz, daß der Brief, der jetzt kam, von seinem Freunde war? 20. Was wußte der Baron? 21. Nach wem streckte der Künstler nun die Arme aus? 22. Was hatte Franz den Baron gefragt? 23. Was war in der kleinen Nordseestadt für Franz bereit? 24. Was ist in der Stadt inzwischen bekannt geworden? 25. Was wußten die Leute noch nicht? 26. Was wollte der Künstler von der Ausstellung zurückziehen? 27. Wie hatte der Brief auf ihn gewirkt? 28. Wann eilte Franz dem Akademiegebäude zu? 29. Mit wem wollte er reisen? 30. Woran dachte er? 31. Mit wem war er einmal einen Monat lang im Schwarzwald gewesen? 32. Was hatte er schon zur Bahn bringen lassen? 33. Wohin wollte er fahren? 34. Wann sollte der Zug abfahren? 35. Warum wollte er ins Akademiegebäude hineingehen? 36. Warum war in den Kunsträumen noch alles leer? 37. Was war eben in dem letzten Raum zu hören gewesen? 38. In welchem Raum war des

Künſtlers Werk aufgeſtellt? 39. Was ſchlug ihm ans Ohr? 40. Was lag auf dem Boden? 41. Was ſuchten die Augen des Mädchens? 42. Wie viele Türen führten zur Freiheit? 43. Wo verbarg das Mädchen ihr Geſicht? 44. Weſſen Stimme zitterte? 45. Warum war das Mädchen allein in dieſen Raum gekommen? 46. Wer war mit dem Mädchen gekommen? 47. Was ſollte das Mädchen raten? 48. Wie ſagten die beiden ſich ihre Namen? 49. Warum konnte Franz nicht verſtehen, daß das Mädchen Maria hieß? 50. Wer ſollte mit zu der Hochzeit? 51. Wie war das Wetter draußen? 52. Worauf ſchien die Sonne?

II

Überſetzen Sie folgende Wörter:

durchaus	der Haufe	der Honig
darum	herrlich	klingeln
je deutlicher deſto beſſer	freilich	der Knochen
drucken	das Fach	notwendig
der Durſt	erwähnen	die Reihe
brav	flach	rühren
die Grenze	ewig	der Tee
die Gunſt	hohl	der Stoff

III

Überſetzen Sie folgende Wörter:

the bush	the loss	the sugar	to smell
thick	to hurt	the nut	envious
thousand	the weather	to test	the shoulder
proud	the root	the point	to disturb
to instruct	the dignity	the fool	the cow
to compose	the condition	the stove	the horse

IV

Überſetzen Sie folgende Wortbildungen, Zuſammenſetzungen und Redensarten:

der Befehlshaber eines Heeres; er iſt ein guter Bergſteiger; der Bleiſtift-ſpitzer (instrument); der Meſſerſchärfer (instrument); auf jedem Schlachtſchiff gebraucht man einen Entfernungsmeſſer; der Hundefänger; die Muſiklehrerin;

die Kaiserin, die Fürstin; die Bäuerin; der Träumer, umhergehen wie ein Träumender; lohnende Arbeit finden; Gott ist allwissend; eine unbedeutende Kleinigkeit; ein unerwarteter Besuch; ein nie aufgeklärtes Unglück; etwas Gewesenes; eine unverkäufliche Ware; ein unvergeßlicher Abend; ein sehr achtbarer Bürger; das Glück unsrer Jugend ist unwiederbringlich verloren; in unermeßlicher Ferne; eine unbeweisbare Behauptung; eine unerfüllbare Forderung; die unverkennbaren Zeichen des herannahenden Alters (age); sich durch einen künstlichen Bart unkenntlich machen; absichtlich; eine grünliche Farbe; rötliches Haar; göttliche Weisheit; erfolglose Wiederbelebungsversuche an einem Ertrunkenen machen; zu keiner Entscheidung kommen können; Einführung in die Psychologie; die Wegekrümmung; die Heiligsprechung der Jeanne d'Arc; langlebig; kampflustig; milchig; wollig; stumpfnäsig; nebelig; die Mathematik glaubt nicht mehr an die Unendlichkeit des Raumes; seine kalten Hände erwärmen; nur für Erwachsene; einen Berg ersteigen; sich unnötig das Leben erschweren; er hat sich gestern erschossen; mit erneuter Kraft an die Arbeit gehen; ein vernichtendes Artilleriefeuer; die Abendsonne vergoldete den Gipfel des Berges; Tinte verfließt auf schlechtem Papier; eine Erinnerung aus verflossenen Tagen; sein trauriges Ende hat seinen Ruhm nicht verdunkelt; erfrieren; ein Bienlein; die Eisenbahnbrücke

APPENDIX*

PRONOUNS

PERSONAL PRONOUNS

SINGULAR

	1st Pers.	2d Pers.	3d Pers. Masc.	3d Pers. Fem.	3d Pers. Neut.	3d Pers. Reflex.
NOM.	ich	du	er	sie	es	——
GEN.	——	——	——	——	——	——
DAT.	mir	dir	ihm	ihr	ihm	sich
ACC.	mich	dich	ihn	sie	es	sich

PLURAL

	1st Pers.	2d Pers.	3d Pers. (All Genders)	Polite Form	3d Pers. Reflex.
NOM.	wir	ihr	sie	Sie	——
GEN.	——	——	——	——	——
DAT.	uns	euch	ihnen	Ihnen	sich
ACC.	uns	euch	sie	Sie	sich

INDEFINITE PRONOUNS

SINGULAR

NOM.	man	niemand	jemand
GEN.	——	niemands	jemands
DAT.	einem	niemand(em)	jemand(em)
ACC.	einen	niemand(en)	jemand(en)

INTERROGATIVE PRONOUNS AND ADJECTIVES

Wer asks for persons only.

Was asks for things only.

Welcher, Welche, and **Welches** ask for specification of the following noun (which may be understood) and is declined like dieser.

Was für is indeclinable. It means *What kind of?* and precedes either the indefinite article or a plural noun without article.

* Words in parentheses are rarely used. Endings in parentheses represent both optional and nonoptional variations.

SINGULAR

	M. F.	N.	M.	F.	N.	was für + M.	was für + F.	was für + N.
NOM.	wer	was	welcher	welche	welches	ein	eine	ein
GEN.	weſſen	——	(welches)	(welcher)	(welches)	eines	einer	eines
DAT.	wem	——	welchem	welcher	welchem	einem	einer	einem
ACC.	wen	was	welchen	welche	welches	einen	eine	ein

PLURAL

			M.F.N.	was für +
NOM.	——	——	welche	Männer
GEN.	——	——	(welcher)	——
DAT.	——	——	welchen	Männern
ACC.	——	——	welche	Männer

(or any other noun in its proper case)

der-WORDS

SINGULAR

	M.	F.	N.	M.	F.	N.	M.	F.	N.
NOM.	der	die	das	dieſer	dieſe	dieſes	jeder	jede	jedes
GEN.	des	der	des	dieſes	dieſer	dieſes	jedes	jeder	jedes
DAT.	dem	der	dem	dieſem	dieſer	dieſem	jedem	jeder	jedem
ACC.	den	die	das	dieſen	dieſe	dieſes	jeden	jede	jedes

PLURAL

	M.F.N.	M.F.N.	M.F.N.
NOM.	die	dieſe	alle
GEN.	der	dieſer	aller
DAT.	den	dieſen	allen
ACC.	die	dieſe	alle

ein-WORDS

SINGULAR

	M.	F.	N.	M.	F.	N.	M.	F.	N.
NOM.	ein	eine	ein	kein	keine	kein	unſer	unſere	unſer
GEN.	eines	einer	eines	keines	keiner	keines	unſeres	unſerer	unſeres
DAT.	einem	einer	einem	keinem	keiner	keinem	unſerem	unſerer	unſerem
ACC.	einen	eine	ein	keinen	keine	kein	unſeren	unſere	unſer

PLURAL

				M.F.N.	M.F.N.
Nom.	——	——	——	keine	unſere
Gen.	——	——	——	keiner	unſerer
Dat.	——	——	——	keinen	unſeren
Acc.	——	——	——	keine	unſere

RELATIVE PRONOUNS

SINGULAR

	M.	F.	N.	M.	F.	N.	M.F.	N.
Nom.	der	die	das	welcher	welche	welches	wer	was
Gen.	deſſen	deren	deſſen	——	——	——	weſſen	——
Dat.	dem	der	dem	welchem	welcher	welchem	wem	——
Acc.	den	die	das	welchen	welche	welches	wen	was

PLURAL

	M.F.N.	M.F.N.
Nom.	die	welche
Gen.	deren	——
Dat.	denen	welchen
Acc.	die	welche

NOUNS AND THEIR DECLENSION

TABLE OF ENDINGS

SINGULAR

	Class I	Class 2	Class 3	Class 4
Nom.	——	——	——	——
Gen.	s	(e)s	(e)s	(e)n
Dat.	——	(e)	(e)	(e)n
Acc.	——	——	——	(e)n

PLURAL

Nom.	—, ¨	–e, ¨e	¨er	(e)n
Gen.	—, ¨	–e, ¨e	¨er	(e)n
Dat.	–n, ¨n	–en, ¨en	¨ern	(e)n
Acc.	—, ¨	–e, ¨e	¨er	(e)n

PARADIGMS TO CLASS 1

[See also sections 88–90]

SINGULAR

der Wagen	der Vogel	das Mädchen
des Wagens	des Vogels	des Mädchens
dem Wagen	dem Vogel	dem Mädchen
den Wagen	den Vogel	das Mädchen
das Fenster	die Mutter	die Tochter
des Fensters	der Mutter	der Tochter
dem Fenster	der Mutter	der Tochter
das Fenster	die Mutter	die Tochter

PLURAL

die Wagen	die Vögel	die Mädchen
der Wagen	der Vögel	der Mädchen
den Wagen	den Vögeln	den Mädchen
die Wagen	die Vögel	die Mädchen
die Fenster	die Mütter	die Töchter
der Fenster	der Mütter	der Töchter
den Fenstern	den Müttern	den Töchtern
die Fenster	die Mütter	die Töchter

PARADIGMS TO CLASS 2

[See also section 94]

SINGULAR

der Tag	der Baum	die Wand	das Wort
des Tages	des Baumes	der Wand	des Wortes
dem Tag(e)	dem Baum(e)	der Wand	dem Wort(e)
den Tag	den Baum	die Wand	das Wort

PLURAL

die Tage	die Bäume	die Wände	die Worte
der Tage	der Bäume	der Wände	der Worte
den Tagen	den Bäumen	den Wänden	den Worten
die Tage	die Bäume	die Wände	die Worte

NOTE. Masculine nouns of this class may or may not take umlaut. Feminine nouns of this class always take umlaut. Neuter nouns of this class never take umlaut.

PARADIGMS TO CLASS 3

[See also section 103]

SINGULAR

der Mann	das Haus
des Mannes	des Hauſes
dem Mann(e)	dem Haus(e)
den Mann	das Haus

PLURAL

die Männer	die Häuſer
der Männer	der Häuſer
den Männern	den Häuſern
die Männer	die Häuſer

PARADIGMS TO CLASS 4

[See also section 109]

SINGULAR

die Dame	die Frau	der Menſch	der Knabe
der Dame	der Frau	des Menſchen	des Knaben
der Dame	der Frau	dem Menſchen	dem Knaben
die Dame	die Frau	den Menſchen	den Knaben

der Staat	das Auge	das Bett
des Staates	des Auges	des Bettes
dem Staat	dem Auge	dem Bett
den Staat	das Auge	das Bett

PLURAL

die Damen	die Frauen	die Menſchen	die Knaben
der Damen	der Frauen	der Menſchen	der Knaben
den Damen	den Frauen	den Menſchen	den Knaben
die Damen	die Frauen	die Menſchen	die Knaben

die Staaten	die Augen	die Betten
der Staaten	der Augen	der Betten
den Staaten	den Augen	den Betten
die Staaten	die Augen	die Betten

Like **der Staat** are declined

der Doktor, -s, -en; der Schmerz, -es, -en;
der Nachbar, -s, -n; der Bauer, -s, -n; der See, -s, -n.

Like **das Bett** and **das Auge** are declined

das Ohr　　das Hemd　　das Ende

Irregular in the singular are the following:

das Herz	der Herr
des Herzens	des Herrn
dem Herzen	dem Herrn
das Herz	den Herrn

ADJECTIVES

ADJECTIVE ENDINGS

	Strong Endings				Weak Endings			
	Singular			Plural (*all genders*)	Singular			Plural (*all genders*)
	Masc.	*Fem.*	*Neut.*		*Masc.*	*Fem.*	*Neut.*	
Nom.	er	e	es	e	e	e	e	en
Gen.	en	er	en	er	en	en	en	en
Dat.	em	er	em	en	en	en	en	en
Acc.	en	e	es	e	en	e	e	en

PARADIGMS

SINGULAR

Nom.	alter	Mann	alte	Frau	altes	Haus
Gen.	alten	Mannes	alter	Frau	alten	Hauses
Dat.	altem	Mann(e)	alter	Frau	altem	Haus(e)
Acc.	alten	Mann	alte	Frau	altes	Haus

PLURAL

Nom.	alte	Männer	alte	Frauen	alte	Häuser
Gen.	alter	Männer	alter	Frauen	alter	Häuser
Dat.	alten	Männern	alten	Frauen	alten	Häusern
Acc.	alte	Männer	alte	Frauen	alte	Häuser

SINGULAR

Nom.	der alte Mann	die alte Frau	das alte Haus
Gen.	des alten Mannes	der alten Frau	des alten Hauses
Dat.	dem alten Mann(e)	der alten Frau	dem alten Haus(e)
Acc.	den alten Mann	die alte Frau	das alte Haus

PLURAL

Nom.	die alten Männer	die alten Frauen	die alten Häuser
Gen.	der alten Männer	der alten Frauen	der alten Häuser
Dat.	den alten Männern	den alten Frauen	den alten Häusern
Acc.	die alten Männer	die alten Frauen	die alten Häuser

SINGULAR

Nom.	kein alter Mann	keine alte Frau	kein altes Haus
Gen.	keines alten Mannes	keiner alten Frau	keines alten Hauses
Dat.	keinem alten Mann(e)	keiner alten Frau	keinem alten Haus(e)
Acc.	keinen alten Mann	keine alte Frau	kein altes Haus

PLURAL

Nom.	keine alten Männer	keine alten Frauen	keine alten Häuser
Gen.	keiner alten Männer	keiner alten Frauen	keiner alten Häuser
Dat.	keinen alten Männern	keinen alten Frauen	keinen alten Häusern
Acc.	keine alten Männer	keine alten Frauen	keine alten Häuser

THE CARDINAL NUMERALS

1 eins	6 sechs	11 elf	16 sechzehn
2 zwei	7 sieben	12 zwölf	17 siebzehn
3 drei	8 acht	13 dreizehn	18 achtzehn
4 vier	9 neun	14 vierzehn	19 neunzehn
5 fünf	10 zehn	15 fünfzehn	20 zwanzig

21 einundzwanzig	40 vierzig	100 hundert
22 zweiundzwanzig	50 fünfzig	101 hunderteins
23 dreiundzwanzig	60 sechzig	102 hundertzwei
30 dreißig	70 siebzig	111 hundertelf
31 einunddreißig	80 achtzig	121 hunderteinundzwanzig
32 zweiunddreißig	90 neunzig	135 hundertfünfunddreißig

199	hundertneunundneunzig	1001	tausendeins
200	zweihundert	1009	tausendneun
201	zweihunderteins	2000	zweitausend
267	zweihundertsiebenundsechzig	6843	sechstausendachthundertdreiundvierzig
300	dreihundert	100,000	hunderttausend
1000	tausend	1,000,000	eine Million

0 Null

0,34 Null Komma drei vier

THE ORDINAL NUMERALS

All ordinals are adjectives. Since uninflected forms do not occur, either the proper strong or the proper weak ending must be added to the forms of the following table:

1	erst=	8	acht=	20	zwanzigst=
2	zweit=	9	neunt=	23	dreiundzwanzigst=
3	dritt=	10	zehnt	98	achtundneunzigst=
4	viert=	11	elft=	100	hundertst=
5	fünft=	12	zwölft=	101	hundertunderst=
6	sechst=	13	dreizehnt=	102	hundertundzweit=
7	sieb(en)t=	19	neunzehnt=	1000	tausendst=

THE FRACTIONAL NUMERALS

Fractional numerals are neuter nouns of the first class. The denominator is formed by adding **=el** to the corresponding ordinal. An exception is **die Hälfte.**

$\frac{1}{2}$ die Hälfte	$\frac{9}{10}$ neun Zehntel
$\frac{1}{3}$ ein Drittel	$\frac{3}{11}$ drei Elftel
$\frac{1}{4}$ ein Viertel	$\frac{6}{100}$ sechs Hundertstel
$\frac{2}{5}$ zwei Fünftel	$\frac{7}{1000}$ sieben Tausendstel

VERBS

sein **haben** **werden**

INDICATIVE

PRESENT

ich	bin	habe	werde
du	bist	hast	wirst
er	ist	hat	wird

wir ſind	haben	werden
ihr ſeid	habt	werdet
ſie ſind	haben	werden

PAST

ich war	hatte	wurde.
du warſt	hatteſt	wurdeſt
er war	hatte	wurde
wir waren	hatten	wurden
ihr wart	hattet	wurdet
ſie waren	hatten	wurden

PRESENT PERFECT

ich bin geweſen	habe gehabt	bin geworden
du biſt geweſen	haſt gehabt	biſt geworden
er iſt geweſen	hat gehabt	iſt geworden
wir ſind geweſen	haben gehabt	ſind geworden
ihr ſeid geweſen	habt gehabt	ſeid geworden
ſie ſind geweſen	haben gehabt	ſind geworden

PAST PERFECT

ich war geweſen	hatte gehabt	war geworden
du warſt geweſen	hatteſt gehabt	warſt geworden
er war geweſen	hatte gehabt	war geworden
wir waren geweſen	hatten gehabt	waren geworden
ihr wart geweſen	hattet gehabt	wart geworden
ſie waren geweſen	hatten gehabt	waren geworden

FUTURE

ich werde ſein	werde haben	werde werden
du wirſt ſein	wirſt haben	wirſt werden
er wird ſein	wird haben	wird werden
wir werden ſein	werden haben	werden werden
ihr werdet ſein	werdet haben	werdet werden
ſie werden ſein	werden haben	werden werden

FUTURE PERFECT

ich werde gewesen sein	werde gehabt haben	werde geworden sein

IMAGINATIVE SUBJUNCTIVE

PRESENT TIME

ich wäre	hätte	würde
du wärest	hättest	würdest
er wäre	hätte	würde
wir wären	hätten	würden
ihr wäret	hättet	würdet
sie wären	hätten	würden

PAST TIME

ich wäre gewesen	hätte gehabt	wäre geworden
du wärest gewesen	hättest gehabt	wärest geworden
er wäre gewesen	hätte gehabt	wäre geworden
wir wären gewesen	hätten gehabt	wären geworden
ihr wäret gewesen	hättet gehabt	wäret geworden
sie wären gewesen	hätten gehabt	wären geworden

FUTURE TIME

ich würde sein	würde haben	würde werden
du würdest sein	würdest haben	würdest werden
er würde sein	würde haben	würde werden
wir würden sein	würden haben	würden werden
ihr würdet sein	würdet haben	würdet werden
sie würden sein	würden haben	würden werden

SUBJUNCTIVE OF INDIRECT DISCOURSE

[First-choice forms; cf. section 135]

PRESENT

ich sei	(habe)	(werde)
du seiest	(habest)	(werdest)
er sei	habe	werde

wir seien	——	——
ihr seiet	——	——
sie seien	——	——

PAST

ich sei gewesen	(habe gehabt)	sei geworden
du seiest gewesen	(habest gehabt)	seiest geworden
er sei gewesen	habe gehabt	sei geworden
wir seien gewesen	—— ——	seien geworden
ihr seiet gewesen	—— ——	seiet geworden
sie seien gewesen	—— ——	seien geworden

FUTURE

ich (werde sein)	(werde haben)	(werde werden)
du (werdest sein)	(werdest haben)	(werdest werden)
er werde sein	werde haben	werde werden
wir —— ——	—— ——	—— ——
ihr —— ——	—— ——	—— ——
sie —— ——	—— ——	—— ——

The Modals

INFINITIVE

können	wollen	mögen	sollen	dürfen	müssen

INDICATIVE

PRESENT

ich kann	will	mag	soll	darf	muß
du kannst	willst	magst	sollst	darfst	mußt
er kann	will	mag	soll	darf	muß
wir können	wollen	mögen	sollen	dürfen	müssen
ihr könnt	wollt	mögt	sollt	dürft	müßt
sie können	wollen	mögen	sollen	dürfen	müssen

PAST

ich	konnte	wollte	mochte	sollte	durfte	mußte
du	konntest	wolltest	mochtest	solltest	durftest	mußtest
er	konnte	wollte	mochte	sollte	durfte	mußte
wir	konnten	wollten	mochten	sollten	durften	mußten
ihr	konntet	wolltet	mochtet	solltet	durftet	mußtet
sie	konnten	wollten	mochten	sollten	durften	mußten

PRESENT PERFECT

ich	habe	+ *either*	dependent infinitive +	können	*or* with dependent infinitive understood	gekonnt
du	hast			wollen		gewollt
er	hat			mögen		gemocht
wir	haben			sollen		gesollt
ihr	habt			dürfen		gedurft
sie	haben			müssen		gemußt

PAST PERFECT

ich	hatte	+ *either*	dependent infinitive +	können	*or* with dependent infinitive understood	gekonnt
du	hattest			wollen		gewollt
er	hatte			mögen		gemocht
wir	hatten			sollen		gesollt
ihr	hattet			dürfen		gedurft
sie	hatten			müssen		gemußt

PAST PARTICIPLE

können	wollen	mögen	sollen	dürfen	müssen
gekonnt	gewollt	gemocht	gesollt	gedurft	gemußt

FUTURE

ich	werde	+ infinitive können wollen mögen sollen dürfen müssen
du	wirst	
er	wird	
wir	werden	
ihr	werdet	
sie	werden	

FUTURE PERFECT

The future perfect is never used with the dependent infinitive expressed, and so the only forms which may occur are these:

ich werde gekonnt haben	ich werde gewollt haben	etc.
du wirst gekonnt haben	du wirst gewollt haben	etc.
etc.	etc.	

IMAGINATIVE SUBJUNCTIVE

PRESENT TIME

ich	könnte	wollte	möchte	sollte	dürfte	müßte
du	könntest	wolltest	möchtest	solltest	dürftest	müßtest
er	könnte	wollte	möchte	sollte	dürfte	müßte
wir	könnten	wollten	möchten	sollten	dürften	müssten
ihr	könntet	wolltet	möchtet	solltet	dürftet	müsstet
sie	könnten	wollten	möchten	sollten	dürften	müssten

PAST TIME

ich hätte, du hättest, er hätte, wir hätten, ihr hättet, sie hätten

\+ *either* {dependent infinitive + können / wollen / mögen / sollen / dürfen / müssen}

or {with dependent infinitive understood} gekonnt / gewollt / gemocht / gesollt / gedurft / gemußt

FUTURE TIME

ich würde, du würdest, er würde, wir würden, ihr würdet, sie würden

\+ infinitive können wollen mögen sollen dürfen müssen

SUBJUNCTIVE OF INDIRECT DISCOURSE

[First-choice forms; cf. section 135]

PRESENT

ich	könne	wolle	möge	solle	dürfe	müsse
du	könnest	wollest	mögest	sollest	dürfest	müssest
er	könne	wolle	möge	solle	dürfe	müsse

wir	——	——	——	——	——	——
ihr	——	——	——	——	——	——
sie	——	——	——	——	——	——

PAST

ich (habe) du (habest) er habe wir —— ihr —— sie ——	+ *either* dependent infinitive +	können wollen mögen sollen dürfen müssen	*or* with dependent infinitive understood	gekonnt gewollt gemocht gesollt gedurft gemußt

FUTURE

ich (werde) du (werdest) er werde wir —— ihr —— sie ——	+ infinitive können wollen mögen sollen dürfen müssen

The Strong Verb

In order to conjugate a strong verb, one has to know its principal parts by heart. In the following table **schlagen** is taken as an example. Its principal parts are **schlagen, schlug, hat geschlagen, schlägt.**

ACTIVE	PASSIVE
PRESENT INFINITIVE	
schlagen	geschlagen werden
PAST INFINITIVE	
geschlagen haben	geschlagen worden sein
PRESENT PARTICIPLE	
schlagend	——

INDICATIVE

PRESENT

ich schlage	ich werde geschlagen
du schlägst	du wirst geschlagen
er schlägt	er wird geschlagen
wir schlagen	wir werden geschlagen
ihr schlagt	ihr werdet geschlagen
sie schlagen	sie werden geschlagen

PAST

ich schlug	ich wurde geschlagen
du schlugst	du wurdest geschlagen
er schlug	er wurde geschlagen
wir schlugen	wir wurden geschlagen
ihr schlugt	ihr wurdet geschlagen
sie schlugen	sie wurden geschlagen

PRESENT PERFECT

ich habe geschlagen	ich bin geschlagen worden
du hast geschlagen	du bist geschlagen worden
er hat geschlagen	er ist geschlagen worden
wir haben geschlagen	wir sind geschlagen worden
ihr habt geschlagen	ihr seid geschlagen worden
sie haben geschlagen	sie sind geschlagen worden

PAST PERFECT

ich hatte geschlagen	ich war geschlagen worden
du hattest geschlagen	du warst geschlagen worden
er hatte geschlagen	er war geschlagen worden
wir hatten geschlagen	wir waren geschlagen worden
ihr hattet geschlagen	ihr wart geschlagen worden
sie hatten geschlagen	sie waren geschlagen worden

FUTURE

ich werde ſchlagen	ich werde geſchlagen werden
du wirſt ſchlagen	du wirſt geſchlagen werden
er wird ſchlagen	er wird geſchlagen werden
wir werden ſchlagen	wir werden geſchlagen werden
ihr werdet ſchlagen	ihr werdet geſchlagen werden
ſie werden ſchlagen	ſie werden geſchlagen werden

FUTURE PERFECT

ich werde geſchlagen haben	ich werde geſchlagen worden ſein
etc.	etc.

IMAGINATIVE SUBJUNCTIVE

ACTIVE	PASSIVE

PRESENT TIME

ich ſchlüge	ich würde geſchlagen
du ſchlügeſt	du würdeſt geſchlagen
er ſchlüge	er würde geſchlagen
wir ſchlügen	wir würden geſchlagen
ihr ſchlüget	ihr würdet geſchlagen
ſie ſchlügen	ſie würden geſchlagen

PAST TIME

ich hätte geſchlagen	ich wäre geſchlagen worden
du hätteſt geſchlagen	du wäreſt geſchlagen worden
er hätte geſchlagen	er wäre geſchlagen worden
wir hätten geſchlagen	wir wären geſchlagen worden
ihr hättet geſchlagen	ihr wäret geſchlagen worden
ſie hätten geſchlagen	ſie wären geſchlagen worden

FUTURE TIME

ich würde ſchlagen	ich würde geſchlagen werden
du würdeſt ſchlagen	du würdeſt geſchlagen werden
er würde ſchlagen	er würde geſchlagen werden
wir würden ſchlagen	wir würden geſchlagen werden
ihr würdet ſchlagen	ihr würdet geſchlagen werden
ſie würden ſchlagen	ſie würden geſchlagen werden

SUBJUNCTIVE OF INDIRECT DISCOURSE

[First-choice forms; cf. section 135]

ACTIVE	PASSIVE
PRESENT	
ich (schlage)	ich (werde geschlagen)
du (schlagest)	du (werdest geschlagen)
er schlage	er werde geschlagen
wir ——	wir —— ——
ihr ——	ihr —— ——
sie ——	sie —— ——
PAST	
ich (habe geschlagen)	ich sei geschlagen worden
du (habest geschlagen)	du seiest geschlagen worden
er habe geschlagen	er sei geschlagen worden
wir —— ——	wir seien geschlagen worden
ihr —— ——	ihr seiet geschlagen worden
sie —— ——	sie seien geschlagen worden
FUTURE	
ich (werde schlagen)	ich (werde geschlagen werden)
du (werdest schlagen)	du (werdest geschlagen werden)
er werde schlagen	er werde geschlagen werden
wir —— ——	wir —— —— ——
ihr —— ——	ihr —— —— ——
sie —— ——	sie —— —— ——

The Weak Verb

ACTIVE	PASSIVE
PRESENT INFINITIVE	
lieben	geliebt werden
PAST INFINITIVE	
geliebt haben	geliebt worden sein
PRESENT PARTICIPLE	
liebend	——

INDICATIVE

PRESENT

ich liebe	ich werde geliebt
du liebst	du wirst geliebt
er liebt	er wird geliebt
wir lieben	wir werden geliebt
ihr liebt	ihr werdet geliebt
sie lieben	sie werden geliebt

PAST

ich liebte	ich wurde geliebt
du liebtest	du wurdest geliebt
er liebte	er wurde geliebt
wir liebten	wir wurden geliebt
ihr liebtet	ihr wurdet geliebt
sie liebten	sie wurden geliebt

PRESENT PERFECT

ich habe geliebt	ich bin geliebt worden
du hast geliebt	du bist geliebt worden
etc.	etc.

PAST PERFECT

ich hatte geliebt	ich war geliebt worden
du hattest geliebt	du warst geliebt worden
etc.	etc.

FUTURE

ich werde lieben	ich werde geliebt werden
du wirst lieben	du wirst geliebt werden
etc.	etc.

FUTURE PERFECT

ich werde geliebt haben	ich werde geliebt worden sein
du wirst geliebt haben	du wirst geliebt worden sein
etc.	etc.

IMAGINATIVE SUBJUNCTIVE

ACTIVE	PASSIVE
PRESENT TIME	
ich liebte	ich würde geliebt
du liebtest	du würdest geliebt
etc.	etc.
PAST TIME	
ich hätte geliebt	ich wäre geliebt worden
du hättest geliebt	du wärest geliebt worden
etc.	etc.
FUTURE TIME	
ich würde lieben	ich würde geliebt werden
du würdest lieben	du würdest geliebt werden
etc.	etc.

SUBJUNCTIVE OF INDIRECT DISCOURSE

Endings exactly like those of **schlagen**

PRINCIPAL PARTS OF STRONG AND MIXED WEAK VERBS

Infinitive	Past	Auxiliary, Past Participle	Third Person Singular	Meaning
anfangen	fing an	hat angefangen	fängt an	to begin
backen	backte	hat gebacken	bäckt	to bake
befehlen	befahl	hat befohlen	befiehlt	to command
beginnen	begann	hat begonnen	beginnt	to begin
beißen	biß	hat gebissen	beißt	to bite
bekommen	bekam	hat bekommen	bekommt	to receive, get
beweisen	bewies	hat bewiesen	beweist	to prove
biegen	bog	hat gebogen	biegt	to bend
binden	band	hat gebunden	bindet	to tie
bitten	bat	hat gebeten	bittet	to ask
bleiben	blieb	ist geblieben	bleibt	to stay
braten	briet	hat gebraten	brät	to roast
brechen	brach	hat gebrochen	bricht	to break
brennen	brannte	hat gebrannt	brennt	to burn

bringen	brachte	hat gebracht	bringt	to bring
denken	dachte	hat gedacht	denkt	to think
dringen	drang	ist gedrungen	dringt	to penetrate
einschlafen	schlief ein	ist eingeschlafen	schläft ein	to go to sleep
empfangen	empfing	hat empfangen	empfängt	to receive
empfehlen	empfahl	hat empfohlen	empfiehlt	to recommend
empfinden	empfand	hat empfunden	empfindet	to feel
entscheiden	entschied	hat entschieden	entscheidet	to decide
entschließen	entschloß	hat entschlossen	entschließt	to decide
entstehen	entstand	ist entstanden	entsteht	to originate
erfahren	erfuhr	hat erfahren	erfährt	to learn
erziehen	erzog	hat erzogen	erzieht	to educate
essen	aß	hat gegessen	ißt	to eat
fahren	fuhr	ist gefahren	fährt	to travel
fallen	fiel	ist gefallen	fällt	to fall
fangen	fing	hat gefangen	fängt	to catch
finden	fand	hat gefunden	findet	to find
fliegen	flog	ist geflogen	fliegt	to fly
fliehen	floh	ist geflohen	flieht	to flee
fließen	floß	ist geflossen	fließt	to flow
fressen	fraß	hat gefressen	frißt	to eat (*of animals*)
frieren	fror	hat gefroren	friert	to freeze
geben	gab	hat gegeben	gibt	to give
gefallen	gefiel	hat gefallen	gefällt	to please
gehen	ging	ist gegangen	geht	to go
gelingen	gelang	ist gelungen	gelingt	to succeed
gelten	galt	hat gegolten	gilt	to be worth
genießen	genoß	hat genossen	genießt	to enjoy
geschehen	geschah	ist geschehen	geschieht	to happen
gewinnen	gewann	hat gewonnen	gewinnt	to win
gießen	goß	hat gegossen	gießt	to pour
graben	grub	hat gegraben	gräbt	to dig
greifen	griff	hat gegriffen	greift	to grasp
halten	hielt	hat gehalten	hält	to hold
hängen	hing	hat gehangen	hängt	to hang
heben	hob	hat gehoben	hebt	to lift
heißen	hieß	hat geheißen	heißt	to be called
helfen	half	hat geholfen	hilft	to help

kennen	kannte	hat gekannt	kennt	to know
kommen	kam	ist gekommen	kommt	to come
lassen	ließ	hat gelassen	läßt	to let
laufen	lief	ist gelaufen	läuft	to run
leiden	litt	hat gelitten	leidet	to suffer
lesen	las	hat gelesen	liest	to read
liegen	lag	hat gelegen	liegt	to lie
messen	maß	hat gemessen	mißt	to measure
nehmen	nahm	hat genommen	nimmt	to take
nennen	nannte	hat genannt	nennt	to name
reißen	riß	hat gerissen	reißt	to tear
reiten	ritt	hat geritten	reitet	to ride
riechen	roch	hat gerochen	riecht	to smell
rufen	rief	hat gerufen	ruft	to call
scheiden	schied	hat geschieden	scheidet	to separate
scheinen	schien	hat geschienen	scheint	to shine
schieben	schob	hat geschoben	schiebt	to shove
schießen	schoß	hat geschossen	schießt	to shoot
schlafen	schlief	hat geschlafen	schläft	to sleep
schlagen	schlug	hat geschlagen	schlägt	to hit
schließen	schloß	hat geschlossen	schließt	to close
schneiden	schnitt	hat geschnitten	schneidet	to cut
schreiben	schrieb	hat geschrieben	schreibt	to write
schreien	schrie	hat geschrie(e)n	schreit	to cry
schreiten	schritt	ist geschritten	schreitet	to stride
schweigen	schwieg	hat geschwiegen	schweigt	to be silent
schwinden	schwand	ist geschwunden	schwindet	to disappear
sehen	sah	hat gesehen	sieht	to see
sein	war	ist gewesen	ist	to be
senden	sandte	hat gesandt	sendet	to send
singen	sang	hat gesungen	singt	to sing
sinken	sank	ist gesunken	sinkt	to sink
sitzen	saß	hat gesessen	sitzt	to sit
sprechen	sprach	hat gesprochen	spricht	to speak
springen	sprang	ist gesprungen	springt	to spring
stechen	stach	hat gestochen	sticht	to sting
stehen	stand	hat gestanden	steht	to stand
steigen	stieg	ist gestiegen	steigt	to climb

sterben	starb	ist gestorben	stirbt	to die
stoßen	stieß	hat gestoßen	stößt	to push
streichen	strich	hat gestrichen	streicht	to stroke
streiten	stritt	hat gestritten	streitet	to quarrel
tragen	trug	hat getragen	trägt	to carry
treffen	traf	hat getroffen	trifft	to hit
treiben	trieb	hat getrieben	treibt	to drive
treten	trat	ist getreten	tritt	to step
trinken	trank	hat getrunken	trinkt	to drink
tun	tat	hat getan	tut	to do
umgeben	umgab	hat umgeben	umgibt	to surround
verbergen	verbarg	hat verborgen	verbirgt	to hide
vergessen	vergaß	hat vergessen	vergißt	to forget
verlieren	verlor	hat verloren	verliert	to lose
verschwinden	verschwand	ist verschwunden	verschwindet	to disappear
versprechen	versprach	hat versprochen	verspricht	to promise
verstehen	verstand	hat verstanden	versteht	to understand
vorkommen	kam vor	ist vorgekommen	kommt vor	to happen
vorschlagen	schlug vor	hat vorgeschlagen	schlägt vor	to suggest
vorziehen	zog vor	hat vorgezogen	zieht vor	to prefer
wachsen	wuchs	ist gewachsen	wächst	to grow
wenden	wandte	hat gewandt	wendet	to turn
werden	wurde	ist geworden	wird	to become
werfen	warf	hat geworfen	wirft	to throw
wiegen	wog	hat gewogen	wiegt	to weigh
wissen	wußte	hat gewußt	weiß	to know
ziehen	zog	hat gezogen	zieht	to pull
zwingen	zwang	hat gezwungen	zwingt	to force

GERMAN-ENGLISH VOCABULARY

Accents indicate the place of the *main* accent. Two accents on one word indicate that either syllable may be stressed without changing the meaning or the function of that word. The asterisk after words with two accents indicates a difference in function or meaning between the two possible accentuations, a discussion of which is beyond the scope of this book.

ab off; down
der **Abend** –s, –e evening
aber but, however
abgeben. *See* geben
abhängig. *See* hängen
der **Abschied.** *See* scheiden
die **Absicht** —, –en intention; ab'sicht'lich intentional; un'absichtlich unintentional
abwechselnd. *See* wechseln
ach oh! ah! alas!
acht eight
achten to esteem; achten auf to pay attention to; achtlos inattentive, absent-minded; außer Acht lassen to leave out of consideration; un'beach'tet unobserved; verachten to despise, scorn
achtzehn eighteen
achtzig eighty
der **Acker** –s, ⸚ field, tilled land
ähnlich similar
alle all; ein Alltagsmenschenkind a common mortal
allein' alone; but
allerdings' to be sure
alles everything
als than; when; as
also therefore
alt old; das Alter age; altehr'würdig venerable. (*Cf.* ehren *and* die Würde)
das **Amt** –es, ⸚er office; duty
an on; at; near
der **Anblick.** *See* blicken
ander other, different; ändern to change; anders different; verändern to change; die Veränderung change
anfangen (fing an, angefangen, fängt an) to begin, start; der Anfang beginning; anfangs in the beginning
angehen. *See* gehen
der **Angehörige.** *See* gehören
angenehm agreeable, pleasant
das **Angesicht.** *See* das Gesicht
die **Angst** —, ⸚e anxiety; fear; ängstlich anxious, afraid
anhören. *See* zuhören
ankommen (kam an, angekommen, kommt an) to arrive. *Cf. also* kommen
annehmen. *See* nehmen
antworten to answer; die Antwort answer; beantworten to answer, give answer to
anziehen. *See* ziehen
anzünden (*sep. prefix*) to light, ignite
der **Apfel** –s, ⸚ apple
die **Apfelsi'ne** —, –n orange
der **April'** –s April
arbeiten to work; die Arbeit work; der Ar'beitge'ber employer; der Ar'beitneh'mer employee; arbeitslos unemployed; die Arbeitslosigkeit unemployment
arm poor
der **Arm** –es, –e arm
die **Art** —, –en, manner; sort, kind
der **Arzt** –es, ⸚e physician
der **Atem.** *See* atmen
atemlos. *See* atmen
der **Atemzug.** *See* atmen
atmen to breathe; der Atem breath; atemlos breathless; der Atemzug breath
auch too, also; either; even; (auch wenn. *See* wenn)
auf on, up, upon; auf und ab up and down, back and forth

die **Aufgabe** —, -en lesson, assignment; duty, task
der **Aufgang.** *See* gehen
aufmachen (*sep. prefix*) to open
aufpassen (*sep. prefix*) to pay attention to; take care of
aufschließen. *See* schließen
aufstehen. *See* stehen
das **Auge** -s, -n eye
der **Augenblick** -s, -e moment
der **August'** -s August
aus out of, from; of
ausbreiten. *See* breit
ausdrücken. *See* drücken
der **Ausgang.** *See* gehen
ausgeben. *See* geben
ausruhen. *See* ruhen
aussehen. *See* sehen
die **Aussprache.** *See* sprechen
aussprechen. *See* sprechen
außen outside; draußen out of doors
außer outside (of)
au'ßerdem' moreover, besides
au'ßeror'dentlich* extraordinary
auswendig (learn *or* know) by heart
ausziehen. *See* ziehen

der **Bach** -es, ⸚e, brook
die **Backe** —, -n cheek; **rotbäckig** red-cheeked
backen to bake
baden to bathe
die **Bahn** —, -en railroad; road
bald soon; bald . . . bald now . . . now
das **Band.** *See* binden
die **Bank** —, -en bank
die **Bank** —, ⸚e bench
der **Bart** -es, ⸚e beard
der **Bauer** -s, -n farmer, peasant
der **Baum** -es, ⸚e tree
beant'worten. *See* antworten
bedecken. *See* decken
bedeuten to mean, signify; die Bedeutung meaning, importance; un'bedeutend unimportant, insignificant
die **Beer'digung.** *See* die Erde
die **Beere** —, -n berry
befehlen (befahl, befohlen, befiehlt) to command
begegnen (*w. dat.*) to meet, encounter
beginnen (begann, begonnen, beginnt) to begin
beglei'ten to accompany; **der Beglei'ter** companion
begrüßen. *See* grüßen
behalten. *See* halten
behaupten to affirm, assert; **die Behauptung** assertion, claim
bei at; with
beide both; two
das **Bein** -es, -e leg
das **Beispiel** -s, -e example; zum Beispiel (z.B.) for example
beißen (biß, gebissen, beißt) to bite; der Biß bite; das Bißchen little bit
bekannt. *See* kennen
bekommen (bekam, bekommen, bekommt) to get, receive
belebt. *See* leben
bellen to bark
beo'bachten to observe, watch
bereit' ready, prepared; **un'vor'bereitet** unprepared
der **Berg** -es, -e mountain
berichten to report
beruhigend. *See* ruhen
besonder, besonders. *See* sonder
besser better; verbessern to correct, improve
bestimmt' definitely; certainly; made (for); un'bestimmt indefinite, vague, uncertain
besuchen to visit; der Besucher visitor
das **Bett** -es, -en bed
beur'teilen. *See* das Urteil
bewachen. *See* wach
bewegen (bewog, bewogen, bewegt) to move, budge; beweglich movable; agile; stormy; die Bewegung movement, motion; unbeweglich motionless
beweisen to prove
der **Bewohner.** *See* wohnen

die **Bewunderung.** *See* das Wunder
bezahlen to pay
biegen (bog, gebogen, biegt) to bend, turn; die Biegung bend
die **Biene** —, –n bee
das **Bild** –es, –er picture
bilden to form, shape; educate
billig cheap
binden (band, gebunden, bindet) to bind, tie; das Band ribbon, tie, bond; die Verbindung connection
die **Birne** —, –n pear
bis to, up to; until
das **Bißchen.** *See* beißen
bitten (bat, gebeten, bittet (um)) to beg (for), ask (for); die Bitte request
das **Blatt** –es, ⸚er leaf; sheet
blau blue
bleiben (blieb, geblieben, bleibt) to stay, remain; (steh'enbleiben [*sep. prefix*]. *See* stehen)
der **Bleistift** –s, –e pencil
blicken to look, glance; der Anblick sight; der Blick look, glance
der **Blitz** –es, –e lightning
blühen to bloom
die **Blume** —, –n flower
das **Blut** –es blood; blutig bloody
der **Boden** –s, ⸚ ground; bottom; floor
die **Bohne** —, –n bean
böse angry; bad
braten (briet, gebraten, brät) to roast, fry
brauchen to need; use; brauchbar useful; un'brauch'bar useless
braun brown
brav good, well-behaved
brechen (brach, gebrochen, bricht) to break; zerbrechen to break to pieces, shatter, smash
breit broad; ausbreiten to spread, extend
brennen (brannte, gebrannt, brennt) to burn
der **Brief** –es, –e letter
bringen (brachte, gebracht, bringt) to bring; take
das **Brot** –es, –e bread
die **Brücke** —, –n bridge
der **Bruder** –s, ⸚ brother
der **Brunnen** –s, — well; fountain
die **Brust** —, ⸚e breast, chest
das **Buch** –es, ⸚er book
der **Buchstabe** –n, –n letter (of the alphabet); buch'stäblich literally
der **Bürger** –s, — citizen
der **Busch** –es, ⸚e bush
die **Butter** — butter

der **Charak'ter** –s, –te're character

da there; since. (*Cf.* § *22*)
das **Dach** –es, ⸚er roof
da'her'* therefore
damals then, at that time; damalig of that time
die **Dame** —, –n lady
damit' so that, in order that (*conj.*)
danken (*w. dat.*) to thank; dankbar thankful, grateful; danke schön thank you
dann then; dann und wann now and then, at intervals
darstellen (*sep. prefix*) to present, represent; die Darstellung presentation
da'rum'* therefore; for the reason
das the; that
daß (*conj.*) that
das **Datum** –s, *pl.* Daten date
dauern to last
der **Daumen** –s, — thumb
decken to cover; set (table); bedecken to cover; die Decke ceiling, cover, blanket; entdecken to discover
denken (dachte, gedacht, denkt) to think; denken an to think of; der Gedanke thought
denn (*conj.*) for. (*Cf.* § *22*)
dennoch nevertheless
deutlich clear, plain
deutsch German; Deutschland Germany
der **Dezem'ber** –s December
dicht thick; close
der **Dichter** –s, — author, poet
dick thick, fat
der **Dieb** –es, –e thief

dienen (*w. dat.*) to serve; der Diener servant; der Dienst service; diensteifrig zealous, helpful
der **Dienstag** -s, -e Tuesday
dieser this
das **Ding** -es, -e thing
doch yet, however, but. (*Cf.* § *22*)
der **Doktor** -s -to'ren doctor
der **Donner** -s thunder
der **Donnerstag** -s, -e Thursday
doppelt double
das **Dorf** -es, ⸗er town, village
dort there; dortig of that place (*or* town *or* locality)
draußen. *See* außen
drei three
dreißig thirty
dreizehn thirteen
dringen (drang, gedrungen, dringt) to enter by force, penetrate; dringend urgent
drinnen. *See* innen
der **Druck.** *See* drücken
drucken to print
drücken to press, squeeze; ausdrücken to express; der Druck pressure; unterdrü'cken to suppress
dumm stupid, "dumb"
dunkel dark, obscure; die Dunkelheit darkness
dünn thin
durch through; by
durch'aus' thoroughly; absolutely; durchaus' nicht not in any way not for any reason
dürfen (durfte, gedurft, darf) to be permitted to, may
der **Durst** -es thirst; durstig thirsty
das **Dutzend** -s, -e dozen

eben even (*cf.* § *22*); **e'benso just as, likewise**; soe'ben just now
e'benfalls likewise
ebenso. *See* eben
die **Ecke** —, -n corner
edel noble; lofty
ehe before
die **Ehe** —, -n marriage
die **Ehre** —, -n honor; verehren to honor
ehrlich honest; die Ehrlichkeit honesty
das **Ei** -s, -er egg
die **Eiche** —, -n oak
der **Eifer** -s zeal, ardor, eagerness; eifrig zealous, eager
eigen own
eilen to hasten, hurry; eilig hasty, quick
ein, eine, ein a, an; one; einheitlich unified
einan'der one another, each other
einfach simple; simply
der **Eingang.** *See* gehen
einheitlich. *See* ein
einige a few, some
einsam lonesome; solitary
einschlafen (schlief ein, eingeschlafen, schläft ein) to go to sleep
einst once, formerly
eintönig. *See* der Ton
einzeln single, individual; der Einzelne individual
einzig only, sole; unique; single
das **Eis** -es ice
das **Eisen** -s, — iron; eisern iron, of iron
die **Eisenbahn** —, -en railroad; train
eisern. *See* das Eisen
die **Eltern** parents
empfangen (empfing, empfangen, empfängt) to receive; der Empfang reception
empfehlen (empfahl, empfohlen, empfiehlt) to recommend; die Empfehlung recommendation
empfinden (empfand, empfunden, empfindet) to feel; perceive
empor' up, upwards; high
das **Ende** -s, -n end, close; endlich finally
eng narrow
England, -s England
der **Enkel** -s, — grandson; die Enkelin granddaughter
entdecken. *See* decken
entfernen. *See* fern
entfernt. *See* fern
entfliehen. *See* fliehen
entlang along

entleeren. *See* leer
entreißen. *See* reißen
entscheiden (entschied, entschieden, entscheidet) to decide, determine; entscheidend decisive
entschließen (entschloß, entschlossen, entschließt) to decide; der Entschluß decision
der **Entschluß.** *See* entschließen
entstehen (entstand, entstanden) to originate
ent'weder . . . oder either . . . or
entwickeln to develop; die Entwicklung development
entzünden to inflame
der **Erbe** –n, –n heir; erben to inherit
erblicken. *See* blicken
die **Erbse** —, –n pea
die **Erdbeere** —, –n strawberry
die **Erde** —, –n earth, ground; die Beer'digung burial, interment
erfahren (erfuhr, erfahren, erfährt) to find out, learn; die Erfahrung experience; unerfahren inexperienced
der **Erfolg'** –s, –e success; result; **erfolglos** unsuccessful
die **Erfüllung.** *See* füllen
ergreifen. *See* greifen
sich **erhellen.** *See* hell
erhitzen. *See* heiß
erinnern an to remind of; sich erinnern an to remember
sich **erkälten** to catch cold
erkennen (erkannte, erkannt, erkennt) to recognize; erkennbar recognizable
erklären to explain; declare; un'erklärlich inexplicable
erlauben to allow, permit
-erlei kinds of; allerlei all kinds of
ermüden. *See* müde
ernst serious, earnest
erreichen. *See* reichen
erscheinen. *See* scheinen
erschreckt. *See* der Schreck
erschrocken. *See* der Schreck
erst first; at first; not until; zuerst' at first
ertöten. *See* töten
ertrinken. *See* trinken
erwachen. *See* wach
erwähnen to mention
erwarten to await; expect; die Erwartung expectation, anticipation
erwidern to reply
erzählen to relate, tell; die Erzählung story
erziehen (erzog, erzogen, erzieht) to educate; rear
der **Esel** –s, — donkey; ass
essen (aß, gegessen, ißt) to eat; eßbar edible
etwa about
etwas something; somewhat
ewig eternal; die Ewigkeit eternity

das **Fach** –es, ⸗er subject; drawer
fahren (fuhr, gefahren, fährt) to ride; drive; go; die Fahrt ride; trip, journey
der **Fall** –es, ⸗e case; jedenfalls in any case, at any rate
fallen (fiel, gefallen, fällt) to fall; zerfallen to fall (to pieces); ins Wort *or* in die Rede fallen to interrupt
falsch false; forged
die **Fami'lie** —, –n family
fangen (fing, gefangen, fängt) to catch
die **Farbe** —, –n color
das **Farbpünktchen.** *See* die Farbe *and* der Punkt
das **Faß** –es, ⸗er barrel, cask; das Fäßchen little barrel, keg
fassen to seize; contain
fast almost
der **Februar** –s February
die **Feder** —, –n pen; feather; spring; der Federzug (die Feder pen, der Zug (*from* ziehen) stroke)
fehlen to miss; be lacking (to)
der **Fehler** –s, — mistake, error
feiern to celebrate
fein fine; excellent
der **Feind** –es, –e enemy
das **Feld** –es, –er field
der **Felsen** –s, — rock
das **Fenster** –s, — window

die **Ferien** (*pl.*) vacation
fern far, distant; entfernen to remove; entfernt removed, distant; die Entfernung distance; die Ferne distance
sich **fernhalten von.** *See* halten
fertig ready; finished
fest firm, solid; fast
das **Fest** –es, –e feast, festival; festlich festive
das **Feuer** –s, — fire
finden (fand, gefunden, findet) to find
der **Finger** –s, — finger
der **Fisch** –es, –e fish; das Fischerdorf fishing village
flach flat; shallow; die Fläche surface; die Wasserfläche surface of the water
die **Flamme** —, –n flame
das **Fleisch** –es meat
die **Fliege** —, –n fly
fliegen (flog, geflogen, fliegt) to fly; der Flug flight
fliehen (floh, geflohen, flieht) to flee; entfliehen to escape; die Flucht flight
fließen (floß, geflossen, fließt) to flow, run; der Fluß river
die **Flucht.** *See* fliehen
der **Flug.** *See* fliegen
der **Fluß.** *See* fließen
folgen (*w. dat.*) to follow
fordern to demand; challenge
fördern to further, advance; bring out
die **Form** —, –en form, shape; figure
fort away; gone; on
fortsetzen (*sep. prefix*) to continue; die Fortsetzung continuation
fragen to ask; die Frage question; fragen nach to ask for
die **Frau** —, –en woman; wife; Frau Mrs.
das **Fräulein** –s, — young lady; Fräulein Miss
frei free; vacant; die Freiheit freedom; im Freien in the open air
freilich certainly, to be sure
der **Freitag** –s, –e Friday
fremd strange; foreign; die Fremdsprache (fremd foreign, die Sprache language)
fressen (fraß, gefressen, frißt) (*of animals*) to eat
die **Freude** —, –n joy, pleasure
sich **freuen** to be glad; sich auf etwas freuen to be happy in anticipation of something
der **Freund** –es, –e friend; die Freundin girl *or* woman friend; freundlich friendly, kind; un'freundlich unfriendly
der **Friede**(n) –ns, –n peace; friedlich peaceful
frieren (fror, gefroren, friert) to freeze
frisch fresh
froh glad, happy, joyful; fröhlich happy, gay, merry
die **Frucht** —, ⸚e fruit
früh early; früher earlier, sooner, formerly
der **Frühling** –s, –e spring
das **Frühstück** –s, –e breakfast
der **Fuchs** –es, ⸚e fox
fühlen to feel; touch; das Gefühl feeling
führen to lead, guide
füllen to fill; die Erfüllung fulfillment; die Fülle fullness
fünf five
fünfzehn fifteen
fünfzig fifty
für for
fürchten to fear; sich fürchten vor to be afraid of
der **Fürst** –en, –en prince; sovereign
der **Fuß** –es, ⸚e foot
das **Futter** –s fodder, feed; füttern to feed

die **Gabe.** *See* geben
die **Gabel** —, –n fork
die **Gans** —, ⸚e goose
ganz whole, entire; gänzlich entirely, completely
gar *strengthens or emphasizes*; gar' nicht not at all; gar' nichts nothing at all
der **Garten** –s, ⸚ garden
der **Gast** –es, ⸚e guest
das **Gebäu'de** –s, — building
geben (gab, gegeben, gibt) to give; **abgeben**

to deliver, hand over (in); ausgeben to give out, spend; die Gabe gift; der Geber giver, donor; es gibt there is, there are

gebo'ren born

gebrau'chen to use

der **Geburts'ort**. *See* der Ort

der **Geburts'tag**. *See* der Tag

der **Gedan'ke**. *See* denken

die **Gefahr'** —, –en danger; gefährlich dangerous

gefal'len (gefiel, gefallen, gefällt) (*w. dat.*) to please; der Gefallen favor

das **Gefühl'**. *See* fühlen

ge'gen against, toward; in comparison with; in return for

der **Ge'genstand** –s, ⸗e object

das **Ge'genteil** –s, –e opposite

gegenü'ber (*w. dat.*) opposite

die **Ge'genwart** — presence; present time

geheim' secret; das Geheim'nis secret; heimlich secret

gehen (ging, gegangen, geht) to go; walk; der Aufgang going up, rising, rise; der Ausgang exit; der Eingang entrance; vergehen to slip past, fail; es geht Sie nichts an that is none of your business; was die Zeit angeht as far as time (*or* the tense) is concerned

gehö'ren (*w. dat.*) to belong to; der An'gehörige relative

der **Geist** –es, –er spirit; ghost; mind

gelb yellow

das **Geld** –es, –er money

gelin'gen (gelang, gelungen, gelingt) (*impers., w. dat.*) to succeed; es gelingt mir I succeed

gelten (galt, gegolten, gilt) to be valid, to be worth, to be of value

gemein' mean, common; general

das **Gemü'se** –s, — vegetable

genau' exact, precise; die Genauigkeit exactness, precision

genie'ßen (genoß, genossen, genießt) to enjoy

genug' enough; genügen to suffice, be sufficient

gera'de straight; just

gering' slight; inferior

gern gladly, willingly; gern (*plus verb*) to like to; gern essen to like to eat; un'gern unwillingly

das **Geschäft'** –s, –e business; deal; store

gescheh'en (geschah, geschehen, geschieht) to happen, take place

das **Geschenk'**. *See* schenken

die **Geschich'te** —, –n story; history

das **Geschrei'**. *See* schreien

geschult'. *See* die Schule

die **Gesell'schaft** —, –en company; party; society; gesell'schaftlich social

das **Gesicht'** –s, –er face; das An'gesicht face, countenance

das **Gespräch'**. *See* sprechen

die **Gestalt'** —, –en form, figure; die Gestal'tung formation

gestat'ten to allow, permit

ge'stern yesterday

gesund' healthy, sound

die **Gewalt'** —, –en power, force; violence

gewin'nen (gewann, gewonnen, gewinnt) to win

gewiß' certain, sure; die Gewißheit certainty

gewöhn'lich usual, customary; die Gewohnheit habit, custom; die Gewöhnung adaptation, adjustment; an etwas gewöhnt sein to be accustomed to something

gießen (goß, gegossen, gießt) to pour; cast

der **Gipfel** –s, — peak; height

glänzen to glisten, shine, glitter, gleam; der Glanz luster, splendor

das **Glas** –es, ⸗er glass; das Gläschen small glass

glatt smooth

glauben to believe; glauben an to believe in; der Glaube belief, faith; leicht'gläubig credulous, gullible; un'gläubig incredulous, unbelieving; unglaub'lich unbelievable

gleich like; same; immediately; gleichzeitig at the same time; der Vergleich comparison; es ist mir gleich it is all the same to me

das Glied –es, –er limb; member

glücklich happy; das Glück happiness, luck; das Un'glück misfortune, bad luck, unhappiness; un'glücklich unhappy; Glück haben to be fortunate; zum Glück luckily

das Gold –es gold

der Gott –es, ⸚er god; die Göttin goddess

das Grab. *See* der Graben

der Graben –s, ⸚ ditch, trench; graben to dig; das Grab grave

der Graf –en, –en count; die Gräfin countess

das Gras –es, ⸚er grass

grau gray

greifen (griff, gegriffen, greift) to seize; reach (for)

die Grenze —, –n limit, boundary

groß great, large; tall; die Größe greatness, size

die Großmutter —, ⸚ grandmother; der Großvater grandfather

grün green

der Grund –es, ⸚e ground; cause; reason; grundlos groundless, without foundation

grüßen to greet; wave; begrüßen to greet; der Gruß greeting

die Gunst —, ⸚e favor

gut good; well; die Güte kindness, goodness; es geht mir gut I am well; es geht ihr gut she is well

das Gut –es, ⸚er estate; goods

das Haar –es, –e hair

haben (hatte, gehabt, hat) to have

der Hafen –s, ⸚ harbor, port

der Hahn –es, ⸚e rooster

halb half; die Hälfte half

der Hals –es, ⸚e throat; neck

halten (hielt, gehalten, hält) to hold; think, regard (as); stop; behalten to keep; sich fernhalten von to keep out of the way of, steer clear of, avoid; halten für to consider, take to be; **halten von** to think of

die Hand –, ⸚e hand

das Handtuch. *See* das Tuch

hängen (hangen) (hing, gehangen, hängt) to hang; abhängig dependent

hart hard; harsh

hartherzig. *See* das Herz

hassen to hate

der Haufe(n) –ns, –n heap, pile; crowd

das Haupt –es, ⸚er head; chief

das Haus –es, ⸚er house; das Häuschen small house; der Nachhau'seweg road (way) home; nach Hause gehen to go home; zu Hause sein to be at home

die Haut —, ⸚e skin; hide

heben (hob, gehoben, hebt) to lift, raise

das Heer –es, –e army

das Heft –es, –e notebook

die Heide —, –n heath

das Heil –es happiness; salvation; welfare; das Un'heil evil, harm, misfortune

heilig holy, sacred

das Heim –es, –e home; die Heimat home

heimlich. *See* geheim

heiraten to marry

heiß hot; erhitzen to heat, grow warm; die Hitze heat

heißen (hieß, geheißen, heißt) to be called; call; command; mean; das heißt that is to say

der Held –en, –en hero; die Heldin heroine

helfen (half, geholfen, hilft) to help; die Hilfe help, aid; hilflos helpless; die Hilflosigkeit helplessness

hell clear, merry; bright, light; die Helle brightness; sich erhellen to clear up

das Hemd –es, –en shirt

her toward the speaker *or* scene of action; ago

herbei' here; hither

der Herbst –es, –e autumn

die Herde —, –n herd.

der Herr –n, –en gentleman; master; Lord; sir; Herr Mr.

herrlich excellent, splendid

hervor' forth, out
das **Herz** –ens, –en heart; hartherzig hard-hearted
heute today; heutig present-day, today's; heute abend this evening; heute morgen this morning
hier here
die **Hilfe.** *See* helfen
hilflos. *See* helfen
die **Hilflosigkeit.** *See* helfen
der **Himmel** –s, — sky; heaven
hin away from the speaker *or* scene of action; there; gone
hindern to hinder, prevent; verhindern to prevent
hinter behind
hinzu' besides, in addition; there
die **Hitze.** *See* heiß
hoch (hoh-) high; tall
der **Hof** –es, ⸗e court; farm; yard; höflich courteous, polite; der Kirchhof churchyard, cemetery; die Höflichkeit politeness; die Un'höflichkeit rudeness, impoliteness
hoffen to hope; die Hoffnung hope; hoffnungslos past (all) hope
höflich. *See* der Hof
die **Höflichkeit.** *See* der Hof
hohl hollow; die Höhle cave
holen to fetch, bring
das **Holz** –es, ⸗er wood; das Un'terholz underbrush
der **Honig** –s honey
hören to hear; unhör'bar inaudible
die **Hose** —, –n trousers
der **Hund** –es, –e dog, hound
hundert hundred
hungrig hungry; verhungern to starve to death
der **Hut** –es, ⸗e hat

immer always; immer bes'ser better and better; immer wie'der again and again; im'mer noch still
in in; into
indem' while; by (*cf.* § *127*)
indes' (**indes'sen**) meanwhile; nevertheless
innen within; drinnen inside, within
interessant' interesting; das Interes'se interest
inzwi'schen. *See* zwischen
irgend (**ein**) any (old); some
irren to err; stray, wander

ja yes; *often used as a particle*; jawohl' yes indeed
jagen to hunt; chase; der Jäger hunter
das **Jahr** –es, –e year; das Jahrhun'dert century
der **Januar** –s January
jawohl'. *See* ja
je ever
je . . . desto the . . . the
jeder each, every
jedoch' however
jemand somebody, someone
jener that
jetzt now; jetzig present
die **Jugend** — youth; jugendlich youthful
der **Juli** –s July
jung young; jung'verhei'ratet (*from* heiraten) young married
der **Juni** –s June

der **Kaffee** –s coffee
der **Kaiser** –s, — emperor; kaiser
kalt cold; die Kälte cold
der **Kampf** –es, ⸗e combat, battle; struggle
die **Karte** —, –n card; ticket; map
die **Kartof'fel** —, –n potato
der **Käse** –s cheese
die **Katze** —, –n cat
kaufen to buy; der Käufer purchaser, buyer
kaum scarcely
kein no, not any
der **Keller** –s, — cellar
der **Kellner** –s, — waiter
kennen (**kannte, gekannt, kennt**) to know (by acquaintance); bekannt known, ac-

quainted; die Kenntnis knowledge; un'bekannt unknown; (kennenlernen. *See* lernen)
das Kind –es, –er child; die Kindheit childhood; das Kindermädchen nursemaid
das Kinn –es, –e chin
die Kirche —, –n church
der Kirchhof. *See* der Hof
klagen to complain
klar clear, plain; die Klarheit clearness
die Klasse —, –n class
das Kleid –es, –er dress; cloth; die Kleidung clothing, dress
klein small, little; die Kleinigkeit trifle
klingeln to ring
klopfen to knock, rap; pound
der Knabe –n, –n boy; youth
das Knie –(e)s, –(e) knee
der Knochen –s, — bone; knochig bony, boned
der Knopf –es, ⸗e button
kochen to cook; boil
der Koffer –s, — trunk; suitcase
die Kohle —, –n coal
kommen (kam, gekommen, kommt) to come; es kommt darauf an it depends
der König –s, –e king
das Königreich. *See* das Reich
können (konnte, gekonnt, kann) to be able, can
der Kopf –es, ⸗e head
das Kopftuch. *See* das Tuch
der Körper –s, — body
kosten to cost
die Kraft —, ⸗e force, power, strength; kräftig powerful, strong
krank ill, sick
die Kreide — chalk
der Krieg –es, –e war
die Krone —, –n crown
krumm crooked
der Kuchen –s, — cake
die Kuh —, ⸗e cow
kühl cool
die Kunst —, ⸗e art; skill
kurz short, brief
die Kusi'ne —, –n cousin (female)
küssen to kiss

lächeln to smile
lachen to laugh
der Laden –s, ⸗ store, shop
die Lampe —, –n lamp
das Land –es, ⸗er land, country; ländlich rustic, country-like; auf das Land gehen to go to the country; auf dem Lande sein to be in the country
lang (lange) long; die Länge length; längst long since, long ago
langsam slow
längst. *See* lang
lassen (ließ, gelassen, läßt) to let; make, cause; verlassen to leave, desert
laufen (lief, gelaufen, läuft) to run; der Lauf course, run
laut loud, noisy; der Laut sound; lautlos without a sound, silent
leben to live; belebt' lively; leben'dig alive; leblos lifeless
le'benskräftig. *See* leben *and* die Kraft
leer empty, vacant; entleeren to empty
legen to lay, place
lehnen to lean; der Lehnstuhl armchair
lehren to teach; der Lehrer teacher; die Lehrerin female teacher
der Leib –es, –er body; waist
leicht easy; light; die Leichtigkeit ease
leichtgläubig. *See* glauben
leiden (litt, gelitten, leidet) to suffer, bear, tolerate; das Leid grief, sorrow, wrong
leider unfortunately
leid tun: es tut mir leid I am sorry
leise soft, gentle
leiten to lead; direct
lernen to learn; kennenlernen (*sep. prefix*) to make the acquaintance of
lesen (las, gelesen, liest) to read
letzt last; zuletzt at last
leuchten. *See* das Licht
die Leute people
das Licht –es, –er light; leuchten to emit light, gleam

lieben to love; lieb dear; die Liebe love; lieblich lovely; verliebt in love; lieb-haben to be fond of
lieber rather
das **Lied** –es, –er song
liegen (lag, gelegen, liegt) to lie; be situated
die **Linde** —, –n linden (tree)
die **Linie** —, –n line
link left; links to the left
die **Lippe** —, –n lip
die **Literatur'** —, –en literature
loben to praise
der **Löffel** –s, — spoon
lohnen to reward; pay
los loose; los werden to get rid of
–los -less
die **Lösung** —, –en solution; lösen to dissolve, solve, release
der **Löwe** –n, –n lion
die **Luft** —, ⸗e air; der Luftraum space
die **Lust** —, ⸗e desire; pleasure; lustig gay, merry

machen to make; do
die **Macht** —, ⸗e might, power, force; mächtig mighty; die Ohnmacht faint
das **Mädchen** –s, — girl
der **Magen** –s, — stomach
das **Mahl** –es, –e meal; die Mahlzeit —, –en meal
der **Mai** –s May
das **Mal** –es, –e time (instance); manchmal sometimes; auf ein'mal suddenly; mit einem Male suddenly; nicht' einmal not even; zum ersten Mal for the first time
man one
mancher many a; manchmal sometimes
der **Mann** –es, ⸗er man; husband; das Männchen little man; Männchen darling; männlich manly, masculine
der **Mantel** –s, ⸗ coat, cloak, mantle
die **Mark** — mark (coin)
der **Markt** –es, ⸗e market
der **Marsch** –es, ⸗e march
der **März** –es March
die **Mauer** —, –n (outside) wall
das **Maul** –es, ⸗er mouth (of animal)
die **Maus** —, ⸗e mouse
das **Meer** –es, –e ocean, sea
mehr more; mehrere several; nicht mehr no longer
meinen to think; mean; say; die Meinung opinion
meist most; usually; meistens usually
der **Meister** –s, — master
die **Menge** —, –n crowd; quantity
der **Mensch** –en, –en human being, person; menschlich human
merken to mark, note; merklich noticeable; unmerk'lich imperceptible
messen (maß, gemessen, mißt) to measure
das **Messer** –s, — knife
der **Meter** –s, — meter
die **Milch** — milk
mischen to mix
mit with; along
der **Mittag**. *See* die Mitte
die **Mitte** — middle, center; mitten in in the middle of; der Mittag midday, noon; der Vor'mittag forenoon, morning
der **Mittwoch** –s Wednesday
möchte. *See* mögen
mögen (mochte, gemocht, mag) to like; may
möglich possible; die Möglichkeit possibility; un'mög'lich* impossible
der **Monat** –s, –e month
der **Mond** –es, –e moon
der **Montag** –s, –e Monday
der **Mord** –es, –e murder
der **Morgen** –s, — morning; morgen tomorrow; morgen früh tomorrow morning
müde tired; ermüden to tire
die **Mühle** —, –n mill
der **Mund** –es, –e mouth
die **Musik'** — music
müssen (mußte, gemußt, muß) to be obliged to, have to, must

der Mut –es courage; mutig bold, courageous

die Mutter —, ¨ mother; **das Mütterchen** little mother, old lady

die Muttersprache. *See* sprechen

nach to; toward; after; nach und nach little by little

der **Nachbar** –n, –n neighbor; die Nachbarin female neighbor

nachdem' after (*conj.*)

der **Nachhau'seweg.** *See* das Haus

nach'her'* afterwards

nächst. *See* nah

die **Nacht** —, ¨e night

nah close, near by; die Nähe vicinity, proximity; nächst next; nahen to approach

der Name –ns, –n name; nämlich namely, you see

nämlich. *See* der Name

der **Narr** –en, –en fool

die **Nase** —, –n nose

natür'lich naturally; ü'bernatürlich supernatural

der **Nebel** –s, — fog, mist

neben next to, beside

die Nebensache. *See* die Sache

der **Neffe** –n, –n nephew

nehmen (nahm, genommen, nimmt) to take; annehmen to accept, assume; (Platz nehmen. *See* der Platz)

neidisch jealous, envious; neidisch auf jealous of, envious of; der Neid jealousy, envy

nein no

nennen (nannte, genannt, nennt) to name, call

das **Nest** –es, –er nest

neu new

neuerwachen. *See* wach

neun nine

neunzehn nineteen

neunzig ninety

nicht not; (nicht einmal. *See* das Mal); (nicht mehr. *See* mehr)

die **Nichte** —, –n niece

nichts nothing

nichts'sagend. *See* sagen

nicken to nod

nie, niemals never; (noch nie. *See* noch)

nieder low; mean; down; niedrig low

niedergeschlagen. *See* schlagen

niemand nobody, no one

noch still, yet; even; noch' einmal again; noch nicht not yet; noch nie' never before; (noch im'mer, im'mer noch. *See* immer)

der **Norden** –s north; nördlich northern, to the north

die **Not** —, ¨e need, want; distress

nötig necessary

not'wendig necessary; die Not'wen'digkeit necessity; (*in* Peter Schlemihl) Providence

der **Novem'ber** –s November

die **Nummer** —, –n number

nun now

nur only

die **Nuß** —, ¨e nut

ob whether; if

oben above; upstairs; **ober** upper

obgleich' although

das **Obst** –es fruit

oder or

der **Ofen** –s, ¨ stove, oven

offen. *See* öffnen

der **Offizier'** –s, –e officer

öffnen to open; offen open; die Offenheit openness, frankness

oft often

ohne without; ohne zu sagen without saying; ohne zu wachsen without growing

die **Ohnmacht.** *See* die Macht

das **Ohr** –es, –en ear

der **Okto'ber** –s October

der **Onkel** –s, — uncle

der **Ort** –es, –e (¨er) place; town; der Geburts'ort (*from* geboren) birthplace

der **Osten** –s east; ost-, öst- east-; östlich eastern

das Paar –es, –e pair; couple; ein paar a few
das Papier –s, –e paper
die Person' —, –en person; persön'lich personally
der Pfennig –s, –e penny
das Pferd –es, –e horse
pflanzen to plant
die Pflicht —, –en duty
der Platz –es, ⸚e place; Platz nehmen (*like sep. prefix*) to sit down
plötzlich suddenly
die Post — mail; post office
praktisch practical
der Preis –es, –e prize; price
der Prinz –en, –en prince
prüfen to test, examine; die Prüfung test, examination
das Pult –es, –e desk
der Punkt –es, –e point; period, dot

raten (riet, geraten, rät) to advise; guess; der Rat advice, counsel; ratlos helpless
das Rathaus –es, ⸚er city hall
der Raum –es, ⸚e room; space
rauschen to roar; rustle
rechnen to figure; die Rechnung bill, account
recht right(-hand); proper, correct; rechts to the right
das Recht –es, –e right; un'recht wrong; das Un'recht injustice; es ist mir recht it is all right with me; mit gutem Recht rightly; recht haben to be right
reden to talk, speak; der Redner speaker; überre'den to persuade
die Regel —, –n rule
der Regen –s rain; regnen to rain
der Regenschirm. *See* der Schirm
regnen. *See* der Regen
reich rich
das Reich –es, –e realm; empire; das Königreich kingdom
reichen to reach; hand (to); suffice; errei'chen to reach, attain; un'erreich'bar unattainable
reif ripe; mature
die Reihe —, –n row, rank; series
rein clear; pure
die Reise —, –n trip; reisen to travel; der Reisende traveler
reißen (riß, gerissen, reißt) to tear; entreißen to tear away; zerreißen to tear to pieces, break
reiten (ritt, geritten, reitet) to ride (horseback)
reizen to irritate; charm; reizend charming
retten to save; die Rettung saving, rescue, escape
richtig correct, right, accurate
riechen (roch, gerochen, riecht) to smell; riechen nach to smell of
der Ring –es, –e ring
der Rock –es, ⸚e coat; skirt
die Rose —, –n rose
rot red
rot'bäckig. *See* die Backe
der Rücken –s, — back
rufen (rief, gerufen, ruft) to call; shout
ruhen to rest; beruhigend soothing, reassuring; die Ruhe rest, peace, calm; ruhig peaceful, calm; *frequently a particle meaning* simply, perfectly, all right, *etc.*; un'ruhig restless
der Ruhm –es fame, glory; rühmen to praise
rühren to stir, move
rund round

die Sache —, –n thing; affair; die Nebensache secondary consideration
sagen to say; nichts'sagend (nichtssagende Worte) empty, meaningless (words); unsag'bar unspeakable, inexpressible
die Sahne — cream
das Salz –es salt
sammeln to collect, gather; die Sammlung collection
der Samstag –s, –e Saturday
der Satz –es, ⸚e sentence
sauer sour

der Schaden –s, ⸗ harm, damage; **es ist** schade it is too bad
das Schaf –es, –e sheep
scharf sharp; die Schärfe sharpness
der Schatten –s, — shade; shadow; schattenlos shadowless; die Schattenlosigkeit shadowlessness, absence of a shadow
der Schatz –es, ⸗e treasure; beloved, sweetheart; schätzen to value, estimate; die Schätzung estimate, evaluation; unschätz'bar inestimable
scheiden (schied, geschieden, scheidet) to separate, part; der Ab'schied departure, farewell; sich scheiden lassen to sue for a divorce; unterschei'den to distinguish; verscheiden to pass away, die; verschieden different; verschie'denartig of a different kind *or* character
scheinen (schien, geschienen, scheint) to shine; seem; erscheinen to seem, appear; der Schein shine, light, gleam
schenken to make a present of; das Geschenk gift
schicken to send
schieben (schob, geschoben, schiebt) to shove, push
schießen (schoß, geschossen, schießt) to shoot; der Schuß shot
das Schiff –es, –e ship
der Schinken –s, — ham
der Schirm –es, –e protection; der Regenschirm umbrella; der Sonnenschirm parasol
die Schlacht —, –en battle
schlafen (schlief, geschlafen, schläft) to sleep; das Schläfchen nap, snooze
schlagen (schlug, geschlagen, schlägt) to beat, strike; der Schlag blow, stroke; niedergeschlagen dejected, despondent, depressed
schlank slender
schlecht bad; wicked
schließen (schloß, geschlossen, schließt) to close; lock; conclude; aufschließen to unlock; schließlich finally; der Schluß close, end, conclusion; verschließen to lock up
der Schluß. *See* schließen
schmecken to taste
der Schmerz –es, –en pain; grief; schmerzen to ache
der Schnee –s snow
schneiden (schnitt, geschnitten, schneidet) to cut
schnell fast, quick
schon already; *as particle* all right
schön beautiful; handsome; fine; die Schönheit beauty
der Schreck(en) –s, –en fright, horror; erschrecken to frighten; erschrecken (erschrak, erschrocken, erschrickt) to be frightened; schrecklich terrible, frightful
schreiben (schrieb, geschrieben, schreibt) to write; beschreiben to describe; un'beschreib'lich indescribable; unterschrei'ben to sign; die Un'terschrift signature
schreien (schrie, geschrie(e)n, schreit) to cry, shout
schreiten (schritt, geschritten, schreitet) to step, pace, walk; der Schritt step, pace
der Schritt. *See* schreiten
der Schuh –es, –e shoe
die Schuld —, –en guilt, blame; debt; schuld guilty, to blame; die Un'schuld innocence; un'schuldig innocent
die Schule —, –n school; geschult schooled, trained; der Schüler schoolboy
die Schulter —, –n shoulder
der Schuß. *See* schießen
schwach weak, feeble
schwarz black
schweigen (schwieg, geschwiegen, schweigt) to be silent
das Schwein –es, –e swine, pig
schwer difficult; heavy
die Schwester —, –n sister
schwierig difficult; die Schwierigkeit difficulty
schwimmen (schwamm, geschwommen, schwimmt) to swim
sechs six
sechzehn sixteen

sechzig sixty
die **See** —, –n sea, ocean; **der See** lake
die **Seele** —, –n soul
sehen (sah, gesehen, sieht) to see; **aussehen** to look, appear; sichtbar visible; **vor'**-sichtig careful, cautious
sehr very
sein (war, gewesen, ist) to be
seit for; since; seitdem' since that time; *as conj.*, since
die **Seite** —, –n side; page
selber -self; dersel'be the same
selb'ständig. *See* stehen
selten seldom, rare; seltsam strange, peculiar
senden (sandte, gesandt, sendet) to send
der **Septem'ber** –s September
setzen to set, place, put
sicher safe; certain; steady; die Sicherheit certainty; un'sicher uncertain, unsteady
sichtbar. *See* sehen
sieben seven
siebzehn seventeen
siebzig seventy
der **Sieg** –es, –e victory; der Sieger victor
das **Silber** silver; silbrig silverlike
silbrig. *See* das Silber
singen (sang, gesungen, singt) to sing
sinken (sank, gesunken, sinkt) to sink
der **Sinn** –es, –e sense; mind
sitzen (saß, gesessen, sitzt) to sit
so so; thus
soe'ben. *See* eben
sogar' even; as a matter of fact
sogleich' immediately, at once
der **Sohn** –es, ⸗e son
solcher such
der **Soldat'** –en, –en soldier
sollen to be obliged to; to be to; to be said to; ought to
der **Sommer** –s, — summer
sonder- special ...; besonder special; beson'ders especially; son'derbar peculiar, strange
sondern but
der **Sonnabend** –s, –e Saturday
die **Sonne** —, –n sun; sonnig sunny
der **Sonnenschirm.** *See* der Schirm
der **Sonntag** –s, –e Sunday
sonst otherwise
sorgen to care; worry; die Sorge care, worry
spät late
spielen to play
spitz pointed, acute; die Spitze point, top
die **Spräche.** *See* sprechen
sprächlos. *See* sprechen
sprechen (spräch, gesprochen, spricht) to speak; die Ausspräche pronunciation; **aus**-sprechen to pronounce, utter; das Ge-sprä'ch conversation; die Muttersprache mother tongue; die Spräche language, speech; sprächlos speechless; unaus-sprech'lich inexpressible; der Wi'derspruch contradiction; widerspre'chen to contradict, to talk back to
springen (sprang, gesprungen, springt) to spring, jump; zerspringen to burst
der **Staat** –es, –en state; staatenbildend (der Staat, bilden) colonizing
die **Stadt** —, ⸗e city, town; das Städtchen small city
der **Stamm** –es, ⸗e stem, trunk; tribe, race
der **Stand.** *See* stehen
stark strong; die Stärke strength
statt (**anstatt'**) instead of; die Werkstatt workshop (Statt = stead = place)
stechen (stach, gestochen, sticht) to prick, pierce, sting
stecken to stick; put (in pocket); pin
stehen (stand, gestanden, steht) to stand; aufstehen to stand up, get up, arise; selb'ständig independent; der Stand position, booth; stehenbleiben (*sep. prefix*) to stop
steigen (stieg, gestiegen, steigt) to climb
der **Stein** –es, –e stone, rock; versteinert petrified, turned to stone
stellen to place, put; die Stelle position, place; die Stellung position; auf der Stelle at once

sterben (starb, gestorben, stirbt) to die
der **Stern** –es, –e star
stets always
still still, quiet; die Stille stillness, quiet, silence
die **Stimme** —, –n voice; stimmlos voiceless
die **Stirn** —, –en forehead
der **Stoff** –es, –e material; cloth
der **Stoffwechsel**. *See* wechseln
stolz proud
stören to disturb; interrupt
stoßen (stieß, gestoßen, stößt) to push, thrust; der Windstoß gust of wind
die **Strafe** —, –n punishment, fine, penalty
die **Straße** —, –n street
streben to strive
strecken to stretch; extend; die Strecke stretch, distance, little way
streichen (strich, gestrichen, streicht) to stroke
das **Streichholz** –es, ⸗er match
streiten (stritt, gestritten, streitet) to dispute, quarrel
streng severe, strict, stern; die Strenge severity, sternness
das **Stroh** –es straw
der **Strom** –es, ⸗e large river; current
der **Strumpf** –es, ⸗e stocking
das **Stück** –es, –e piece
der **Student'** –en, –en student; studie'ren to study; das Stu'dium study
der **Stuhl** –es, ⸗e chair
stumpf dull, blunt
die **Stunde** —, –n hour; lesson
der **Sturm** –es, ⸗e storm; stürmen to storm; stürmisch stormy, emotional
stürzen to rush; tumble; throw, cast
suchen to seek; die Suche search
der **Süden** –s south; süd= south-; südlich southern
die **Sünde** —, –n sin
süß sweet; die Süße sweetness

der **Tag** –es, –e day; der Geburts'tag (*from* geboren) birthday
die **Tanne** —, –n fir (tree)
die **Tante** —, –n aunt
die **Tasche** —, –n pocket
das **Taschentuch**. *See* das Tuch
die **Tasse** —, –n cup; das Täßchen small cup
die **Tat**. *See* tun
die **Tätigkeit**. *See* tun
der **Tau** –s dew
tausend thousand
der **Tee** –s tea
teilen to divide; share; verteilen to distribute; das Ge'genteil contrary, opposite; im Ge'genteil on the contrary
der **Teller** –s, — plate
teuer dear; expensive
tief deep; die Tiefe depth(s)
das **Tier** –es, –e animal
die **Tinte** —, –n ink
der **Tisch** –es, –e table
die **Tochter** —, ⸗ daughter
der **Tod**. *See* töten
der **Ton** –es, ⸗e sound; tönen to sound, resound, ring; eintönig monotonous
töten to kill; der Tod death; tot dead; todmüde dead-tired
träge idle; lazy
tragen (trug, getragen, trägt) to carry, bear; wear
trauen to marry (join in wedlock); trust; vertrauen to confide, entrust
trauern to grieve, mourn; traurig sad; die Traurigkeit sadness
träumen to dream; der Traum dream
traurig. *See* trauern
treffen (traf, getroffen, trifft) to hit; meet
treiben (trieb, getrieben, treibt) to drive; set in motion
trennen to separate; die Trennung separation
die **Treppe** —, –n staircase; stair
treten (trat, getreten, tritt) to step, walk; der Tritt step
treu true, faithful
trinken (trank, getrunken, trinkt) to drink; ertrinken to drown

der Tritt. *See* treten
trocken dry; trocknen to dry
trösten to console; der Trost consolation, comfort; trostlos disconsolate, cheerless; un'tröst'lich inconsolable, disconsolate
der Trotz –es spite; obstinacy; haughtiness; trotz in spite of; trotzen to defy; trotzig defiant, obstinate; trotz'dem' (*adv.*) in spite of it, nevertheless; trotz-dem' (*conj.*) though; der Trotzkopf stubborn person
das Tuch –es, ⸚er cloth; das Handtuch towel; das Kopftuch scarf; das Taschen-tuch handkerchief; das Umschlagetuch scarf, shawl
tun (tat, getan, tut) to do; act; die Tat deed, act; die Tätigkeit activity
die Tür —, –en door

üben to practice, exercise; die Übung exercise, practice
über over, above; about; über und über all over, thoroughly
ü'berall' everywhere
überhaupt' at all; on the whole; as a matter of fact
ü'bernatürlich. *See* natürlich
überre'den. *See* reden
überset'zen to translate
übrigens by the way
das Ufer –s, — shore, bank
Uhr o'clock; die Uhr clock, watch
um at; around, about; um zu in order to; (um . . . willen. *See* willen)
umge'ben to surround: die Umge'bung surroundings
das Um'schlagetuch. *See* das Tuch
der Um'weg. *See* der Weg
die Um'welt. *See* die Welt
un'absichtlich. *See* die Absicht
un'angenehm. *See* angenehm
unaussprech'lich. *See* sprechen
un'beach'tet. *See* achten
un'bedeutend. *See* bedeuten
un'bekannt. *See* kennen
unbeschreib'lich. *See* schreiben
un'bestimmt. *See* bestimmt
un'beweglich. *See* bewegen
un'brauch'bar. *See* brauchen
und and
un'erfahren. *See* erfahren
un'erklär'lich. *See* erklären
unerreich'bar. *See* reichen
un'freundlich. *See* der Freund
un'gern. *See* gern
un'gläubig. *See* glauben
unglaub'lich. *See* glauben
das Un'glück. *See* glücklich
un'glücklich. *See* glücklich
das Un'heil. *See* das Heil
die Un'höflichkeit. *See* der Hof
unhör'bar. *See* hören
unmerk'lich. *See* merken
un'mög'lich. *See* möglich
un'recht. *See* das Recht
das Un'recht. *See* das Recht
un'ruhig. *See* ruhen
unsag'bar. *See* sagen
unschätz'bar. *See* der Schatz
die Un'schuld. *See* die Schuld
un'schuldig. *See* die Schuld
un'sicher. *See* sicher
unten. *See* unter
unter under, below; among; unten below
unterdrück'en. *See* drücken
das Un'terholz. *See* das Holz
unterrich'ten to instruct; inform
unterschei'den. *See* scheiden
unterschrei'ben. *See* schreiben
die Un'terschrift. *See* schreiben
unterwer'fen. *See* werfen
untröst'lich. *See* trösten
die Un'vernunft. *See* die Vernunft
un'verständlich. *See* verstehen
un'vollkommen. *See* vollkommen
un'vor'bereitet. *See* bereit
un'wahrscheinlich. *See* wahrscheinlich
unzäh'lig. *See* zählen
der Ur'sprung –s, ⸚e origin; ursprüng'lich originally

das Urteil –s, –e judgment; opinion; beur'teilen to judge; urteilen to judge

der Vater –s, ¨ father; väterlich fatherly
verächtlich. *See* achten
verändern. *See* ander
die **Veränderung.** *See* ander
verbergen (verbarg, verborgen, verbirgt) to hide, conceal
verbessern. *See* besser
die **Verbindung.** *See* binden
verdienen to earn
verehren. *See* die Ehre
der Verein –s, –e club, organization
verfassen to write, compose; der Verfasser author
die **Vergangenheit** — past
vergehen. *See* gehen
vergessen (vergaß, vergessen, vergißt) to forget
der Vergleich. *See* gleich
das **Vergnügen** –s pleasure, enjoyment
verhindern. *See* hindern
verhungern. *See* hungrig
verkaufen to sell; der Verkäufer salesman, clerk, merchant, dealer
verlangen to demand, require
verlassen. *See* lassen
verliebt. *See* lieben
verlieren (verlor, verloren, verliert) to lose
der Verlust –s, –e loss
vermischen. *See* mischen
die **Vernunft'** reason (mind); vernünf'tig reasonable, sensible; die Un'vernunft lack of reason, unreasonableness; vernunft'los senseless
verscheiden. *See* scheiden
verschieden. *See* scheiden
verschiedenartig. *See* scheiden
verschließen. *See* schließen
verschwinden (verschwand, verschwunden, verschwindet) to disappear
versprechen (versprach, versprochen, verspricht) to promise
verständlich. *See* verstehen
verstehen (verstand, verstanden, versteht) to understand; verständlich clear, intelligible; un'verständlich incomprehensible
versteinert. *See* der Stein
versuchen to try, attempt; der Versuch attempt, experiment
verteilen. *See* teilen
vertrauen. *See* trauen
verwandeln to transform, change; die Verwandlung transformation
verwandt related; der Verwandte relative; die Verwandtschaft relationship
der **Vetter** –s, –n cousin (male)
das **Vieh** –s cattle
viel much; viele many
vielleicht' perhaps
vier four
vierzehn fourteen
vierzig forty
der **Vogel** –s, ¨ bird
das **Volk** –es, ¨er people; nation
voll full, filled; völlig completely
voll'kom'men* complete, perfect; un'vollkommen imperfect, incomplete
voll'ständig complete; die Voll'ständigkeit completeness
von of; from
vor before, in front of; ago; vorn in front; vor allem above all; vor einer Woche a week ago
vor'aus'* ahead, in advance; voraus'sagen to predict
vorbei' past, by; gone
vor'her'* before, previously
vorkommen (kam vor, vorgekommen, kommt vor) to occur, happen; come forward; seem
der **Vor'mittag.** *See* die Mitte
vorn. *See* vor
vorschlagen (schlug vor, vorgeschlagen, schlägt vor) to suggest, propose; move
vor'sichtig. *See* sehen
der **Vor'teil** –s, –e advantage
vorziehen (zog vor, vorgezogen, zieht vor) to prefer; pull out

wach awake; bewachen to guard; erwachen to awaken
wachsen (wuchs, gewachsen, wächst) to grow
die **Waffe** —, –n weapon
wagen to dare, venture; risk
der **Wagen** –s, — wagon, carriage, car
wählen to choose, select; elect; die Wahl choice, selection
wahr true, real; wahrhaf'tig truly; die Wahrheit truth; nicht wahr? isn't that so?
während while, during
die **Wahrheit**. *See* wahr
wahrschein'lich probable, likely; un'wahrscheinlich improbable, unlikely
der **Wald** –es, ⸗er forest
die **Wand** —, ⸗e wall
wann when
die **Ware** —, –n merchandise, goods
warm warm; die Wärme warmth
warten to wait; warten auf to wait for
-wärts -ward, -wards; aufwärts upward
warum' why
was what; that; was für ein what sort of
das **Wasser** –s, — water
die **Wasserfläche**. *See* flach
wechseln to change; ab'wechselnd changing off, alternately; der Stoffwechsel metabolism
weder . . . noch neither . . . nor
weg away, off; gone
der **Weg** –es, –e way; road; path; der Um'weg roundabout way, detour; sich auf den Weg machen to set out
weh' tun (tat weh, weh getan, tut weh) to hurt, pain; es tut mir weh it hurts me
das **Weib** –es, –er woman; wife; weiblich feminine
Weih'nachten Christmas; der Weihnachtsmann Santa Claus
weil because, since
das **Weilchen**. *See* die Weile
die **Weile** — while, space of time; das Weilchen little while
der **Wein** –es, –e wine
weinen to cry, weep
weise wise, prudent
die **Weise** —, –n manner, way
weiß white
weit far, distant; weiter farther, further; on; weiterreden to go on talking; und so weiter (u. s. w., usw.) and so forth, etc.
welcher which, what
die **Welle** —, –n wave
die **Welt** —, –en world; die Umwelt surroundings, environment
wenden (wandte, gewandt, wendet) to turn
wenig few; ein wenig a little; wenigstens at least
wenn when, whenever; if; wenn auch *or* auch wenn although, even if
wer who; whoever
werden (wurde, geworden, wird) to become
werfen (warf, geworfen, wirft) to throw; unterwer'fen to subject, subjugate, subdue
das **Werk** –es, –e work
die **Werkstatt**. *See* statt
der **Wert** –es, –e value, worth; wertvoll valuable
das **Wesen** –s, — being; creature; essence
die **Weste** —, –n vest
der **Westen** –s west
das **Wetter** –s weather
wichtig important
wider against
widerspre'chen. *See* sprechen
der **Wi'derspruch**. *See* sprechen
wie as; how; *sometimes* as if
wieder again; auf Wie'dersehen good-by
wiederho'len to repeat
wiegen (wog, gewogen, wiegt) to weigh
die **Wiese** —, –n meadow
wild wild; die Wildheit wildness
willen: um . . . willen for the sake of
der **Wind** –es, –e wind, breeze
der **Windstoß**. *See* stoßen
der **Winter** –s, — winter
wirken to work; effect; **die Wirkung** result, effect

wirklich real, genuine; die Wirklichkeit reality
der **Wirt** -es, -e innkeeper, landlord
wissen (wußte, gewußt, weiß) to know
wo where; wo'her'* whence; wo'hin'* whither, to what place
die **Woche** —, -n week; eine Woche lang for a week
wohl well; no doubt
wohnen to dwell, live; der Bewohner inhabitant; wohnlich habitable, snug, cozy; die Wohnung home, dwelling
die **Wolke** —, -n cloud
die **Wolle** — wool
wollen to want to, wish
das **Wort** -es, -e *or* ¨-er word; das Wörterbuch dictionary; der Wortwechsel exchange of words, argument
das **Wunder** -s, — wonder; die Bewunderung admiration
wünschen to wish, desire; der Wunsch wish
die **Würde** dignity; würdig worthy
die **Wurzel** —, -n root

zahlen to pay
zählen to count, number; die Zahl number; unzäh'lig countless
zahm tame
der **Zahn** -es, ¨-e tooth
zart tender, delicate; zärtlich tender, affectionate; die Zärtlichkeit tenderness
das **Zeichen** -s, — sign, signal
zeichnen to sketch; mark
zeigen to show
die **Zeit** —, -en time; eine Zeitlang for a time
die **Zeitung** —, -en newspaper
zerbrechen. *See* brechen
zerfallen. *See* fallen
zerreißen. *See* reißen
zerspringen. *See* springen
der **Zeuge** -n, -n witness
die **Ziege** —, -n goat
ziehen (zog, gezogen, zieht) to pull, draw; move; anziehen to put on, dress; ausziehen to take off, (*refl.*) to undress
das **Ziel** -es, -e aim, goal, destination
ziemlich rather
das **Zimmer** -s, — room
zittern to tremble, shake
zu to; too
der **Zucker** -s sugar
zuerst'. *See* erst
der **Zu'fall** -s, ¨-e chance; accident
zufrie'den satisfied, contented
der **Zug** -es, ¨-e train; procession
zugleich' at the same time
zu'hören (*sep. prefix*) to listen
die **Zu'kunft** — future
zuletzt'. *See* letzt
zu'machen (*sep. prefix*) to close, shut
zunächst' first of all; at first
zurück' back
zurück'kehren (*sep. prefix*) to turn back, return
zusam'men together; zusammenbrechen to collapse
der **Zu'stand** -es, ¨-e condition
zwanzig twenty
zwar to be sure
der **Zweck** -es, -e purpose; use
zwei two
der **Zweifel** -s, — doubt; zweifellos beyond a doubt, certainly
der **Zweig** -es, -e twig, branch
zwingen (zwang, gezwungen, zwingt) to force, compel
zwischen between; inzwi'schen meanwhile, in the meantime

ENGLISH-GERMAN VOCABULARY

able: be able to können (konnte, gekonnt, kann)
about ungefähr
afraid: be afraid (of) sich fürchten (vor [*dat.*])
after (*prep.*) nach (*dat.*)
again wieder
against (*prep.*) gegen (*acc.*)
ago: two years ago vor zwei Jahren
allow. *See* permit
almost fast
alone allein
already schon
although obgleich
always immer
answer antworten
apple der Apfel –s, ⸚
arm der Arm –es, –e
arrive ankommen (kam an, ist angekommen, kommt an)
as soon as sobald (als *or* wie), sowie
ask (request), ask for bitten (bat, hat gebeten, bittet) um (*acc.*)
ask (question), ask about fragen nach (*dat.*)
autumn der Herbst –es, –e
away weg

back zurück
bad böse, schlecht
bathe baden
be sein (war, ist gewesen, ist); I am to ich soll; he is to er soll
beard der Bart –es, ⸚e
beat schlagen (schlug, hat geschlagen, schlägt)
beautiful schön
because weil
bed das Bett –es, –en; go to bed zu Bett (ins Bett) gehen
before (*conj.*) ehe, bevor
begin beginnen (begann, hat begonnen, beginnt), anfangen (fing an, hat angefangen, fängt an)
believe glauben
belong to gehören (*w. dat.*)
bench die Bank —, ⸚e
between zwischen (*dat. or acc.*)
big groß ⸚er, ⸚t
bird der Vogel –s, ⸚
bite beißen (biß, hat gebissen, beißt)
black schwarz ⸚er, ⸚est
blood das Blut –es
blue blau
book das Buch –es, ⸚er
break brechen (brach, hat gebrochen, bricht)
breathe atmen
bright hell
bring bringen (brachte, hat gebracht, bringt)
brother der Bruder –s, ⸚
building das Gebäude –s, —
business das Geschäft –es, –e
but aber, sondern. *See* § *38*
buy kaufen
by (*prep.*) (*means or agent*) von (*dat.*)

cake der Kuchen –s, —
called, to be heißen (hieß, hat geheißen, heißt)
can, be able können (konnte, hat gekonnt, kann)
carriage der Wagen –s, —
charming reizend
child das Kind –es, –er
church die Kirche —, –en
citizen der Bürger –s, —
city die Stadt —, ⸚e
claim behaupten
class die Klasse —, –n
clear klar
closed geschlossen
coffee der Kaffee –s
cold kalt, ⸚er, ⸚est
color die Farbe —, –n
come kommen (kam, ist gekommen, kommt)
console trösten

corner die Ecke —, -n
cost kosten
count zählen; **count on someone** rechnen auf (*acc.*)
country das Land -es, ¨er; **in the country** auf dem Lande; **to the country** auf das Land
couple: a couple (a few) ein paar
cry schreien (schrie, hat geschrie(e)n, schreit)
cup die Tasse —, -n

danger die Gefahr —, -en
dark dunkel
day der Tag -es, -e
deep tief
definite(ly) bestimmt
devil der Teufel -s, —
dictionary das Wörterbuch -es, ¨er
die sterben (starb, ist gestorben, stirbt)
difficult schwer
disappear verschwinden (verschwand, ist verschwunden, verschwindet)
do machen, tun (tat, hat getan, tut)
door die Tür —, -en
draw ziehen (zog, hat gezogen, zieht)
dress das Kleid -es, -er
drive treiben (trieb, hat getrieben, treibt)

early früh
earth die Erde —, -en
easy leicht
eat essen (aß, hat gegessen, ißt); **eaten (up)** aufgegessen
eight acht
eighteen achtzehn
enough genug
entire ganz
even (*adv.*) sogar, selbst
evening der Abend -s, -e; **in the evening** abends; **one evening** eines Abends
ever je
every jeder
everything alles
expect erwarten
expensive teuer
explain erklären

face das Gesicht -es, -er
fall fallen (fiel, ist gefallen, fällt)
family die Familie —, -n
fast schnell
fetch holen
few wenig
for (*prep.*) für (*acc.*); (*conj.*) denn
forest der Wald -es, ¨er
forget vergessen (vergaß, hat vergessen, vergißt)
find out erfahren (erfuhr, hat erfahren, erfährt)
finger der Finger -s, —
first erst
flower die Blume —, -n
four vier
Friday Freitag
friend der Freund -es, -e; die Freundin —, -nen
front: in front of vor (*dat. or acc.*)

garden der Garten -s, ¨
gentleman der Herr -n, -en
German (*adj.*) deutsch; **German (person)** der, die Deutsche; **German (language)** Deutsch
Germany Deutschland -s
get (receive) bekommen (bekam, hat bekommen, bekommt); **get (fetch)** holen; **get (become)** werden (wurde, ist geworden, wird)
girl das Mädchen -s, —
give geben (gab, hat gegeben, gibt)
glass das Glas -es, ¨er; **a glass of water** ein Glas Wasser
go gehen (ging, ist gegangen, geht)
goat die Ziege —, -n
good gut, besser, best
goose die Gans —, ¨e
grandchild der Enkel -s, —; die Enkelin —, -nen
green grün
grow wachsen (wuchs, ist gewachsen, wächst)
guest der Gast -es, ¨e

hair das Haar -es, -e
hand die Hand —, ¨e

happy glücklich
hard schwer
hat der Hut –es, ⸚e
hate hassen
haughtiness der Trotz –es
have haben (hatte, hat gehabt, hat); **have to (obligation)** müssen (mußte, hat gemußt, muß)
head der Kopf –es, ⸚e
hear hören
heart: by heart auswendig
heavy schwer
help helfen (half, hat geholfen, hilft) (*w. dat.*)
hero der Held –en, –en
hide verbergen (verbarg, hat verborgen, verbirgt)
history die Geschichte —, –n
hold halten (hielt, hat gehalten, hält)
home(ward) nach Hause
honest ehrlich
hope hoffen
horse das Pferd –es, –e; **to fall from one's horse** vom Pferde stürzen
hot heiß
house das Haus –es, ⸚er
how wie

ice das Eis –es
if wenn
ill krank ⸚er, ⸚st
immediately sogleich
intention die Absicht —, –en
interesting interessant

jealous (envious) neidisch
July Juli –s
jump springen (sprang, ist gesprungen, springt)
just (*adv. of time*) gerade

kaiser der Kaiser –s, —
kiss küssen
knife das Messer –s, —
know kennen, wissen. *See § 66*

lady die Dame —, –n
language die Sprache —, –n
large groß ⸚er, ⸚t
last dauern; (*adj.*) letzt
late spät
laugh lachen
lead führen
learn lernen
let lassen (ließ, hat gelassen, läßt)
letter der Brief –es, –e
lie liegen (lag, hat gelegen, liegt)
like mögen (mochte, hat gemocht, mag); **I like to read** ich lese gern
line die Linie —, –n
listen zuhören
little klein
live (be alive) leben; **(dwell)** wohnen
long lang(e) ⸚er, ⸚st
look for suchen
lose verlieren (verlor, hat verloren, verliert)
loud laut
love lieben
lovely lieblich

make machen
man der Mann –es, ⸚er
many viele
March März –es
marry heiraten
may (*permission*) dürfen (durfte, hat gedurft, darf); (*possibility*) können (konnte, hat gekonnt, kann)
milk die Milch —
mistake der Fehler –s, —
money das Geld –es
month der Monat –s, –e
moon der Mond –es, –e
more mehr
more and more immer + *compar.*
morning der Morgen –s, —; **in the morning** morgens
mother die Mutter —, ⸚
much viel
must müssen (mußte, hat gemußt, muß)

narrow eng
natural natürlich
need brauchen

never nie
new neu
newspaper die Zeitung —, –en
next nächst; **next to** neben (*dat. or acc.*)
night die Nacht —, ⸗e
no *adj.* kein; **no!** nein!
not nicht
nothing nichts
now jetzt

observe beobachten
often oft
old alt ⸗er, ⸗est
on (upon) auf (*dat. or acc.*)
only nur
or oder
otherwise sonst
ought to *subjunctive of* sollen
out of aus (*dat.*)

page die Seite —, –n
paper das Papier –s, –e; die Zeitung —, –en
pay zahlen
pay for bezahlen
pea die Erbse —, –n
peace der Friede(n) –ns
pen die Feder —, –n
pencil der Bleistift –s, –e; **use a pencil** mit Bleistift schreiben
penny der Pfennig –s, –e
permitted: to be permitted dürfen (durfte, hat gedurft, darf)
physician der Arzt –es, ⸗e
picture das Bild –es, –er
piece das Stück –es, –e
plant pflanzen
play spielen
please gefallen (gefiel, hat gefallen, gefällt) (*w. dat.*)
pocket die Tasche —, –n
poor arm ⸗er, ⸗st
possible möglich
potato die Kartoffel —, –n
prize der Preis –es, –e
probably wahrscheinlich
program das Programm –es, –e
proud stolz
prove beweisen (bewies, hat bewiesen, beweist)
push stoßen (stieß, hat gestoßen, stößt)

rain der Regen –s
rather ziemlich
read lesen (las, hat gelesen, liest)
ready (complete) fertig; **(prepared)** bereit
receive erhalten (erhielt, hat erhalten, erhält)
red rot ⸗er, ⸗est
remain bleiben (blieb, ist geblieben, bleibt)
remind (of) erinnern (an [*acc.*])
report berichten
return zurückkehren
ride (on a horse) reiten (ritt, ist geritten, reitet)
right: it is all right with me es ist mir recht
rock der Stein –es, –e
roof das Dach –es, ⸗er
room das Zimmer –s, —
rose die Rose —, –n
run laufen (lief, ist gelaufen, läuft)

sad traurig
satisfied zufrieden
Saturday Samstag, Sonnabend
save retten
say sagen
scarcely kaum
sea die See —, –n; das Meer –es, –e
see sehen (sah, hat gesehen, sieht)
send schicken
sentence der Satz –es, ⸗e
seven sieben
share teilen
ship das Schiff –es, –e
short kurz ⸗er, ⸗est
shove off abstoßen (stieß ab, hat *or* ist abgestoßen, stößt ab)
show zeigen
silent, to be schweigen (schwieg, hat geschwiegen, schweigt)
simple einfach
since (*prep.*) seit (*dat.*)
sing singen (sang, hat gesungen, singt)
sit sitzen (saß, hat gesessen, sitzt)

sit down Platz nehmen
six sechs
sleep schlafen (schlief, hat geschlafen, schläft)
slender schlank
smell riechen (roch, hat gerochen, riecht)
smile lächeln
snow der Schnee –s
someone jemand
something etwas
song das Lied –es, –er
soon früh, bald
speak sprechen (sprach, hat gesprochen, spricht)
spring der Frühling –s
star der Stern –es, –e
stay bleiben (blieb, ist geblieben, bleibt)
step out hinaustreten (trat hinaus, ist hinausgetreten, tritt hinaus)
still noch, noch immer
story die Geschichte —, –n
straight gerade
street die Straße —, –n
student der Student –en, –en
study lernen, studieren
success der Erfolg –es, –e
suddenly plötzlich
summer der Sommer –s, —
sun die Sonne —, –n
Sunday Sonntag; **on Sundays** Sonntags
sure: to be sure zwar
swim schwimmen (schwamm, hat geschwommen, schwimmt)

take nehmen (nahm, hat genommen, nimmt)
talk sprechen (sprach, hat gesprochen, spricht), reden
ten zehn
than als
thank danken (*dat.*)
that (*conj.*) daß
then da; dann
there da, dort
thick dicht
thin dünn
thing die Sache —, –n
think denken (dachte, hat gedacht, denkt)
think of denken an (*acc.*)
thousand tausend
three drei
throw werfen (warf, hat geworfen, wirft)
time die Zeit
to (*prep.*) nach (*dat.*), zu (*dat.*)
today heute
together zusammen
tomorrow morgen
too (also) auch; **too (much)** zu (viel)
travel reisen
trip die Reise —, –n
try versuchen
Tuesday Dienstag

uncle der Onkel –s, —
understand verstehen (verstand, hat verstanden, versteht)
unfortunately leider
unhappy unglücklich
use gebrauchen

very sehr
visit besuchen
voice die Stimme —, –n

wall die Wand —, ⸚e
want to wollen (wollte, hat gewollt, will)
war der Krieg –es, –e
watch die Uhr —, –en
water das Wasser –s, —
wear tragen (trug, hat getragen, trägt)
Wednesday Mittwoch
week die Woche —, –n
weigh wiegen (wog, hat gewogen, wiegt)
well gut
when als; wenn; wann?
where wo
while (*conj.*) während
white weiß
whole ganz
why warum
wife die Frau —, –en
win gewinnen (gewann, hat gewonnen, gewinnt)
wind der Wind –es, –e
window das Fenster –s, —

wine der Wein -es, -e
wish wünschen
with mit (*dat.*)
without ohne (*acc.*)
woman die Frau —, -en
wonder: no wonder kein Wunder
work die Arbeit —, -en
work arbeiten
write schreiben (schrieb, hat geschrieben, schreibt)

yesterday gestern
yet: not yet noch nicht
young jung ⸚er, ⸚st

INDEX

[Unless otherwise indicated the references are to sections.]

PRINTED IN THE UNITED STATES OF AMERICA